LA POÉTIQUE DE LIU XIE
- UNE HISTOIRE LITTÉRAIRE DE LA CHINE ANCIENNE -

© Artois Presses Université, 2023
9 rue du Temple, BP 10665 - 62030 Arras Cedex
ISBN 978-2-84832-552-1

LA POÉTIQUE DE LIU XIE
- UNE HISTOIRE LITTÉRAIRE
DE LA CHINE ANCIENNE -

JIN Siyan

Ouvrage publié avec le concours
de l'Institut Confucius,
de l'université d'Artois
et de l'association Arras Université

Artois Presses Université
Confucius

INTRODUCTION

L'ESPRIT DE LA LITTÉRATURE CISELEUR DE DRAGONS UN CANON DE LA CRITIQUE LITTÉRAIRE CHINOISE

Le canon d'esthétique de Liu Xie (465 ?-522 ?)[1], *L'Esprit de la littérature ciseleur de dragons* (*Wenxindiaolong* 文心雕龍)[2], ne se laisse pas

---

[1] Cf. Damien Chaussende et François Martin (dirs.), « Liu Xie », in *Dictionnaire biographique du Haut Moyen Âge chinois – Culture, politique et religion de la fin des Han à la veille des Tang (IIIᵉ-VIᵉ siècles)*, Paris, Les Belles Lettres, 2020, p. 312-315.

[2] Il existe de nos jours douze traductions complètes du *Wenxin diaolong* dont trois en japonais, trois en coréen, trois en anglais, une en italien et deux en français : Hiroshi Kōzen 興膳宏, Tokyo, Chikuma shobō 筑摩書房, 1968 ; Makoto Mekada 目加田诚, Tokyo, Heibansha 平凡社, 1974 ; Kogyō Toda 户田浩晓, Tokyo, Meiji shoin 明治書院, 1974 （上）、1977 （下）; Sin-Ho Choe 崔信浩, Seoul, Hyeo-Anamsa

aisément réduire à l'unité d'un système de critique thématique. La polyvalence du sens de « wen » 文, la diversité des domaines (de l'histoire à l'esthétique, de l'écriture à la littérature, de la philologie à la philosophie du langage) constituent la multiplicité de la pensée littéraire de Liu Xie, richement et finement dévoilée chapitre par chapitre. Le « wen » désigne étymologiquement des « veines naturelles de la pierre ou du bois » ; des « fissures naturelles » ; « le paraître ». Le terme « wen » contient trois catégories sémantiques : la première catégorie du « wen » désigne « décoration », « forme », « couleur », tout ce qui est visible ; la deuxième catégorie concerne le « son », « l'ouïe » ; la dernière s'utilise sur le plan du sentiment humain. Le « wen » est donc considéré comme une expression, la figuration de la nature. Pour le taoïsme, le « wen » est un réceptacle verbal. Selon Zhou Shaoheng 周

玄岩社, 1975 ; Min-su Yi 李民樹, Seoul, Eul-YuMunhwasa 乙酉文化社, 1984 ; Tong-ho Ch'oe 崔東镐, Seoul, Minumsa 民音社, 1994 ; Shih, Vincent Yu-chung, trans. *The Literary Mind and the Carving of Dragons*, Hong Kong, The Chinese University Press, 1983 ; Wong, siu-kit, Allan Chung-hang Lo and Kwong-tai Lam, trans. *The Book of Literary Design*, Philadelphia, Coronet Books, 1999 ; Yang Guobin 楊國斌, trans. *Dragon-Carving and the Literary Mind*, Beijing 北京, Foreign Language Teaching and Research Press 外語教學與研究出版社, 2003 ; Lavagnino, Alessandra C., trans. *Il Tesoro delle lettere : un intaglio di draghi*, Milano, Luni Editrice, 1995 ; Chen Shuyu 陳蜀玉, trans. *L'essence de la littérature et la gravure de dragons*, Beijing 北京, Éditions en Langues étrangères 外文出版社, 2010 ; Jin Siyan et Léon Vandermeersch, trans. *L'Esprit de la littérature ciseleur de dragons*, Paris, Youfeng, 2022.

紹恆, en aucun cas, le caractère « wen » ne peut se traduire en « mot[3] ».

Les veines de pierre et de bois, naturellement, sont des incises, des griffes dans la nature. Ces sculptures/gravures de dragon, puissance virile, sont des griffures, ouvragées dans le cœur de l'homme. Elles sont autant de traces de force de l'écriture.

Au travers de ce grand traité médiéval sur l'esthétique littéraire chinoise, *L'Esprit de la littérature ciseleur de dragons*, se forme la poétique chinoise. Cette multiplicité de la pensée trouve son premier ancrage dans la philologie du « wen », terme qui doit être traduit différemment selon les contextes.

Toute l'œuvre traite du phénomène de la création, de l'intuition, de l'inspiration, l'esprit du « wen » pour écouter, observer et écrire autrement. Liu Xie, auteur de l'œuvre, tente d'étudier d'une manière historique et esthétique le « wen » qui représente la quintessence de l'esthétique littéraire. Sculpter le dragon signifie « scruter » l'esprit afin de le faire éclater, finement sur le plan du paraître, ce qui est à l'opposition de l'état brut, naturel. Le paraître fait apparaître ce qui se cache dedans, ce qui est encore incultivé, naturel (*zhi* 質).

---

[3] Voir *Wenxin diaolong sanlun ji qita* 文心雕龍散論及其他 (Propos sur *Wenxin diaolong*), Beijing 北京, Xueyuan chubanshe 學苑, 2004 出版社, p. 167-174.

La polyvalence du sens du « wen »

Le « wen » dans la langue d'origine (chinois en
« wenyan ») et dans la langue cible (français) représente
deux réseaux de différences conceptuelles. Comment
traduire ce terme quand en chinois il y a une graphie alors
qu'en français il faut un groupe de mots (une cinquantaine
par exemple dans la version anglaise et une dizaine dans la
version française) ?

La différence ontologique implique l'impossibilité de
véritable synonymie. Étymologiquement, le « wen » est
un tatouage qui a deux fonctions. Celle d'identification
et celle d'embellir dans la culture primitive, par exemple
« embellir le visage », portent le premier sens du terme.
Au départ, il y a déjà le double sens de quelque chose qui
identifie et quelque chose qui embellit. Au sens figuré, le
« wen » vise à marquer la supériorité de quelqu'un, ou la
beauté qui devient peinture.

À partir de là, il y a toute une série de sens secondaires
qui viennent se greffer. Les graphies (caractères ou *wenzi*),
sont en quelque sorte le tatouage d'un mot. Le mot est tatoué
en « wenzi » (écriture), le signifiant signifie le mot. C'est la
fonction de la signification. Mais en même temps il signifie
la beauté devenant la littérature au sens large du terme, de
quelque chose qui embellit, puis le langage, un langage de
beauté, de composition. Ce n'est pas le langage courant.

Si des écritures différentes en chinois et en français
sont des singularités radicales, étant l'une la langue d'origine divinatoire et l'autre la langue naturelle, pour que la

traduction du « wen » soit possible, il faut qu'il y ait un terrain commun qui permette de distinguer entre les deux différentes polysémies (celle de l'écriture graphique chinoise et celle de l'écriture alphabétique). Une véritable traduction n'étant pas réalisable, la solution est, comme ce qu'a fait Jean-François Billeter pour le « dao » dans le *Zhuangzi*, de traduire de différentes façons selon les cas. Il faut savoir « nager » entre traduction, transplantation, transposition, interprétation, commentaire, déplacement... C'est ce que le « wen » a vécu dans le transfert du chinois vers le français.

Le cas de la traduction du « wen » nous montre la possibilité dans l'impossible d'un concept sur un autre sol culturel et langagier, franchissant la particularité culturelle et sémantique. Tout transfert serait possible par traduction.

La traduction du « wen » ne se limite pas à saisir le « vrai » sens de Liu Xie dans sa spéculation, mais consiste à le resituer dans un contexte réel qui précise l'un des sens en pluralité. Il est nécessaire de donner des exemples des difficultés que la traduction a connues, d'où l'analyse sous forme de notes ou entre parenthèses pour aboutir au travail du transfert.

La poétique de Liu Xie

La poétique de Liu Xie est systématisée et explicite. La beauté de l'écriture n'est possible que si elle n'échappe pas à la raison, et si elle respecte la règle d'or de la sobriété et de l'évocation du mot.

Une nuance est à souligner sur la théorie de la littérature de Liu Xie, qui place l'écriture dans un art de création de l'être qui lui-même est la création des formes idéales issues des textes canoniques. Un lettré qui écrit doit être conscient de son rôle à jouer dans la rencontre de l'être avec le cosmos par l'esprit humain. Ainsi Liu Xie introduit-il un élément nouveau et fondamental avec son système de la théorie critique dans la pensée littéraire chinoise. L'union du ciel, de la terre et de l'homme, cette « trinité », est supérieure à l'esprit humain. À partir de cette union Liu Xie formule des règles fondamentales pour une écriture « correcte », mais toujours suivies de l'idée d'ensemble et de l'émotion du soi imprégné dans l'univers. À partir de ces principes premiers, toute écriture a raison d'être.

Une des grandes nouveautés du *Wenxin diaolong* réside dans la découverte du système de la critique. Il y a peu d'écrits au sein de la critique littéraire avant Liu Xie, qui aient fourni autant de réflexions structurées. La poésie y est dotée de trois fonctions : la fonction éducative, la fonction allusive à la bonne gouvernance et la fonction poétique de l'expression du soi.

La sacralité des sources littéraires

Après Confucius, la littérature chinoise devient celle de l'art, mais avec constamment, de la part de Liu Xie, une sorte de retour à l'origine. Cette grande parenté entre les archives de l'État et les écrits littéraires n'est présente nulle part ailleurs qu'en Chine antique. Liu Xie pense de manière ancienne, voulant tout le temps revenir en arrière, et de là, il vise à constituer une critique littéraire unique jusqu'à son époque, voire à nos jours.

Dans tout son texte sur le « wen », Liu Xie mentionne les ancêtres conférant le prestige de l'ancienneté à la sacralité des sources littéraires. Cette sacralité est soulignée par l'écriture du « wenyan » (langue du « wen », écriture ancienne) qui se différencie du langage parlé, et sert à la transcription des chants en odes. La poésie en « wenyan » fut ainsi instituée comme texte accompli. Les odes, un genre de poésie en « wenyan » en quadrisyllabe de circonstance, conscientes du rituel et du fonctionnement social, sont basées sur les mouvements cosmiques.

Dans la critique littéraire de Liu Xie, il y a une « confusion » ou plus ou moins un mélange avec ce qui peut être la critique de la pensée, un peu comme si en France, on mettait la théorie du syllogisme à l'intérieur de la critique littéraire ; c'est la raison pour laquelle la différence entre *lun* 論 (dissertation) et *shuo* 說 (discours) n'est pas vraiment littéraire. En Chine, l'écriture part d'une science divinatoire, elle continue à être plus ou moins mêlée à la pensée, ce qui est la spéculation ou l'art[4].

Liu Xie s'alimente aux sources anciennes, les glorifiant tout en négligeant ou en reniant les textes du temps moins lointain. Il recourt exclusivement à la genèse canonique, dont la présence et le nombre de citations sont marquantes dans sa spéculation. Il cherche à démontrer les choses, prenant des exemples, dont beaucoup d'œuvres citées sont à présent perdues. Ces œuvres sont prises comme références pour dérouler sa pensée. Un peu comme Montaigne dans

---

[4] Voir Léon Vandermeersch, *La littérature chinoise, littérature hors norme*, Paris, Gallimard, 2022, p. 49-71.

ses *Essais*, lui aussi, recourt à beaucoup de références. Mais la spéculation de Montaigne est une spéculation sur la vie, tandis que la spéculation de Liu Xie est une spéculation sur l'écriture et la littérature ; l'objet n'est pas le même.

Dans le *Wenxin diaolong*, les écrivains mentionnés ou les citations prises partagent la pensée de l'auteur et jouent un rôle particulier. Il illustre ce qu'il dit par des exemples, ce ne sont pas vraiment des points d'appui de la spéculation, ce sont des exemples qui illustrent ce qui est déjà acquis.

Liu Xie recourt toujours pour approfondir les choses à des ouvrages de référence, ayant une énorme culture qui est la culture de son temps, la culture d'un homme de lettres du VIᵉ siècle. Il a recours aux choses, aux idées et aux écrivains anciens, mais très peu de son époque, voire presque aucun de ses contemporains.

Le *Wenxin diaolong* pourrait être lu comme un abrégé de l'histoire culturelle et littéraire dont cinq cents noms de personnes[5], quatre cent soixante-huit œuvres avec deux cent quatre-vingt-cinq extraits sont cités[6]. Dans un volume de cinquante chapitres au nombre de trente-sept mille caractères en chinois ancien, l'auteur déploie sa spéculation

---

[5] Cf. Yang Guobin 楊國斌, trans. *Dragon-Carving and the Literary Mind*, Beijing 北京, Foreign Language Teaching and Research Press 外語教學與研究出版社, 2003, p. 39.

[6] Les statistiques établies par Yang Jing ne correspondent pas exactement à celles de Luo Zongqiang. Cf. Luo Zongqiang 羅宗強, « *Wenxin diaolong* de chengshu he Liu Xie de zhishi jilei » 《文心雕龍》的成書和劉勰的知識積累-讀《文心雕龍》續記, [https://www.aisixiang.com/data/83042.html]. *Du Wenxindiqolong shouji* 讀《文心雕龍》手記, Beijing 北京, Sanlian shudian 三聯書店, 2007.

sur l'origine de la littérature (nature, finalité, statut, forme), sur les écrits canoniques (style, langage), sur la poésie (fonction, beauté, genres, procédés).

C'est le sens qu'il donne lui-même à son œuvre, faisant l'histoire du développement de la littérature. Il s'agit à la fois d'un ouvrage de critique littéraire mais aussi d'un ouvrage d'histoire littéraire.

Fonction et source de la poésie chinoise

Dans son art de poétisation du « wen » à travers la figure du « dragon ciselé », Liu Xie déploie sa pensée sur la poésie ancienne. La poésie chinoise dialogue avec le cosmos avant tout par le biais, comme point de départ, des inscriptions divinatoires sur les carapaces de tortue. Au départ, le poète reste anonyme. Qu Yuan est le premier à signer de son nom ses compositions poétiques. La poésie chinoise ancienne révèle justement cette corrélation entre l'homme et l'univers. Fusionnant avec la nature, il vibre avec les « dix-mille choses ». De part et d'autre, les mouvements du cœur et les mouvements de la nature sont réciproques et se nourrissent l'un l'autre. Cette relation réciproque s'oppose à la séparation de la conscience du poète du monde de l'expérience. Par son union avec la nature (dialogue métacosmique), le poète chinois transcende son être et sa personnalité, aidé par le sentiment de la dimension cosmique de sa perception, d'où la fonction primordiale de la poésie sur l'esprit de l'homme.

Les textes canoniques poétiques comptent sur la conscience poétique de Liu Xie qui veut le retour à l'origine. La définition et l'origine du mot représentant les grands soucis dans sa spéculation, le genre littéraire – la poésie – est ainsi doté d'une analyse philologique vers une philosophie du langage.

La musique de poésie : source légitime pour une fonction morale

La poésie étant l'âme, et la musique étant le corps de la vertu, toutes les deux constituent la trame de l'éducation traditionnelle dont le *yuefu* 樂府[7] fait partie. Liu Xie retrace l'évolution du *yuefu*, en insistant sur l'origine de la musique et sur le rôle de cette institution qui devint très vite un genre littéraire. La fonction rituelle (morale) de la musique, respectée par toutes les dynasties depuis les Zhou, reste pour Liu Xie le seul critère pour juger de la fidélité ou non des airs à la tradition.

Le fil conducteur donné par les deux dates retenues, celle des années 499-501 pour l'achèvement de *L'Esprit de la littérature ciseleur de dragons* dans le temple bouddhiste Dinglin[8] et celle de l'an 502 pour la remise de l'ouvrage à

---

[7] *Yuefu* 樂府, Bureau de la Musique créé par l'empereur Wu des Han (140-87 avant notre ère), institution de l'administration impériale chargée de former les musiciens à composer la musique et à la recueillir dans les royaumes de Yan 燕, de Zhao 趙, de Qin 秦, de Qi 齊, de Chu 楚, de Wu 吳 et de Zhou 周. Il s'agit des airs, des chansons populaires et des poèmes chantés avec accompagnement musical à exécuter dans les moments importants de la vie de Cour. Plus tard, *Yuefu* devint le nom d'un genre poétique désignant tout poème imitant ce style.

[8] Cf. Guo Jinxi 郭晋稀, Wenxin diaolong *yi zhu shiba pian* 文心雕龍譯注十八篇, Lanzhou 蘭州, Gansu renmin chubanshe 甘肃人民出版社, 1963, p. 1.

Shen Yue (沈約, 441-513), l'influent critique de poésie de l'époque, permet la naissance d'une nouvelle langue de la critique littéraire dont on suivra pas à pas la construction de l'identité d'une pensée littéraire nouvelle, quelque peu influencée par la philosophie bouddhiste, et le rôle que la théorie basée sur les textes canoniques a joué dans cette histoire.

Liu Xie défend une tradition du sublime, une littérature noble, morale, canonique qui offrent des exemples de vertu à suivre. On voit aisément chez ce critique une réflexion systématique et explicite sur la poésie et sur d'autres genres d'écriture de la part des lettrés des temps anciens et des époques moins éloignées de la sienne. Les textes canoniques comptent sur la conscience poétique de Liu Xie.

Étant un moine lettré, Liu Xie se fait une place importante dans la critique. Il dégage des textes canoniques et littéraires pertinents, une vision d'ensemble et de profondeur pour aboutir à une poétique. Confucéen et pieux, Liu Xie exige de la poésie canonique un fort appui moral à la formation de la littérature et des esprits, insistant sur toutes les activités de la poésie, les fonctionnaires chargés de collecter des chants populaires et de les rédiger en « wenyan » (écriture ancienne) sous forme d'odes, l'instrumentalité de la poésie, la mise en place des odes aux cérémonies rituelles et administratives. Dans cet esprit, Liu Xie se prononce d'une manière critique sur le style fleurissant et lyrique des poètes contemporains. Tout ce qui est de la passion du jeu de mots ou de la recherche du style luxuriant est à l'opposé de l'esprit de la poésie selon la poétique de Liu Xie.

L'Esprit de la littérature ciseleur de dragons traite du phénomène de la création, de l'intuition, de l'inspiration, de l'esprit du « wen » pour écouter, observer et écrire différemment, autrement.

Toute l'œuvre est composée de cinquante chapitres, dont six portent particulièrement sur les éléments fondamentaux de la création littéraire : l'esprit spéculatif (« *Shensi* 神思 » chapitre 26), le style et le naturel (« *Tixing* 體性 » chapitre 27), le trope et le fond sémantique (« *Fenggu* 風骨 » chapitre 28), la transmission et le changement (« *Tongbian* 通變 » chapitre 29), la détermination et la propension (« *Dingshi* 定勢 » chapitre 30), et la brillance de l'émotion (« *Qingcai* 情采 » chapitre 31). Trois autres chapitres portent sur les conditions naturelles, humaines et sociales pour l'écriture d'un écrivain : le fil du temps (« *Shixu* 时序 » chapitre 45), la couleur des choses (« *Wuse* 物色 » chapitre 46) et le bref des talents (« *Cailue* 才略 » chapitre 47). Quarante autres chapitres étudient les différents genres littéraires (source, forme, fonction et influence) avant la clôture de l'ouvrage par la postface.

Ainsi Liu Xie, par son œuvre *L'Esprit de la littérature ciseleur de dragons*, constitue-t-il un canon de la pensée poétique, un canon de l'esthétique, une histoire littéraire générale et conceptuelle, dont l'influence s'est exercée de la façon la plus féconde sur la Chine du VIe siècle et depuis le XVIIIe siècle jusqu'à nos jours.

Écrit au cinquième siècle de notre ère, il constitue le premier texte théorique connu sur la critique des textes et ses concepts clés. C'est un texte qui éclaire le lien entre l'écriture littéraire autour de la notion prodigieusement polysémique de « wen » et un arrière-plan religieux, le wen étant une voie d'accès au dao. L'auteur a fait une analyse détaillée de tous les enjeux de l'ouvrage, fil directeur de l'écriture poétique ou littéraire dans la Chine ancienne.

Le *Wenxin diaolong*, étant un ouvrage apparu en 501, représente la pensée chinoise à la rencontre de la philosophie bouddhiste, mille ans avant sa rencontre avec l'Occident. Il présente au monde extérieur à la Chine un mode de pensée tout autre, différent aussi de la représentation que l'on peut avoir de la Chine contemporaine. C'est un mode de pensée qui n'a rien à voir ni avec la pensée grecque ancienne, ni avec l'épistémologie générale. Il est aussi un canon de la pensée littéraire et de l'esthétique, dont les fondements théoriques constituent le socle du « wen » – littérature au sens large du terme.

Notre étude fait apparaître les spécificités de divers genres auxquels s'est intéressé Liu Xie comme les descriptions de la nature, les récitatifs versifiés (*Fu*). Cette œuvre est composée en *pianwen* 駢文 ou *fu* 賦, prose parallèle ou récitatifs versifiés dans une langue ancienne « wenyan ». Le *pianwen* est un genre littéraire connu comme principal modèle du Ier siècle au IXe siècle, caractérisé par une grande richesse lexicale, des phrases parallèles et des thèmes très variés. L'écriture est coordonnée par une musicalité parallèle à cette forme poétique. La beauté sublime mais sophistiquée se crée à la rencontre des couleurs langagières et auditives. La question de l'intraduisibilité du « wen » et des notions qui l'accompagnent constitue un fil directeur de la recherche qui est une contribution à l'anthropologie de la Chine ancienne et à la théorie des textes littéraires, une histoire de la littérature chinoise. La présente étude fait ressortir les traits fondamentaux d'une histoire de la littérature chinoise ancienne.

Lire le *Wenxin diaolong*, c'est lire la pensée chinoise ancienne, une logique spéculative particulière en raison d'une écriture en « wenyan », de l'emploi intensif de métaphores et d'allusions. Liu Xie propose non seulement une série de concepts déterminants pour aborder la littérature de la Chine ancienne mais aussi un éclairage des auteurs considérés comme les plus importants dans la perspective d'un théoricien du Ve siècle.

I
LA POLYSÉMIE DU « WEN » DANS
L'ESPRIT DE LA LITTÉRATURE
CISELEUR DE DRAGONS

———

L e « wen » est ce qui caractérise l'univers poétique de Liu Xie. Il est si riche et si abstrait dans son sens que la traduction ne peut se réaliser ni par une transposition simple ni par un commentaire, encore moins par le recours à une convention explicative du traducteur. L'intraduisible de ce mot majeur soumet la traduction à une exploitation d'une polysémie d'une langue à celle d'une autre. Plus précisément encore, l'écriture chinoise ancienne d'origine divinatoire, prend le « wen » comme corps et âme dans tous les genres littéraires, et auquel Liu Xie, avec son ouvrage, prête une extrême attention de tous les sens de l'esprit à la forme, jusqu'à sonder l'indicible.

Notre étude se fonde sur une approche textuelle dont les statistiques portant sur la palette des acceptions du « wen » dans la langue cible fournissent un facteur de réflexion pour déboucher sur des interprétations concluantes.

Comment arrive-t-on traduire le « wen » sans réduire la traduction, et sans passer par l'arbitraire interprétatif ? Quelles sont les raisons qui expliquent ce travail de scruter les différents aspects du « wen » d'une langue source (du « wenyan ») du Vᵉ siècle à une autre cible qui est française de nos jours ? D'autant plus qu'il y a une distinction qui est celle des deux fonctions du langage, la fonction de communication, et la fonction de spéculation. Dans l'écriture alphabétique occidentale, les langues sont inventées pour la communication, et c'est à partir de la communication qu'on passe et réutilise la même langue pour la spéculation. En Chine, il y a la langue de la communication qui est dans les temps modernes le *baihua*, une autre langue qui était inventée spécialement, le « wenyan ». Ce sont deux courants, deux formes de culture tout à fait différentes. Dans les langues occidentales, l'écriture est inventée pour donner une autre forme à la langue parlée, et à la langue parlée phonétique, par la voix. L'écriture est une conversion de la voix en graphie (écriture phonétiquement conçue). Dans ce cas, l'écriture renvoie au mot parlé. C'est seulement le mot parlé qui donne le sens. Tandis qu'en écriture chinoise, il y avait la langue parlée d'une part, et d'autre part, les devins inventèrent de leur côté une autre langue sous forme du « wenzi ». Le « wenzi » a été inventé séparément avec la langue parlée. Dans ce sens, le terme de Foucault « l'hétérotopie » s'applique à la différence entre ce qui est du domaine de la vie courante et ce qui est du domaine de la mort et d'autres choses. Cette idée est transposée à la sinologie chinoise. En quoi la différence de la culture chinoise et celle de la culture occidentale se retrouvent dans les aspects de la littérature, dans les rites, dans la société ? C'est le fil même principal à tirer dans la recherche des transferts culturels : la particularité de la culture chinoise fondée sur la divination, et à partir de la divination sur l'idéographie.

L'intraduisible du « wen » n'est pas la raison pour ne pas le traduire, puisqu'il s'agit de l'inachèvement du sens énoncé par une autre langue. Traduire sur fond d'intraduisible du « wen » et créer une rencontre des systèmes de différences, présente une mission pour le traducteur de ce canon de la critique littéraire.

Ainsi, seront tour à tour envisagés les rapports que Liu Xie entretint avec le « wen » et sa polysémie, l'articulation qu'il voulut opérer entre le « wen » et le « zhi » 質 (substance) ; la manière dont il se servit de l'écrit pour penser les modalités de l'écriture à double sens actif ou passif ; la question enfin du « wen » avec la grande nature, le ciel et la terre, les anciens, l'être, l'expérience vécue et la société.

D'où se situe la difficulté de traduire le terme « wen ». Comme dans la langue française, la littérature n'a rien à voir avec la calligraphie ni la peinture, on est obligé de changer de vocabulaire, passant d'un sens à un autre, puisque la polysémie des deux langues n'est pas la même.

La polysémie du « wen » dans la version française de *L'Esprit de la littérature ciseleur de dragons* de Liu Xie constitue une étude de cas. L'écriture chinoise est une écriture polysémique, différente. Tandis que la langue française est une langue monodique. Il y a, pour ce terme, des croisements entre la polysémie du « wen » chinois et celle d'un autre vocabulaire en plusieurs mots français.

Dans la présentation du corpus et l'analyse de la traduction qui suivent, nous abordons d'un point de vue textuel la différence de la polysémie du mot-clé « wen » en langue « wenyan » vers la langue d'arrivée. Chemin faisant, se forment des aspects de l'intraduisible, la question du traduisible de l'intraduisible, et celle de la contextualisation. Notre analyse passe tout d'abord par une étude comparative à travers les fréquences du « wen » du texte d'origine et dans la traduction française[1].

1.1. Analyse sur les fréquences du « wen »

Notre étude porte comme phase d'analyse sur les fréquences du « wen » en chinois et dans sa traduction française respectivement du premier au quinzième chapitre de l'ouvrage de Liu Xie. Son œuvre traite du phénomène de la création littéraire, de l'intuition, de l'inspiration. L'esprit du « wen » est d'écouter, d'observer et d'écrire dans le sens des choses. Liu Xie étudie diachroniquement et esthétiquement le « wen », pour construire une théorie de la littérature. Il porte une explication sur le sens de ce terme clé comme titre de son livre dans le 50e chapitre. Sculpter le dragon signifie tailler l'esprit pour le faire s'exprimer avec

---

[1] La traduction française sous le titre de *L'Esprit de la littérature ciseleur de dragons* est réalisée par Jin Siyan et Léon Vandermeersch.

finesse, en évoquant le sens de l'être par le paraître, en se distanciant du brut et de l'inculte. Le paraître dévoile ce qui se cache, ce qui est encore inclus, brut (zhi). Ces données sémantiques étant rappelées brièvement, examinons ce qu'il en est dans l'écrit chinois et dans le texte de la langue cible.

Dans un premier temps, nous allons examiner et retracer le « wen » dans tous ses états, chapitre par chapitre du 1er au 15e : deux polysémies sur la même voie supra-sensible et supra-phénoménale.

1.1.1. Chapitre 1 « Remonter au *Dao* originel » (*Yuandao* 原道)

Liu Xie est convaincu de la nécessité de fonder le présent sur le passé. Revenir au passé pour lui est la voie par laquelle doit être engagée toute évolution ou innovation littéraire. Cette mise en perspective du présent à partir du passé pour le légitimer est le fil conducteur de toute son œuvre. Pour commencer, il débute son essai en marquant la filiation de toute littérature aux textes canoniques.

La première solution du traducteur est de le translittérer phonétiquement en le complétant par une note. C'est le cas du chapitre 1 du *Wenxin diaolong*. Citons ici la première phrase du chapitre :

文之為德也大矣,
La vertu du *wen* est immense, (*wen*)

Ici, le « wen » comporte les significations de : *orné/raffiné/civilisé*, le sens traduit en *littérature* serait trop restreint, car l'auteur joue sur la très riche polysémie de ce mot

en chinois. Liu Xie poursuit sa logique sur l'immensité du
« wen » qui n'est pas un simple terme :

此蓋道之文也。
Tel est le « wen » du « Dao ». (*wen*)

Le « wen » est chargé de vertus différentes : la première se rapporte au décoratif, à la forme, à la couleur, la
deuxième au son, la troisième à l'affectivité humaine. Les
trois sens du « wen » sont, selon les penseurs chinois, naturels au Ciel et à la Terre, c'est-à-dire qu'ils s'enracinent dans
le cosmique. Le « wen » est le réceptacle verbal du Dao :

言立而文明，自然之道也。
Une fois la parole constituée, apparaît la lumière du *wen*, c'est le « Dao »
de la nature. (1.1, *wen*)

Cette voie de la nature est transfigurée par le « wen »,
dix mille choses du monde phénoménal :

傍及萬品，動植皆文。(1.2)
À hauteur des dix mille espèces, tous les animaux et végétaux sont ornés
de *wen*. (*wen*)

形立則文生矣。
Ainsi, quand prennent corps les formes naît le *wen*. (*wen*)

Le « wen » visuel de la nature est animé par l'esprit
de l'homme :

有心之器，其無文歟？(1.2)
Les êtres dotés d'esprit, comment seraient-ils privés de *wen* ? (*wen*)

D'où est née la civilisation du monde des humains :

人文之元，肇自太極。
À l'origine le *wen* de l'Homme prend source de tout ce qui est du Faîte Suprême[2]. (*wen*)

天文斯觀，民胥以效。(1.6)
Observé tel quel le *wen* du Ciel, le peuple entier y prend modèle. (*wen*)

Le Faîte Suprême étant du ciel et de la terre, fait naître la langue graphique :

《乾》、《坤》兩位，獨制《文言》
Seul le statut des deux hexagrammes Qian et Kun donne lieu au Wenyan[3]. (*wen*)

Ainsi Liu Xie définit la langue qui est le « tatouage » du « wen » interprétant l'esprit du ciel et de la terre :

言之文也，天地之心哉！
Et ce *wen* du langage est l'esprit du Ciel et de la Terre ! (*wen*)

Le « wen » interprété par la composition de l'homme est passé par la musique puis par l'écriture, il porte alors

---

[2] Faîte Suprême (*Taiji* 太極) : entité fondamentale, origine de toutes choses. Le terme se trouve dans le *Yijing* 易經 • 系辭 (*Canon des mutations*, partie « Le grand commentaire », chapitre XXXXII) : le Faîte Suprême engendre deux hémisphères primordiaux, de ces deux hémisphères primordiaux sont engendrées quatre figures, les quatre figures engendrent les huit trigrammes (*Shi gu yi you tai ji, shi sheng liang yi, liang yi sheng si xiang, si xiang sheng ba gua* 是故易有太極，是生兩儀，兩儀生四象，四象生八卦).

[3] *Wenyan*, écriture *wen*, est le titre de la 7e *aile*.

une connotation moraliste de l'homme qui exprime son intérieur :

唐虞文章，則煥乎始盛

Sous Tang-Yao et Yü-Shun[4] le *wen* et la composition musicale brillèrent en commençant à fleurir. (*wen*)

逮及商周，文勝其質

Venu le temps des Shang et des Zhou, le *wen* devient méta-expression du fond (Zhi). (*wen*)

Le *zhi* 質, concept littéraire en Chine classique, désigne ce qui est opposé à la forme, c'est-à-dire le sens, le fond. L'expression *Sheng qi zhi* 勝其質, signifie « surélévation », « déplacement » vers le haut du sens par rapport à la littéralité. Selon Liu Xie, il ne faut pas rester dans la « sécheresse » du sens du « wen »-littéralité.

L'exemple ultime du « wen » moraliste, selon Liu Xie, est le roi des Zhou :

文王患憂，繇辭炳曜

Le roi Wen dans la souffrance de l'adversité, démultiplia les formules trigrammatiques en composant les hexagrammes qui brillèrent (du même éclat que les veines du jade, la quintessence en est forte et profonde)[5]. (*wen*)

---

[4] Tang-Yao 唐堯, Yü-Shun 虞舜, Yao et Shun sont deux empereurs légendaires dont les appellations des souverains sont « Tang et Yü ».

[5] Le *Canon des mutations* et le *Canon des odes*, deux grands recueils de document à la dynastie des Zhou sont apparus dans un même contexte social et religieux. Ils sont ici convoqués ensemble. Certaines phrases poétiques, certaines figures du *Canon des mutations* se retrouvent métaphoriquement dans le *Canon des odes*. Selon une longue tradition

Si Fu Xi inventa les trigrammes, c'est le roi Wen, fondateur des Zhou qui inventa les hexagrammes lors de son incarcération par les Shang dans un cachot souterrain à Youli. À la fin des Shang (XIᵉ siècle avant notre ère), le dernier souverain, corrompu et cruel, emprisonna le Comte de l'Ouest Ji Chang, pendant sept ans, à Youli. Le prisonnier devint le premier souverain des Zhou, de nom posthume Wen, en référence à son invention des hexagrammes, préformations des idéogrammes.

Ainsi, Liu Xie arrive à conclure que sur le « wen » dans son triple sens surnaturel, naturel et spirituel :

觀天文以極變，察人文以成化
(Tous s'inspirèrent des figures de la Carte du Fleuve et de l'Écrit de la Rivière Luo, cherchèrent le chiffre des sorts par l'achillée et la tortue,) observèrent le *wen* du Ciel pour en sonder à fond les mutations, et examinèrent le *wen* de l'Homme[6] (*wen*)

Le « wen » de l'homme *renwen* 人文, ici, désigne les écrits canoniques tels le *Canon des odes*, le *Canon des documents*, le *Canon des rites*, et le *Canon de la musique*, par là le monde humain a ses repères pour suivre le grand *Dao* et pour réussir à l'illuminer :

故知道沿聖以垂文，聖因文以明道
Ce qui fait comprendre que le *Dao* s'insuffle chez le sage dans la forme du *wen*, et que le sage à travers le *wen* éclaire le *Dao* (*wen*)

---

dans les chants et les poèmes du *Canon des odes* se retrouvent les oracles du *Canon des mutations*.

[6] Le *wen* de l'homme *renwen*, ici, désigne les écrits canoniques tels le *Canon des odes,* le *Canon des documents*, le *Canon des rites* et le *Canon de la musique.*

辭之所以能鼓天下者，乃道之文也。

Ce pourquoi les mots peuvent mouvoir le dessous du Ciel, c'est qu'ils sont le *wen* du *Dao*. (*wen*)

Quand il s'agit de l'origine de l'écriture légendaire, la traduction du « wen » est passée par la transcription sémantique (« inscription » ou « idéographie ») :

丹文綠牒之華，誰其尸之，亦神理而已。

...fruit des tablettes de jade en couleur rouge, fleur des lamelles de bambou vertes[7], ces inscriptions, qui leur donne corps ? Seulement l'esprit de la supra-phénoménalité. (inscriptions)

鳥跡代繩，文字始炳

Les empreintes des pattes d'oiseaux ayant succédé aux cordes nouées[8], l'idéographie vint au jour[9]. (idéographie)

Dans le chapitre 1 *Remonter au Dao originel* (*Yuan Dao* 《原道》), le « wen » est appelé vingt fois par Liu Xie, dont dix-huit fois, translittéré en phonétique.

---

[7] Lamelles de bambou vertes *lüdie*, selon le *Canon des documents*, elles ont été sorties du Fleuve et confiées à Pao Xi 庖牺 par un cheval-dragon, elles portaient des inscriptions de couleur verte.

[8] Selon la légende, l'écriture aurait été inventée par un ministre de l'empereur Jaune (Huangdi 黄帝). Ce ministre, ayant étudié les empreintes des pattes d'oiseau (qui se différencient selon les espèces), s'en inspira pour créer une idéographie (dont chaque mot se différencie sémantiquement des autres).

[9] Dans le *Canon des mutations*, au chapitre du « Grand commentaire » (*Xici*), il est noté qu'en haute antiquité, on gouvernait le pays par le moyen de compter le nombre des nœuds à la corde ! Les sages des générations suivantes les remplacèrent par l'écriture.

Dix-huit fois sur ces vingt acceptions, le « wen » est traduit en français par la transcription phonétique. Ce terme clé chez Liu Xie est en partie une traduction de la littérature, mais au sens très large, qui va jusqu'à l'« apparaître divin », à « une capacité d'invention surnaturelle ». Le mot reste intraduisible dû à sa polysémie extrêmement riche. Ainsi, la polysémie chinoise du « wen » étant particulière, le traducteur de la version française le reprend massivement en translittération phonétique (soit 90 %), avec l'« idéographie » une fois et l'« inscription » une fois (soit 5 %) respectivement.

Mais le « wen » n'est pas un concept d'un ensemble de traits, celui d'un ensemble de rapports avec le contexte interne et celui de la langue d'arrivée. En traduisant le « wen » par « littérature », on risque de passer un « wen » à l'origine en triple lien avec la nature, le paraître du monde surnaturel et l'écriture à un genre d'écriture ou aux formes du style. Ainsi la recontextualisation peut indiquer le sens d'orientation dans la traduction du « wen » en riche polysémie dans la langue d'arrivée.

1.1.2. Chapitre 2
« Appeler les saints » (*Zhengsheng* 徵聖)

La présence imposante du « wen » continue dans le chapitre 2 portant sur le rôle primordial des anciens sages. Liu Xie l'a appelé vingt-et-une fois sur un champ sémantique encore plus étendu. Le « wen » est ainsi traduit en français treize fois mais en translittération phonétique afin

de contenir la richesse polysémique. Quand le « wen »
porte une valeur morale :

此政化貴文之徵也
Ce qui témoigne de son appréciation du *wen* pour la gouvernance et
l'éducation. (*wen*)

此修身貴文之徵也
Ce qui est le signe de l'importance portée au perfectionnement personnel et de l'appréciation du *wen*. (*wen*)

Quand le « wen » est lié aux anciens sages, il reste
aussi en transcription :

徵之周孔，則文有師矣
À la lumière des exemples du duc Zhou et de Confucius, alors le *wen*
aura trouvé ses Maîtres. (*wen*)

是以論文必徵於聖，
Ainsi pour parler du *wen*, on se réfère forcément aux Saints, (*wen*)

若徵聖立言，則文其庶矣。
Si on consulte les saints pour établir le discours, on touche au *wen*. (*wen*)

Le « wen » transcrit indique la « logique » au sens
chinois, c'est-à-dire, la raison, l'argumentation de l'écriture. Dans le sens, il est l'opposé du « discours » :

鄭伯入陳，以文辭為功
Le duc de Zheng pénétra au pays de Chen, cette action fut justifiée par le
wen d'un discours[10]. (*wen*)

---

[10] *Zhengbo ru Chen*, le duc de Zheng entra au pays de Chen. Dans le
Zuozhuan, il est noté qu'à la vingt-cinquième année du duc Xiang de Lu,
le duc Jian de Zheng attaqua le pays de Chen. Jin, pays hégémonique à

宋置折俎，以多文舉禮

Song prépara le dressoir « zu[11] » en une cérémonie remarquée pour deux discours riches en *wen*. (*wen*)

言以足志，文以足言

En disant que par la parole on donne corps aux idées, et par le *wen* on parachève la parole. (*wen*)

Le « wen » désignant la figuration du sentir reste aussi en transcription :

或博文以該情

Tantôt c'est par la profusion du *wen* qu'il cerne ses sentiments, (*wen*)

De cette union sacrée de la grande nature, proviennent les textes des anciens considérés comme canons qui représentent la quintessence de l'union du ciel et de la terre, le « wen » peut alors se traduire sémantiquement :

聖文之雅麗，固銜華而佩實者也

L'élégance et la beauté des écrits du Saint sont telles des fleurs tenues porteuses des fruits. (écrits)

---

l'époque reprocha à Zheng son action. Zi Chan, Grand Officier des Zheng répliqua en expliquant la raison pour laquelle les Zheng devaient agir contre les Chen. Confucius appréciant Zi Chan, dit que quand on en a la volonté, la parole est servie, mais que sans le *wen*, l'action ne va pas loin.

[11] « Zu », dressoir sur lequel on disposait les offrandes lors des sacrifices. Ici, le « zu » désigne un dressoir sur lequel la viande était découpée lors du grand banquet donné pour la réception de Zhao Wenzi de Jin, invité honorable du duc Ping de Song. Lors de la réception, cet invité et le duc Ping prirent chacun un discours remarquable Confucius demanda à ses disciples de noter ces discours comme de bons exemples d'un *wen* conforme aux rites.

Quand le « wen » est composé avec la graphie « zhang » 章 et devenu un terme composé « wenzhang » 文章, le sens littéraire est discerné :

文章昭晰以象離
La composition est claire et univoque comme l'hexagramme « *li* »[12] (composition)

聖人之文章
(On peut le voir) dans les écrits des Saints. (écrits)

文章可見，胡寧勿思
Mais les écrits pourtant sont là, existant, pourquoi ne pas les méditer (…) (écrits)

Dans le chapitre 2, le « wen » est traduit soit par la transcription phonétique (treize sur vingt et une fois, soit 61,91 % de l'ensemble), soit par la traduction sémantique (cinq fois en « écrits », deux fois en « composition », une fois en « écriture »).

Par rapport au premier chapitre, la traduction du « wen » en français est passée de façon plus nuancée, par la transcription simple et la translittération sémantique, en respectant plus encore son usage en graphie simple et graphies composées, tout dépend du contexte. Dans le contexte, le « wen » est plus souvent accompagné d'une autre graphie, la connotation de « la littérature » est précisée de plus en plus dans l'argumentation de Liu Xie.

---

[12] *Li*, le trentième des soixante-quatre hexagrammes du *Canon des mutations*, signifiant « lumière », « éclat », « splendeur ».

1.1.3. Chapitre 3 « Faire sa religion des canons » (*Zongjing* 宗經)

Dans le chapitre 3 portant sur les grands textes canoniques, Liu Xie appelle treize fois le « wen », dont la puissance phonétique se diminue sensiblement par rapport aux deux chapitres précédents soit en graphie simple soit en graphie composée, le contexte donne raison à la traduction dans la langue cible. Le « wen » a été translittéré quatre fois en transcription phonétique :

辭亦匠於文理，
Le langage est taillé selon les principes du *wen*. (*wen*)

夫文以行立，行以文傳
Le *wen* prend corps par la conduite morale, et la conduite se transmet par le *wen*. (*wen*)

揚子比雕玉以作器，謂五經之含文
Yang Xiong[13] compare le rôle de matrice de beauté du *wen* (écriture) des cinq canons à la taille en objet d'art du jade brut. (*wen*/écriture)

Remarquons que dans la dernière phrase citée, le « wen » translittéré en phonétique est complété par une transcription sémantique « écriture ». Il y a un glissement du terrain dans la traduction de ce terme. Selon le contexte,

---

[13] Yang Xiong (53 avant notre ère-18 après notre ère), lettré confucéen et taoïste, auteur du *Fayan* 法言 (*Paroles pour guider*). Cf. Paul L.-M. Serruys, *The Chinese Dialects of Han time according to fang Yen*, Berkeley, University of California Press, 1959. Anne Cheng, *Histoire de la pensée chinoise*, Paris, Seuil, 1997, p. 297-300.

le « wen » est passé en transcription sémantique soit par
« littérature » ou composition littéraire :

極文章之骨髓者也
Jusqu'à la quintessence de la littérature et de la composition, (littérature)

性靈熔匠，文章奧府
Ils sont les artisans fondeurs de l'âme et de la nature humaine,
Au plus intime de la composition littéraire. (composition littéraire)

Rappelons le cas particulier du « wen/écriture »
apparaît comme une sorte de conciliation des deux sens,
celui de l'action et celui du fait. En chinois, dans la pensée
de Liu Xie, l'« écriture » a un sens actif (l'acte de l'écrivain) et un sens passif (ce qui est écrit). Quand le « wen »
est dans le sens passif, ce qui est écrit, la traduction française
de ce terme passe par « l'écriture », quand il est dans le sens
actif, la traduction française du terme se fait en transposition phonétique.

此聖文之殊致
Là se situe la haute variété des modèles d'écriture des saints, (écriture)

五經之含文也
Yang Xiong compare le rôle de matrice de beauté du *wen* (écriture) des
cinq canons (à la taille en objet d'art du jade brut).

Le « wen » peut se traduire en « écriture » :

故文能宗經
Si l'on se réfère aux recueils canoniques pour écrire. (écrire)

Si l'on traduit carrément le « wen » par l'écriture sans
distinction, le lecteur pourrait se perdre dans le sens passif

tandis que Liu Xie utilise ce terme dans le sens actif. La solution prise par le traducteur est de transposer le « wen » en mettant entre parenthèses le sens actif de l'écriture. Dans le cas passif de l'écriture, le « wen » est traduit par « écrit » ou « discours », « notes » ou « lecture » :

故《繫》稱旨遠辭文

Ainsi le *Grand commentaire*[14] constate que le sens est trop profond pour le langage, (langage)

則文意曉然

Le sens de ces textes devient lumineux et signifiant, (texte)

以詳略成文

Sont notés de façon convenablement sobre et plus au moins précise, (notés)

《尚書》則覽文

Tandis que le *Canon des documents*, quelque désuet qu'il apparaisse à la lecture, développe ses principes tout est clair. (lecture)

文麗而不淫

Embellissement du discours sans maniérisme (discours)

Le troisième chapitre témoigne d'une série de variations du « wen » dans la langue cible. Neuf mots français y ont été rappelés. Remarquons que la puissance du « wen » phonétique est sensiblement réduite (quatre fois sur treize en phonétique, soit 30,77 %), tandis que dans les deux premiers chapitres, la traduction phonétique représente respectivement 90 % et 61,91 %. Pour la première fois,

---

[14] Cette phrase provient du *Canon des mutations*, chap. « Grands commentaires ».

il a été traduit suivant le contexte, marquant neuf acceptions différentes en raison de la différence de polysémie
entre le chinois et le français : « composition littéraire »,
« discours », « langage », « lecture », « écrire », « littérature », « écriture » (deux fois), « notes », « texte ».
De telles transcriptions sémantiques sont repérables dans
le troisième premier chapitre de l'ouvrage. Tout comme
le choix de la langue cible, elles constituent une palette
éloquente suivant le vouloir du traducteur, ce qui ren-
force l'expression d'une modalité plus marquée sur le plan
sémantique.

1.1.4. Chapitre 4 « Normalité des textes transversaux » (*Zhengwei* 正緯)

Dans le 4ᵉ chapitre, Liu Xiu se réfère beaucoup moins
souvent (seulement deux fois) au « wen ». La spéculation
ne se concentre plus sur la nature fondamentale du « wen »,
mais sur la diversité des formes littéraires. Dans la langue
cible, on a des polysémies aussi importantes pour un mot
comme « esprit » ou pour un mot comme « matière » qui
sont des termes, le mot « wen » a une résonnance philosophique très forte.

À l'encontre de sa présence massive dans les deux premiers chapitres, le « wen » du chapitre quatre portant sur
les textes transversaux apparaît trois fois. Il a été transmis
deux fois en « wen » dans la traduction française :

但世敻文隱
Mais cela remonte si loin que le *wen* (la lettre) s'en est obscurci. (*wen*)

神寶藏用，理隱文貴

Trésors surnaturels gardés pour être mis en œuvre, leur sens est caché, mais précieux est leur *wen*. (*wen*)

Étant composé d'une autre graphie « zhang », le « wen » est traduit sémantiquement en « composition littéraire » :

無益經典而有助文章

Bien qu'ils n'ajoutent rien aux livres canoniques, ils apportent beaucoup à la composition littéraire (composition littéraire)

Dans ce chapitre, avec quatre acceptions, le « wen » est soit simplement repris en transcription (deux fois), soit traduit par « composition littéraire » ou par « lettre ».

1.1.5. Chapitre 5 « Critique du *sao*[15] » (*Biansao* 辨騷)

Il y a énormément de références sous de nombreuses formes d'acceptions différentes. Dans le chapitre cinq, le « wen » est incarné dans des formes particulières, ce n'est plus dans le sens général, il introduit des formes particulières qui ont leurs noms des formes littéraires. Le « wen » se particularise, traduit par un mot particulier en fonction

---

[15] *Sao* 騷, genre littéraire classique. Qu Yuan, poète célèbre du pays de Chu (340-278 avant notre ère) écrivit une œuvre poétique *Lisao* 離騷 (*Rencontrer le chagrin*). Membre du clan royal, après avoir subi la disgrâce de la Cour, il fut deux fois exilé. Avant de se suicider, il écrivit *Lisao*. Littéralement rencontrer le chagrin, c'est-à-dire exprimer la lamentation, la tristesse, la séparation, et qui par la suite sera le nom d'un genre poétique.

du contexte (trois fois traduits en « écriture », une fois en « écrits », une fois en « image ») :

奇文郁起
Les écrits d'autre nature ont proliféré, (écrits)

然其文辭麗雅，為詞賦之宗
Néanmoins, son écriture est belle et élégante, lui valant le titre de Maître du *ci* (poèmes irréguliers) et du *fu*. (écriture)

《離騷》之文，依《經》立義
L'écriture du *Lisao* s'appuie sur le sens fondamental des recueils canoniques, (écriture)

則披文而見時
L'image des changements de temps se présente à nous rien qu'à les lire, (image)

欬唾可以窮文致
Arriver à lancer la force du langage en un clin d'œil peut atteindre le sommet de l'écriture en une seule respiration, (écriture)

Parmi cinq acceptions du « wen », l'écriture l'emporte sur l'« image » et l'« écriture ». Le « wen » en phonétique est absent. N'étant pas transmis simplement en « wen », ce terme est traduit soit par « écriture », soit par « écrit », soit par « image ».

1.1.6. Chapitre 6 « Le *Canon des odes* en lumière » (*Mingshi* 明詩)

Neuf acceptions différentes ont été convoquées pour traduire le « wen » du chapitre six, telles « écritures », « textes », « charme », « littérature », « style », « *wen* »,

« contrepoints sémantiques », « écriture poétique »,
« forme ». Serait-ce en raison de la différence de polysémie entre le chinois et le français qu'elles sont rappelées ?
Remarquons que le « *wen* » est transmis une seule fois et le
mouvement du « wen » est très plat, exceptionnellement.

舒文載實，其在茲乎！
Que l'écriture se déploie pour porter pleinement le réel ? (écriture)

觀其二文，辭達而已。
Pour ces deux textes, il ne nous reste que leurs mots.[16] (textes)

酬酢以為賓榮，吐納而成身文。
Ils furent cités à table pour honorer les convives en s'en faisant un
charme. (charme)

孝武愛文，柏梁列韻
L'empereur Xiaowu (140-87 avant notre ère) passionné de littérature,
composa des strophes rimées sur l'Estrapade Boliang[17], (littérature)

觀其結體散文，直而不野
Leur construction poétique et leur style, font de ces vers naturels sans
rudesse, (style)

文帝陳思，縱轡以騁節
L'empereur Wen et son frère Si, prince de Chen, en firent des galops à
brides abattues. (*wen*)

---

[16] Leur musique est perdue.

[17] À l'ère de Yuanfeng (108 avant notre ère), l'empereur Hanwu rassembla
sur l'Estrapade Boliang ses ministres dont les plus doués pour composer
les vers heptasyllabiques obtinrent une place d'honneur. Ils composèrent
ensemble les vers rimés avec le premier vers lancé par l'empereur. Ces
poèmes ont été notés dans *Guwenyuan* 古文苑 (Jardin des écrits
anciens) (volume VIII). Mais selon Gu Yanwu 顧炎武, lettré chinois
des Qing, ces poèmes ont été composés dans les temps postérieurs. (Voir
Rizhilu 日知錄, volume XXI).

或析文以為妙
Les uns se lancent dans des contrepoints sémantiques qu'ils jugent merveilleux, (contrepoints sémantiques)

宋初文詠，體有因革
À partir du début des Song (des dynasties du Sud, 420-479), l'écriture
poétique connut une évolution de la forme. (écriture poétique)

回文所興，則道原為始
La forme boustrophédon de poème[18] commence par Daoyuan[19] (forme)

　　Remarquons qu'il y a un équilibre étonnant entre les
neuf acceptions différentes dans la traduction du « wen »
du sixième chapitre. Les apparitions du « wen » en neuf
acceptions différentes (« composition littéraire », « discours », « langage », « lecture », « écrire », « littérature »,
« écriture », « notes », « texte ») du sixième chapitre du
« wen » constituent un corpus polysémique plutôt du langage (« discours », « langage ») et celui des écrits littéraires
au sens dérivé sur un aspect particulier du « wen », ce qui
constitue un corpus plus précisément portant le style littéraire (« charme ») et celui de l'art poétique (« contrepoints
sémantiques », « écriture poétique », « forme »).

1.1.7. Chapitre 7 « Poèmes en musique » (*Yuefu* 樂府)

　　Dans ce chapitre, la graphie « wen » apparut cinq fois,
placé en transplantation phonétique deux fois, traduit en

---

[18] *Huiwen* 回文, forme de poème qui peut se lire dans les deux sens.
[19] Daoyuan 道原, auteur dont l'identité est perdue.

« paroles » une fois, en « texte » une fois, en « écriture » une fois. Au sens de *yan* (langage, paroles), le mot « wen » est une graphie liée à l'écriture, si l'on dit parole, on utilise le mot en tournant le tour, un détour nécessaire de la langue d'origine, ainsi on prend le côté de prononciation. Le « wen » est transmis dans le cas où il s'agit du nom propre de la personne :

《四時》廣於孝文
La *Danse des quatre saisons* devint très courante à l'époque de l'empereur Xiaowen (179-157 avant notre ère) (*wen*)

Ou quand il s'agit de la musique :

八音攡文，樹辭為體
Les huit timbres musicaux[20] se prolongent en *wen*, (*wen*)

Lorsque le « wen » porte concrètement sur la littérature, il est traduit en français par le sens sémantique dans un sens précis :

辭雖典文，而律非夔曠
(La musique liturgique des sacrifices au Ciel et aux ancêtres), conservait la substance des chants *Ya* aux paroles élégantes et correctes, mais la mélodie n'était plus la même que celle de l'époque de Kui[21] ni de l'époque de Shikuang. (paroles)

君子宜正其文
(L'âme de la musique étant dans la poésie), les sages en devaient rectifier l'écriture. (écriture)

---

[20] Les huit timbres musicaux : *jin* 金 (métal), *shi* 石 (pierre), *tu* 土 (terre cuite), *ge* 革 (peaux), *si* 絲 (cordes de soie), *mu* 木 (bois), *pao* 匏 (calebasse) et *zhu* 竹 (bambou). (Voir *Zhouli*/Chunguan/Dashi 大師)
[21] Kui 夔, fonctionnaire de la musique de l'empereur légendaire Shun.

昔子政品文

Autrefois, Zizheng[22] étudia les textes classiques et les classa distinctement en poésie et en chant, (textes)

Notons qu'il y a un glissement du terrain de la connotation du « wen » dans le chapitre sept portant sur le genre poétique *yuefu* 樂府. D'un côté, le « wen » reste sa transmission de prononciation pour garder son sens d'origine visuelle et auditive, de l'autre côté, il est traduit par le sens de l'écriture, ce qui correspond au sujet à traiter du chapitre, sur un genre poétique du chant populaire recueilli par la cour.

Le mouvement du « wen » reste assez calme, avec cinq fois apparitions dont deux en transplantation quand il s'agit du prénom ou des notes musicales, trois en « écriture », « parole » et « textes » concernant des genres littéraires. Cette tendance de traduire le « wen » par acceptions littéraires continue son parcours dans les chapitres suivants ? Elle mériterait d'être étudiée de façon plus précise dans un corpus plus étendu.

---

[22] Zizheng 子政, autre appellation de Liu Xiang 劉向 (77-6 avant notre ère), lettré érudit des Han. Il révisa, examina et reclassa les textes canoniques, les ouvrages classiques et littéraires en plaçant la poésie et les poèmes chantés en deux catégories différentes. (Voir Huang Kan 黃侃, *Wenxin diaolong zaji* 文心雕龍雜記 (*Notes sur Wenxin diaolong*), Shanghai 上海, Huadong shifan daxue 華東師範大學, 1996, p. 53-74.)

1.1.8. Chapitre 8 « Étude du récitatif versifié » (*Quanfu* 詮賦)

Le terme « wen » apparaît sept fois dans le chapitre huit, dont trois fois transmis en phonétique. Le retour du « wen » phonétique révèle encore une fois l'embarras du traducteur face à ce terme qui est utilisé souvent en « wenyan » au sens actif de l'acte de l'écriture, non pas au sens du résultat.

鋪采攡文
Le *fu* signifie déployer l'élégance/expliciter le *wen* (*wen*)

極聲貌以窮文
Puis atteint son apogée par la sophistication extrême du *wen* aussi bien phonétiquement que sémantiquement, (*wen*)

文雖新而有質
Si varié de style que soit le *wen*, il a sa propre substance. (*wen*)

Dans ces trois phrases, Liu Xie insiste sur l'aspect expressif du « wen » par rapport à ce qui est profond, à l'intérieur (*zhi* 質). C'est dans ce sens, que Liu Xie qualifie la dynastie des Qin de rude, de manque de « wen » :

秦世不文
La dynastie des Qin (221-206 avant notre ère) n'était pas très *raffinée* (*wen*) (*raffiné*)

Dans le cas ci-dessus, la transmission phonétique du « wen » est complétée entre parenthèses par la traduction sémantique du terme : « raffiné ». Le premier sens du « wen » est l'embellissement. Dans la pensée chinoise, il y a une connexion très étroite entre le sens de raffiné et le sens de littérature. C'est une polysémie propre à la langue chinoise, par exemple, une expression du « wenshi »–« décoration littéraire » 文飾, celle du « wenshi » 文士 – lettré raffiné.

寫送文勢
(La préface introduit l'inspiration émotionnelle) qui fonde la composition, (composition)

Dans la traduction, l'important est de traduire l'idée, on est obligé de changer le mot, en français, ou par une absence de connotation. C'est un changement de monde, malgré un fonds commun. En voici un exemple :

故知殷人輯頌，楚人理賦，斯並鴻裁之寰域，雅文之樞轄也。
On sait que les Yin discutaient en *song*–éloges et les Chu écrivaient en *fu*, ces préface et postface illustrent la majesté de l'écriture, et représentent l'axe du genre *ya*.

Ainsi, par ces acceptions différentes, la traduction du « wen » respecte ce que Liu Xie a précisé dans la version originale, dans sa conception, en insistant sur le côté sémantique du « wen », tout se rattache à la même racine conceptuelle de « wen », extraordinairement importants. Ainsi la transmission du « wen » dans la traduction représente 57,1 % de l'ensemble (quatre apparitions), ce qui rejoint son imposante présence dans le chapitre deux. Le mouvement du « wen » apparaît sept fois dont quatre fois en transplantation, trois en acceptions (composition, écriture et raffiné). Le « wen » phonétiquement traduit revient comme le chapitre précédent. Ce qui semble particulier, c'est cette place importante du « wen » non traduit dans un chapitre portant sur le genre littéraire du récitatif versifié (*Quanfu* 詮賦).

1.1.9. Chapitre 9 « Apologie et éloge » (*Song Zan* 頌讚)

Dans le chapitre neuf portant plus précisément sur deux genres littéraires de l'« apologie » et de l'« éloge », parmi huit apparitions du « wen », quatre ont été rapportées à la forme littéraire, ainsi il est traduit sémantiquement en « écriture » :

又崔瑗《文學》
Le *Nanyang wenxuesong* (*Éloge de la littérature de Nanyang*) de Cui Yuan[23] (littérature)

約文以總錄
Nota tout dans une écriture brève et sobre (écriture)

昭灼以送文
Faire éclater l'écriture en une multiple brillance (écriture)

鏤影摛聲，文理有爛
Retaillant les ombres portées et regraphiant les sons, L'écriture et son sens prennent tout leur éclat. (écriture)

至於秦政刻文
Quant aux inscriptions[24] gravées sur pierre lors du temps de l'empereur Zheng de la dynastie des Qin (inscriptions)

---

[23] Cui Yuan 崔瑗 (77-142), lettré des Han orientaux. Son *Nanyang wenxuesong* 南陽文學頌 fut introduit par une longue préface qui dépassa largement le texte song principal. Voir *Houhanshu* 後漢書, chap. « Cui Yin zhuan » 崔駰傳 (*Mémoires historiques des Han postérieurs*).
[24] Textes écrits par le Premier Ministre Li Si.

On voit qu'il y a tout de même un retour à la racine fondamentale du « wen » général par rapport à l'« écriture » ou au « contenu », quand le « wen » est opposé à la substance « zhi » :

文理允備
Se rationalise pleinement dans le *wen*, la rhétorique de l'écriture (*wen/écriture*)

何弄文而失質乎
Mais pour quelle raison son *wen*[25] est-il si maniéré esthétiquement même au détriment du contenu (du *song*) ? (*wen*)

Ici, on dit l'opposition au sens linguistique, non au sens qu'il y a une contradiction, mais une distinction très claire. Le « wen » est la matière qui est travaillée et qui est devenu littéraire « wen ». Quand le « wen » se trouve avec le « zhi » (substance) ou « li » (raison), le sens embelli, pas seulement la forme, la forme embellie, l'embellissement de la forme.

La traduction se balance entre le sens originaire en transmission phonétique (25 %) et au sens dérivé du premier (« écriture », 50 %, « inscription » et « littérature », 12,5 % respectivement). Cette tendance du sens dérivé dans la traduction sera renforcée par le chapitre dix.

---

[25] Discours abondant, rhétorique.

1.1.10. Chapitre 10 « Invocation et serment » (*Zhu Meng* 祝盟)

Le chapitre 10 portant deux genres d'écriture le *Zhu*-Invocation et le *Meng*-serment a eu dix apparitions du « wen ». La traduction en français passe exclusivement par la transcription sémantique en six acceptions liées à la littérature.

Le « wen » est traduit par « oraison » quand il est lié au monde des défunts :

而文實告神
L'oraison funèbre est pareille à l'éloge du défunt, mais en fait (oraison)

C'est dans le sens de la parole que le « wen » évoque sous la plume de Liu Xie. Cette « parole » assure le lien entre l'être et l'invisible cosmos :

固周之祝文者
(Dans le style des *song* et dans la forme de l'invocation rituelle), elle est composée par le Grand Scribe, modelée sur le modèle invocatoire des Zhou (forme de l'invocation)

莫不有文
(Lors du sacrifice militaire aux esprits de la terre, au Seigneur d'en Haut et aux esprits du camp de l'armée[26]), était rituellement prononcée une invocation (invocation)

---

[26] Cérémonie rituelle appliquée avant le départ du Fils du Ciel au combat. (Voir *Liji*, chapitre *Wangzhi*)

至如黃帝有祝邪之文
Partant de l'invocation de l'empereur Jaune contre la malédiction des
esprits[27] (invocation)

Au sens très particulier de la « parole », plus que
figuré, Liu Xie appelle le « wen ». Cette parole n'est pas un
langage courant, mais une forme de prière pour dialoguer
(exprimer) avec là-haut :

則上皇祝文
Telles étaient les formules de prière cérémoniales de cet empereur de la
haute antiquité (formules)

則雩禜之文也
C'étaient ses formules de prière du sacrifice à la pluie et au beau temps
(formules)

Quand le « wen » transforme la parole – « ci » en
« écriture », il est du supra-sensible, c'est une écriture
active dans le sens d'écrire comme acte, non comme fait :

祝史陳信，資乎文辭
La sincérité que veut exprimer qui anime l'officiant s'appuie sur l'écriture de son discours (écriture)

哀策流文
Des épitaphes funèbres, un genre d'écriture devenu courant (écriture)

---

[27] Le fait est noté dans *Yunji qiqian* 雲笈七簽 (Sept fiches de nuage) :
Une fois, l'empereur Jaune partit à la chasse à l'Est du pays. Il arriva au
bord de la mer et rencontra un animal divin qui parlait la même langue
et savait tout ce qui se passait dans le monde des esprits et des fantômes.
L'empereur se renseigna alors auprès de cet animal sur les esprits du Ciel
et de la Terre. De son retour, il écrivit un texte invocatoire contre les
esprits pervers. (voir le volume *Xuanyuan benji* 軒轅本紀)

而中代祭文
À l'époque moyenne[28], les écrits relatifs aux sacrifices (écrits)

因哀而為文也
L'oraison funèbre à l'origine était ce genre d'écrit[29], composée avec un profond sentiment d'affliction (écrit)

En chinois, il y a deux langages, le « ci » 辭 et le « shi » 詩. Le « ci » – parole – a une valeur du genre poétique avec Qu Yuan. Il y a une distinction entre le « ci » (parole) et le « shi » (poésie). Le « ci » est un lyrisme personnel, la parole telle quelle entre l'homme et la nature, avec le cosmos, mais c'est du sensible. La poésie est liée à la nature, aux saisons à l'origine, à travers ce lien avec les mouvements cosmiques, elle crée un dialogue avec le cosmos.

C'est en ce sens de « shi » (poésie) que le « wen » apparaît avec ses dix fréquentations par six acceptions différentes (écrit, écriture, forme de l'invocation, formule, invocation et oraison). Aucune présence du « wen » en transplantation, mais il est interprété plus précisément dans le sens littéraire.

1.1.11. Chapitre 11 « Épigraphe et remontrance » (*Ming Zhen* 銘箴)

C'est dans le sens d'écrire comme acte que le « wen » du chapitre onze a été transcrit quatre fois en « écriture » :

---

[28] L'époque moyenne (*Zhongdai* 中代), terme spécialement désignant les dynasties des Han et des Wei.
[29] L'écrit évoque les actions et les mérites du défunt et annonce le titre ou le nom posthume perpétuant le souvenir.

全成碑文，溺所長也

(Celle qui figure sur le tripode dédié à Zhu Mu[30]) est d'une écriture lapidaire de parfaite stèle[31] : elles baignent dans ce qui fait la force[32]. (écriture)

箴全禦過，故文資確切

(La remontrance sert seulement à prévenir les erreurs,) c'est pourquoi son écriture est d'exacte précision (écriture)

惟秉文君子

Cependant les bons esprits férus d'écriture doivent prendre en compte leur ancienne magnificence (écriture)

文約為美

Et la sobriété de l'écriture qui est belle (écriture)

Ainsi le « wen » poursuit son acte d'écrire plus concrètement en « composition » « littéraire » :

其摘文也必簡而深

La composition doit être concise et pénétrante (composition)

斯文之興，盛於三代

Ce genre littéraire a connu son apogée à l'époque des trois dynasties, Xia, Shang et Zhou. (littéraire)

---

[30] Zhu Mu 朱穆, haut fonctionnaire sous les Han Orientaux, très réputé pour sa bonne gouvernance provinciale. L'empereur Huan, triste de sa mort en 163, ordonna à Cai Yong de composer une épigraphe pour honorer ses activités glorieuses.

[31] Les inscriptions de Cai Yong représentent une évolution d'écriture qui allait du texte rimé au texte de prose. Pour Liu Xie, la prose non rimée est plutôt du genre du *beiwen* 碑文 (écrit sur stèle) dont Cai Yong était grand spécialiste.

[32] Cai Yong doué pour écrire les textes sur stèle, en prose. Mais selon Liu Xie, les épigraphes sont autre chose que les textes de stèle, ils ont d'autres fonctions.

Le « wen » est également interprété en tant qu'action d'écrire, traduit en « écrit » ou en « épitaphe » :

政暴而文澤

Advinrent sur rocs montagneux d'un régime cruel des épitaphes éloquentes[33] (d'une belle justesse d'écriture) (épitaphe)

銘辭代興，箴文委絕

L'épigraphie évinça la remontrance et prit l'avantage, tandis que les écrits du genre de la remontrance se démodèrent et disparurent (écrit)

觀其約文舉要

On peut constater que ses écrits vont sobrement à l'essentiel (écrit)

Une seule fois, quand le « wen » revient au sens général utilisé comme prénom propre d'un empereur, il est transmis phonétiquement :

魏文九寶，器利辭鈍

Les neuf trésors de l'empereur Wen des Wei[34] étaient des armes aiguisées mais épigraphiées de mots bien émoussés (*wen*)

Remarquons qu'il y a une remontée de l'écriture active dans la traduction du chapitre présent qui porte sur deux genres littéraires : épigraphe et remontrance. Le contexte

---

[33] L'empereur Qinshihuangdi fit graver sur des pans de montagnes des inscriptions, rédigées par son premier ministre Li Si, sur sa vertu et ses mérites. Voir *Shiji*, chap. *Qinshihuang benji* 秦始皇本紀.

[34] L'empereur Wen des Wei, Cao Pi 曹丕, note dans son ouvrage *Dianlun* 典論 qu'il fit fabriquer neuf armes précieuses dont trois épées, trois sabres et trois poignards. Ces neuf trésors portent chacun un joli nom. Mais les inscriptions qu'ils portent composées par Cao Pi sont banales, marquant tout simplement les dates, le lieu de fabrication, le poids et la longueur.

permet à la traduction du « wen » en six acceptions différentes toujours liées à la littérature.

1.1.12. Chapitre 12 « Éloge funèbre et stèle » (*Lei Bei* 誄碑)

L'écriture comme acte poursuit sa puissance dans la réflexion de Liu Xie lorsqu'il traite des genres littéraires comme « Lei » (éloge funèbre) et « Bei » (stèle) dans le chapitre 12. Il est traduit par l'« écriture », ou le « composé », ou l'« écrit » :

揚雄之誄元后，文實煩穢
L'éloge funèbre de Yang Xiong pour l'impératrice Yuan est d'une écriture foisonnante et confuse (écriture)
Le « wen » est au sens actif, la manière d'écrire, l'art d'écrire de Yang Xiong est au sens actif.

其序則傳，其文則銘
...entre dans le cadre de la biographie, sur le plan de l'écriture, elle est du style des inscriptions sur bronze (écriture)
L'écriture est dans les deux sens, soit actif, soit le fait, une manière d'écrire et un style littéraire.

夫碑實銘器，銘實碑文
La stèle est en réalité un substitut de l'inscription sur bronze, tandis que celle-ci préfigure l'écriture de la stèle (écriture)
C'est aussi la composition, la façon d'écrire.

傅毅所制，文體倫序

Les éloges funèbres de Fu Yi[35] sont composés et développés en un style remarquable (composé)

Le « wen » se définit aussi dans l'écriture au sens de l'acte, au sens actif.

及孫綽為文，志在于碑

Pour en venir aux écrits de Sun Chuo[36], qui ambitionnait de réussir ses épitaphes (écrit)

L'acte de composer le « wen » est souligné dans la forme proverbiale :

讀誄定諡，其節文大矣

Donner lecture d'un éloge funèbre et décerner un nom posthume marquaient rituellement et idéographiquement la grandeur. (idéographiquement)

Le « wen » est dans les deux sens, la composition et le texte composé :

周世盛德，有銘誄之文

La vertu mature de la dynastie des Zhou a fait apparaître les inscriptions (*ming*) et les éloges funèbres (*lei*) (inscription)

La vertu mature des Zhou a fait jaillir les deux formes d'écriture que sont le « *ming* » et le « *lei* ».

---

[35] Fu Yi 傅毅 (environ 42-90), homme de lettres sous les Han Orientaux. Parmi ses écrits, les deux les plus connus : *Mingdi lei* 明帝誄 (Oraison funèbre de l'empereur Ming) et *Beihaiwang lei* 北海王誄 (Oraison du roi de la Mer du Nord). (Voir *Quan houhanwen*, vol. 43)

[36] Sun Chuo 孫綽, (314-371), lettré des Jin orientaux. Voir *Jinshu* 晋書, chap. « Sun Chuo zhuan » 孫綽傳. (*Histoires des Jin*)

陳郭二文，詞無擇言

Épitaphe de Chen Taiqiu[37] et *Épitaphe du sage Guo Linzong*[38], il n'y a rien à redire sur aucun des mots du texte (épitaphe)

張陳兩文，辨給足采

Ses deux épitaphes sur Zhang et Chen[39] sont fort bien composées dans une langue parfaitement belle (épitaphe)

Comme dans le chapitre précédent, le « wen » est transcrit phonétiquement pour le prénom propre d'un empereur :

文皇誄末，百言自陳

Dans la dernière partie de son *Oraison funèbre pour l'empereur Wen*[40], il réserve une centaine de phrases pour parler de soi (wen)

周史歌文，上闡后稷之烈

Tandis que les historiographes de la dynastie des Zhou chantaient le roi Wen, rappelaient les grands exploits de Hou Ji[41]. (wen)

---

[37] L'*Épitaphe de Chen Taiqiu* (*Chen Taiqiu beiwen* 陳太丘碑文) fut écrite pour Chen Shi 陳寔, grand homme de lettres de la dynastie des Han, connu par sa vertu. Il était chef du district de Taiqiu 太丘.

[38] Guo Linzong (*Guo Youdao Linzong beiwen* 郭有道林宗碑文). Il fut grand homme de lettres sous la dynastie des Han. Il se nomma « Avoir la Voie ».

[39] Zhang, il s'agit de l'*Épitaphe du Commandant de la Garde Zhang Jian* (*Weiwei Zhang Jian beiming* 衛尉張儉碑銘), réunie dans *Quanhouhanwen*, vol. 83. Quant à l'épitaphe pour un certain Chen, le texte est perdu.

[40] L'empereur Wen est également le grand frère de Cao Zhi. Son *Oraison funèbre pour l'empereur Wen* (*Wendi lei* 文帝誄) est rapportée dans les *Quansanguowen* 全三國文 (*Œuvres complètes des Trois Royaumes*, vol. 19)

[41] Hou Ji, ministre de l'agriculture sous l'empereur légendaire Shun. Hou Ji est considéré comme l'ancêtre des Zhou, les historiographes de la Cour des Zhou le chantent lors des cérémonies rituelles offertes aux ancêtres : 思文后稷，克配彼天。立我丞民，莫匪爾極。貽

Une seule fois, le « wen » est traduit par « forme » littéraire :

蓋選言錄行，傳體而頌文
(L'éloge funèbre comme tel est une institution consistant à) **présenter un choix** de ce qu'a dit et fait le défunt, dans une forme qui ressemble à celle des écrits biographiques (forme)

Ici, il s'agit de la manière de composer, d'écrire. La lettre dans une écriture idéographique, la polysémie n'est pas la même, toutes sortes de facettes sont les mêmes, mais la structure n'est pas la même. Le lien est direct dans la structure idéographique. Ici, la « forme » est rattachée

---

我來牟，帝命率育。無此疆爾界，陳常於時夏。Oh, Heou tsi (Hou Ji), prince orné de toutes vertus, vous avez été comme l'associé au ciel (pour faire du bien aux hommes). C'est uniquement à votre incomparable bienfaisance que notre peuple doit avoir les grains. Vous nous avez donné le blé et l'orge, que le ciel a destinés pour être la nourriture de tous. Sans distinction de contrées ni de territoires, vous avez enseigné et fait observer partout dans l'empire les lois des relations sociales. (Traduction de Couvreur, *Cheu King*, Hien Hien, Imprimerie de la maison catholique, 1916, p. 372.) Dans Le canon des odes, on trouve un autre poème *Shengmin* qui chante également la grâce de Hou Ji. En voici un passage du *Shengmin* : 誕降嘉種，維秬維秠，維穈維芑，恒之秬秠。是穫是畝，恒之穈芑，是任是負，以歸肇祀。Il distribua au peuple des semences des meilleurs grains, du millet noir ordinaire, du millet noir qui avait deux grains dans une seule enveloppe, du sorgo rouge, du sorgo blanc. Partout on sema du millet noir ordinaire et du millet noir à double grain ; la moisson fut recueillie et mise en monceaux dans les champs. Partout on sema du sorgo rouge et du sorgo blanc ; on porta le grain à la maison, sur les épaules ou sur le dos, pour faire les offrandes instituées. (*Shijing/Daya/Shengmin* 生民, trad. de Couvreur, *Cheu king*, p. 308-309).

au concept du « wen », dans la spéculation il fait allusion au « wen », les éclats sont pareils, les groupements sont différents. La palette d'acceptions est assez étendue avec huit propositions de la traduction du « wen » dont « l'écriture » se trouve en tête.

La traduction du « wen » du chapitre 12 est marquée par une variété de significations qui se précisent dans un contexte, et que ce contexte dans sa totalité restitue ce vouloir-dire de Liu Xie.

1.1.13. Chapitre 13
« Élégie et condoléances » (*Ai Diao* 哀弔)

Le chapitre 13 porte sur deux genres d'écriture le « ai[42] » – se lamenter et le « diao » – exprimer ses condoléances.

Le « ai » représente un genre littéraire pour rendre hommage à la jeunesse en s'attristant de sa mort. Cette manière de dire s'applique aux défunts en pleine jeunesse ou en bas âge[43]. À l'origine, l'empereur Wu de la dynastie des Han qui exécutait les deux sacrifices au Ciel et à la

---

[42] Le caractère *ai* 哀 est un pictogramme qui se compose d'une bouche et des hommes autour, il signifie « cri d'affliction » : hélas.

[43] La mort à l'âge de moins de soixante ans s'appelle *duan* 短 (court), la mort à l'âge de moins de trente ans s'appelle *zhe* 折 (briser), ces deux morts furent qualifiées de *yao* 夭 (disparaître trop tôt). La mort à l'âge de moins de trois mois s'appelle *hun* 昏 (troublé, confus). Auparavant, on donnait un nom personnel au nouveau-né à partir du troisième mois après sa naissance. Ces morts violentes contrarient la mort naturelle par vieillesse, considérée comme fin heureuse.

Terre[44] fut informé de la mort de son général préféré Huo Shan[45]. Tout affligé, il composa un poème[46] sous forme d'élégie. D'où le genre « ai ». Ainsi le « wen » est traduit en français dans son sens du genre littéraire :

至於蘇順、張升，並述哀文

Su Shun et Zhang Sheng[47] composèrent tous deux des élégies, exprimant leurs sentiments en mettant leur langage en beauté, mais sans pour autant pénétrer réellement au fond du cœur (élégie)

Pour Liu Xie, Su Shun et Zhang Sheng composèrent tous deux des élégies exprimant leurs sentiments en mettant leur langage en beauté, mais sans pour autant pénétrer réellement le fond du cœur. *Le Cerf d'Or* et *L'Orchidée Fraîche*[48] sont hors pair. Ainsi, exprimer le sentiment d'affliction nécessite une composition adéquate et belle au « wen ». C'est l'émotion qui s'exprime par l'élégie, elle met l'accent

---

[44] Cérémonies présidées par l'empereur qui éleva un autel sur le mont Tai pour le Ciel et nettoya l'aire du sacrifice sur le mont Liangfu pour la Terre.

[45] Huo Shan 霍嬗, fils du général Huo Qubing 霍去病. Le jeune homme, fort apprécié par l'empereur qui le nomma Grand Officier du Char impérial, accompagna le dernier à se rendre le mont Tai et le mont Liangfu pour les sacrifices. En route du retour, il mourut subitement de maladie.

[46] L'empereur Wu des Han 漢武帝 composa un poème intitulé *Shang Huo Shan shi* 傷霍嬗詩 (Poème pleurant Huo Shan). L'écrit a disparu.

[47] Zhang Sheng 張升, homme de lettres de la dynastie des Han Orientaux.

[48] *L'Oraison du Cerf d'Or* (*Jinlu aici* 金鹿哀辭) fut composée à la mort du fils de l'auteur. *L'Oraison de l'Orchidée Fraîche* (*Zelan aici* 澤蘭哀辭) fut écrite pour la fille morte d'un ami de l'auteur. (Voir *Quanjinwen*, chapitre 93).

sur la peine profonde et la douleur[49], si bien que son langage s'épuise dans l'indicible de l'amour et du regret. Si l'expression du cœur n'est qu'une recherche de l'admiration de l'écriture, le style tourne à l'excès. Le but est que le « wen » traduit en français respecte la pensée de Liu Xie.

隱心而結文則事愜
Lorsqu'une élégie est composée sur la douleur du cœur, son écriture doit être appropriée (écriture)

觀文而屬心則體奢
Si l'expression du cœur n'est qu'une recherche d'amabilité de l'écriture, le style tourne à l'excès (écriture)

C'est dans le même sens polysémique que le « wen » est traduit en « langage » :

故能義直而文婉，體舊而趣新
Ainsi, le sens peut s'exprimer sans ambages dans un langage délicat et mélodieux, d'une sensibilité pleine de fraîcheur malgré une forme ancienne. (langage)

Lorsque le « wen » indique le genre d'écrit « *diao* » pour exprimer les condoléances, il est traduit en français en « texte » ou « composition » comme écriture de fait :

文來引泣，乃其貴耳
Que le texte fasse venir les larmes, c'est là qu'est son prix (texte)

陸機之弔魏武，序巧而文繁
Celle de Lu Ji à la mémoire de l'empereur Wu des Wei est élégamment commencée mais lourdement composée (composée)

---

[49] Ce qui est l'aspect principal de l'élégie par lequel elle se différencie de l'oraison funèbre du genre *lei* et de l'épitaphe.

Remarquons que c'est pour la deuxième fois (chapitres 10 et 13) dans la traduction française du chapitre 1 au chapitre 13 que le « wen » en transposition phonétique est absent. La traduction du « wen » de ce chapitre français est réalisée par cinq acceptions (« composition », « écriture », « élégie », « langue » et « texte »).

1.1.14. Chapitre 14 « Essais divers » (*Zawen* 雜文)

L'absence du « wen » transmis dans la traduction française est maintenue dans ce chapitre portant sur les essais divers, l'un des genres littéraires :

詳夫漢來雜文
Il faut regarder de très près les essais mélangés produits depuis la dynastie des Han.

並歸雜文之區
Toutes ces appellations sont classées dans la catégorie des essais mélangés.

Le « wen » est traduit plus précisément en « littérature », « formes littéraires » ou « littéraire » :

苑囿文情，故日新殊致
Aussi le jardin de leurs sentiments littéraires se renouvelle-t-il toujours de la façon la plus variée. (littéraire)

凡此三者，文章之枝派
Ces trois genres sont des ramifications mineures de la littérature, créées à loisir en marge des genres principaux (littérature).

唯士衡運思，理新文敏
Seul Shiheng (*alias* Lu Ji) apporte une pensée, théorise de nouvelles formes littéraires dans un langage subtil (formes littéraires)

Les jeunes littéraires intelligents et talentueux se mirent à embellir leur langage dans différents styles d'essai. Ils s'appuient sur l'ancien modèle simple mais rhétoriquement étudié. Le « wen » désigne la capacité d'écrire par logique de l'imagination, sans écarter le fait qu'il soit aussi un fait littéraire. Ainsi dans la traduction française, le « wen » est traduit en « texte », « genre » ou « écrit » :

碎文瑣語，肇為《連珠》。
Se consacrant à disserter en héritier de la tradition, inaugurant de faire des brisures de textes et fragments de discours des *Enfilades de perles*. (textes)

原夫茲文之設，乃發憤以表志
Originellement, ce genre avait été créé pour épancher les sentiments et exprimer une résolution. (genre)

或文麗而義暌
Certains de leurs écrits sont joliment composés mais souffrent de déviation d'idées. (écrit)

夫文小易周
Les écrits de moindre portée peuvent plus facilement se resserrer compendieusement.

Liu Xie entre dans le détail de chaque style d'essai indiquant le point fort et la faiblesse. Le « wen » est ainsi précisé comme une écriture littéraire. La traduction en français de ce terme se concrétise ainsi :

意榮而悴
L'écrit de Yu Ai intitulé *Kezi* (*Consultation d'autrui*) est pleine d'idées fortes mais d'une écriture faiblissante. (écriture).

雖文非拔群
Une écriture qui n'est pas hors pair. (écriture)

負文餘力
Porteurs de l'écriture, ils mettent toute leur énergie. (écriture)

Lorsque le « wen » revient à son sens étymologique, il est traduit dans le sens de l'élégance absolue :

體奧而文炳
Le *Shihui* (*Compréhension de l'éducation*) de Cai Yong[50] est soigneusement composé dans un langage d'une somptuosité éclatante (somptuosité)

Le « wen » est au sens premier de l'écriture raffinée (*ya*). Ces différentes acceptions mais du même genre s'inspirant les uns des autres, représentent toutes d'éminentes créations de la même forme[51]. Les écrits de ce genre sont abondants. Le « wen » apparaît quatorze fois avec dix acceptions différentes (éclatant, écrit, écriture, essai, forme littéraire, genre, lettré, littéraire, littérature et texte).

---

[50] Cai Yong passa son temps à lire, à écrire et à jouer de la musique. Il vit dans une grande solitude, ne voulant pas passer son temps dans le monde politique et mondain. Critiqué par certains Grands Officiers de la Cour, il fut obligé de quitter la capitale. Inspiré de Yang Xiong, Ban Gu et Cui Yin, il composa *Shihui* 釋誨 (*Interprétation sur un enseignement*), dans lequel l'auteur raconta une rencontre d'un lettré avec un vieillard ermite qui exprima la vraie joie de quitter le monde et de vivre dans la solitude avec la musique. (Voir *Houhanshu/Cai Yong zhuan* 蔡邕傳)

[51] Il s'agit de la forme créée par Song Yu avec son écrit *Duiwen* (Interrogation et interloquer). Les textes mentionnés jusqu'ici étaient classés par Liu Xie en premier rang de l'écriture *Zawen* (essai divers) dans la lignée de Song Yu. Aux temps ultérieurs de Liu Xie, Han Yu 韓愈, grand homme de lettres de la dynastie des Tang (618-907) prit le relais et composa un célèbre texte *Jinxuejie* 進學解 (*Commentaire sur le perfectionnement des études*).

1.1.15. Chapitre 15 « Humour et propos énigmatiques » (*XieYin* 諧隱)

Ce chapitre portant sur le style et l'approche métaphorique de l'écriture visiblement n'a pas fait couler beaucoup d'encre sur le « wen ». Lorsqu'il prête attention sur deux genres d'essais autres que la littérature pure, Liu Xie convoque moins le « wen ». Cette faible fréquence rejoint celles des chapitres 4, 7 et 13, bien moins par rapport aux autres chapitres.

Dans la traduction française, le « wen » apparaît deux fois translittéré en phonétique lorsqu'il s'agit du prénom de personne, sinon, il est traduit sémantiquement par quatre acceptions (« compilés », « écriture », « graphie », et « propos bénins »). En voici un exemple :

然而懿文之士，未免枉轡
Cependant les auteurs sensibles à la beauté d'écriture la décrivent souvent, avec l'emportement du cheval échappé (écriture)

Ici le « wen » est à la fois dans l'acte d'écrire et dans le fait de résultat. La « lettre » désigne ici l'écriture idéographique.

歆、固編文，錄之賦末
Compilés par Liu Xin et Ban Gu[52] qui les placèrent à la suite des récitations versifiées (compilés)

---

[52] Liu Xiang compila une encyclopédie littéraire intitulée *Bielu* 別錄 (Recueil particulier), son fils Liu Xin compila à partir de cette encyclopédie un catalogue de livres intitulé *Qilüe* 七略 (Sept sommaires) dont Ban Gu s'inspira pour rédiger *Hanshu/Yiwenzhi*. Les deux ouvrages de Liu père et fils ont disparu.

Le « wen » ne se traduisant pas, il est compris dans l'action de composer (un texte).

或體目文字

Certaines décomposent la graphie des caractères dans leur signification apparente (graphie)

Le « wen » est la « lettre », le mot graphique, mettant l'accent sur la valeur sémantique particulière noyée dans sa riche polysémie. La traduction surdétermine.

然文辭之有諧讔

Cependant, la facétie et les propos énigmatiques dans la langue littéraire sont comparables au *xiaoshuo* (langue littéraire)[53]. (wen)

Dans la conception de Liu Xie, le « wen » signifie « la langue », dans le sens du « wenyan », non pas dans la langue de communication, mais dans la langue graphique du côté des belles lettres, esthétiquement.

Dans le chapitre 15, le « wen » est transmis deux fois tel quel phonétiquement, car il est employé comme appellation propre. Certes, cette appellation « wen » est générique, désignant des tas de choses.

莊姬託辭於龍尾，臧文謬書于羊裘

---

[53] *Xiaoshuo* 小說, terme technique apparu pour la première fois dans les écrits de Zhuangzi signifie littéralement « propos bénins », genre littéraire classé au dernier rang avec le théâtre de la littérature chinoise classique. À l'époque des Royaumes Combattants, il ne s'agit encore que de l'une des dix écoles de pensée, dite l'école des *Narrateurs* (*zhizi shijia* 諸子十家).

La concubine Zhuang figura dans ses propos un dragon sans queue[54] ; tandis que Zang Wenzhong, dans sa lettre, évoqua des fourrures d'agneaux[55] (wen)

至魏文、陳思，約而密之

Venue l'époque de l'empereur Wen des Wei et du prince Si de Chen[56], les énigmes s'écrivirent avec sobriété et densité (Wen)

Comme illustré dans les exemples ci-dessus, ce qui rend possible la traduction du « wen », c'est la part d'intraduisible liée à la flexibilité de la signification en « wenyan » – chinois ancien avec une polysémie très riche dont le flottement interne des significations permet au flottement externe des significations en français. Le « wen » de Liu Xie comporte des concepts déterminés

---

[54] Zhuang Ji 莊姬, voyant que le roi Qingxiang 頃襄王 de Chu plongé dans la jouissance, se détournait de ses devoirs, lui parla par énigme en évoquant un dragon sans queue, faisant allusion au danger qu'il courait, n'ayant pas encore de fils, de mourir sans descendant. (Voir *Lienüzhuan* 列女傳, Biographies des femmes héroïques).

[55] Zang Wenzhong 臧文仲, Ministre du royaume de Lu fut envoyé en mission au royaume de Qi mais il fut enfermé par les autorités de Qi qui préparaient une attaque contre les Lu. De sa prison, il envoya au souverain de son royaume une lettre écrite à mots couverts. Personne de l'entourage ne la comprenait, le souverain invita la mère de Zang à venir à la Cour. Il lui fit lire la lettre, lui demandant si elle en comprenait le sens. Lisant la lettre, la mère de Zang se mit à pleurer, disant qu'à travers ces propos énigmatiques, son fils voulait dire qu'il avait été jeté en prison et qu'il priait le souverain de bien préparer son armée (fourrure d'agneaux, symbolisant les habits militaires de bonne qualité) pour faire face à l'agression de Qi. (Voir *Lienüzhuan* 列女傳, Biographies des femmes héroïques).

[56] Chen Si Wang 陳思王, prince de Chen, titre posthume de Cao Zhi, jeune frère mal aimé de l'empereur Wen des Wei.

dans sa vaste spéculation mais peut être indéterminé par la traduction en français. Mais la traduction ne rend pas ces concepts flottants ou flous, bien au contraire, elle permet de mieux préciser si elle joue son vrai rôle de transplantation, soumettant la polysémie du « wen » du chinois à une confrontation d'universalisation.

1.2. Deux mouvements entre le texte d'origine et la traduction française

Quel est le mouvement du « wen » dans la spéculation de Liu Xiu ? Le « wen » dans la pensée de Liu Xie est assez mouvementé avec des hauts et des bas. Comment ce mouvement agité a-t-il été respecté dans la traduction française ? Nous avons saisi les occurrences du « wen » la langue source, chapitre par chapitre :

Occurrences du « wen »
dans la spéculation de Liu Xie (chapitres 1 à 15)

Chapitre 1	20
Chapitre 2	21
Chapitre 3	13
Chapitre 4	4
Chapitre 5	5
Chapitre 6	9
Chapitre 7	5
Chapitre 8	6

Chapitre 9	8
Chapitre 10	10
Chapitre 11	10
Chapitre 12	12
Chapitre 13	6
Chapitre 14	14
Chapitre 15	5

Les occurrences ci-dessus montrent la courbe mouvementée du « wen » dans la langue source lors de la spéculation de Liu Xie. Elles dominent les deux premiers chapitres portant respectivement sur le Dao originel (*Yuandao* 原道) et les saints exemplaires à suivre (*Zhengsheng* 徵聖) avec la fréquence générale respectivement de vingt et de vingt et un. Elles descendent à partir du chapitre 3. Le rythme du « wen » dans le texte d'origine ralentit sensiblement dans les chapitres 4 et 5 avant de remonter sans cesse à partir du chapitre 7 jusqu'au chapitre 12, puis un rebondissement dans le chapitre 14, ces deux derniers portant respectivement sur l'éloge funèbre et la stèle (*Lei Bei* 誄碑) et les Essais divers (*Zawen* 雜文).

Dans notre corpus français, la graphie « wen » est traduite soit en transposition phonétique, soit au sens propre (« dessin », « graphie »), soit au sens figuré (« raffiné », « élégant », « littérature ») par un vocabulaire varié (en trente-sept mots de traduction), d'où la polysémie du « wen ». Voici les occurrences des acceptions du « wen » dans la langue cible :

Traduction de Wen (文)	Fréquences
charme	1
compilés	1
composé	1
composition	3
composition littéraire	3
contrepoints sémantiques	1
discours	1
écrire	1
écrit(s)	15
écriture	28
écriture poétique	1
épitaphe(s)	3
essai	2
forme	1
forme de l'invocation	2
forme littéraire	1
formules	4
genre	1
graphie	1
idéographie	1
idéographiquement	1
image	1
inscription(s)	3
invocation	4
langage	1

langue littéraire	1
lecture	1
lettre	1
lettré	1
littéraire	2
littérature	4
oraison	2
raffinée	1
somptuosité	1
style	1
textes	2
« wen »	49
Total	148 (37 acceptions dont 148 occurrences)[57]

La liste ci-dessus illustre une palette étendue des termes de traduction du « wen » en français et son mouvement dans les quinze premiers chapitres. En tout, trente-sept acceptions avec cent quarante-huit occurrences ont été convoquées dans les quinze premiers chapitres pour traduire le « wen » dans la langue cible. La cime du mouvement du « wen » se trouve au premier chapitre avec dix-huit transcriptions phonétiques sur deux traductions sémantiques dans la version française. Le sous-pic manifesté dans le chapitre est marqué par treize transpositions phonétiques du « wen » sur huit traductions sémantiques. La transposition phonétique diminue à partir

---

[57] Le tableau est établi par Yang Jing.

du chapitre 3 avec quatre sur treize. Cette tendance du « wen » phonétique dans la langue cible s'affaiblit considérablement jusqu'à son absence dans les chapitres 5, 10, 13 et 14 où n'est présentée aucune transposition phonétique du « wen ». Puis le mouvement reprend à partir du chapitre 6 avec une transcription phonétique du « wen » sur les occurrences générales au nombre de neuf acceptions. Le « wen » phonétiquement traduit remonte avec deux transpositions dans le chapitre 7 sur cinq acceptions du terme, et dans le chapitre 8 avec quatre transpositions sur six acceptions. Dans les chapitres 9 et 15, le rythme de la transposition phonétique reste stable avec deux transcriptions phonétiques. On observe que la courbe du « wen » est irrégulière avec des cadences fortes. Mais dans tous les cas, la transcription phonétique du « wen » prédomine relativement sur les quinze premiers chapitres, suivie de façon moins marquante d'une palette sémantique des acceptions.

Reste à comparer le corpus du texte d'origine et celui de la langue cible pour voir le rythme du « wen » dans la traduction française par rapport au rythme du texte d'origine. Commençons par le rythme de la transposition phonétique du « wen » du texte d'origine et en transposition phonétique dans la traduction française (chapitres 1-15).

Il y a deux mouvements du « wen », dont l'un trace le rythme dans la langue source, l'autre est celui des quinze premiers chapitres en transposition phonétique dans la langue cible. Le mouvement du « wen » dans le texte d'origine commence haut dans les deux premiers chapitres avec les occurrences générales respectivement de vingt et de vingt et un. Dans la traduction française, le « wen » en transposition phonétique de dix-huit et treize fois correspond au rythme fort du premier mouvement du texte d'origine. On a observé que le « wen » a connu deux rythmes entre sa position du texte d'origine (en couleur verte) et sa transplantation phonétique dans la langue cible (couleur rouge). Visiblement le « wen » dans la pensée de Liu Xie est très imposant et mouvementé avec des hauts et des bas. Ce mouvement maintient son rythme dans la traduction française avec trente-sept acceptions du « wen ».

Remarquons qu'il y a une incohérence entre deux mouvements. Le premier maintient un rythme avec les occurrences générales de treize fois dans le chapitre 3 tandis que dans le deuxième mouvement de la langue cible le « wen » phonétique descend jusqu'aux occurrences de quatre contre neuf acceptions (« composition littéraire », « discours », « langage », « lecture », « écrire », « littérature », « écriture » (deux fois), « notes », « texte »). Autrement dit, le « wen » phonétique laisse sa place aux acceptions sémantiquement traduites. Cette tendance sémantique maintient son rythme de plus en plus fort dans la langue cible provoquant même une absence étonnante dans les chapitres 5, 10, 13 et 14 dans lesquels le « wen » phonétique est entièrement remplacé par la traduction sémantique (respectivement dans le chapitre 5, par les acceptions comme « écriture », «écrits », « image » ; dans le chapitre 10, « écrit », « écriture », « forme de l'invocation », « formule », « invocation » et « oraison » ; dans le chapitre 13 : « composition »,

« écriture », « élégie », « langue » et « texte » et dans le chapitre 14 : « éclatant », « écrit », « écriture », « essai », « forme littéraire », « genre », « lettré », « littéraire », « littérature » et « texte »).

Sur le plan général de la traduction française, le « wen » a été quarante-neuf fois mis en transposition phonétique (soit 33,10 % du corpus), vingt-huit fois traduites en « écriture » (soit 18,9 %), quinze fois en « écrit » (soit 10,13 %). Ainsi se trouvent en premières places dans la langue cible deux facteurs qui contribuent à la traduction du « wen ». Le premier tient à une transmission phonétique imposante du « wen », l'un des trente-sept acceptions mais avec les quarante-neuf occurrences, et la traduction par l'écriture ou l'« écrit » ayant respectivement le droit d'apparaître vingt-huit et quinze fois. Le second facteur tient à une lexicalisation d'une série de trente-quatre mots comme acceptions dans le texte cible. C'est cette variété des acceptions qui suscite notre intérêt.

Ainsi est présenté un cas de traduction du « wen » dans les quinze premiers chapitres en version française du *Wenxin diaolong*. Cette étude du mot « wen » dans la langue cible, se caractérise tout d'abord par sa diversité des acceptions, puis par la transposition phonétique qui semble plus proche du sens d'origine et plus fiable que d'autres approches interprétatives, présentatives ou littéraires pour le texte d'arrivée. Remarquons que cette traduction ne s'appuie qu'aux notes afin de passer la difficulté de la transposition du sens du terme. Sans passer par le commentaire ni par la traduction métaphrastique, le transfert du « wen » du chinois vers le français est possible soit par des moyens langagiers sémantiques, soit par le recours à une transposition phonétique.

D'un point de vue général, dans l'ensemble de l'ouvrage à cinquante chapitres, le « wen » en tant que formes littéraires, a été présenté sous la plume de Liu Xie par trente-quatre genres d'écrits. Quant au mouvement du « wen » dans la langue cible du texte entier, il fera l'objet de notre future analyse.

La traduction du « wen » n'est pas identique. Le décalage s'annonce entre le mot d'origine et sa transplantation dans une autre langue dont le fond culturel et langagier est différent. Le « wen » textuel ou poétique représente ce qu'il y a de plus élaboré dans la pensée conceptuelle, c'est-à-dire non du niveau communicationnel, mais du point de vue de la spéculation. Il est au niveau de la spéculation qui travaille dans le domaine du supra-sensible (connaissance), d'un autre point de vue de la substance, dans le domaine du supra-phénoménal (au-delà de la connaissance). Les deux se connectent. Le premier sert au deuxième. Le poétique du « wen » n'est pas seulement le niveau de la pensée de la substance, mais le niveau de la langue, le niveau du « wen » qui sert à la fois à exprimer le supra-sensible et à exprimer le supra-phénoménal. Ces deux qualifications sont celles de la transcendance.

Nous présentons ici des résultats des travaux préliminaires en vue de l'élaboration d'une recherche plus étendue et avancée sur le champ sémantique du « wen » ouverte à la traduction de *L'Esprit de la littérature ciseleur de dragons* en français.

Le « wen » vient de la divination qui va au-delà du sensible, c'est ce qui permet de connaître le supra-sensible et donc le supra-phénoménal. L'élaboration de la pensée conceptuelle en Occident est basée sur la parole. Dans la langue chinoise, elle est basée sur la graphie. C'est l'opposition entre la parole et le « wen » insondable. La parole c'est le langage façonné par l'esprit humain, en chinois c'est la graphie façonnée par l'esprit divinatoire.

Le « wen » se rencontre partout dans l'espace du *Wenxin diaolong*, dont le sens n'est pas toujours stable sous la plume de Liu Xie. Il varie d'un contexte à un autre. Dans l'approche que nous avons faite, la traduction du « wen » est réalisée en respectant le vouloir dire de l'auteur en créant le même effet sur le texte cible et le texte de départ, dans l'esprit de tolérance pour perte, infidélité, approximation... La grande tâche est naturellement de rendre Liu Xie français plus au moins lisible. Ainsi il est important de traduire la relativité et la subtilité du « wen », ce que la tentation du mot « équivalent » abolirait d'emblée. La traduction française du « wen » révèle sa richesse polysémique par de nouveaux aspects et de nouvelles facettes dans la langue cible. La traduction du « wen » a-t-elle les mêmes caractéristiques que la traduction de l'œuvre entière ? Ce sera le sujet pour une autre étude. Cet effort tenté de saisir la représentation du « wen » en *wenyan* et dans la traduction pour mieux en dégager la polysémie constitue une méthode que nous avons conçue afin d'exploiter un champ de transfert culturel.

Deux questions fondamentales restent toujours à reprendre : un traducteur est-il en même temps un interprète ? La traduction est-elle technique ou littéraire ? De là proviennent deux autres problèmes aussi centraux : Quel est le corpus du « wen » dans le texte d'origine qui contient cinquante chapitres ? Quelle est la transmissibilité de la traduction du « wen » en français par un lexique qui pourrait révéler l'œuvre de Liu Xie à elle-même ?

II
LE « WEN », UN RÉCEPTACLE IDÉOGRAPHIQUE DU « *DAO* »

Il y a quatre catégories sémantiques du « wen » : le premier « wen » se réfère à la « décoration », à la « forme », et à la « couleur » ; le deuxième « wen » se réfère à la musicalité, le troisième se réfère au sentiment humain, et le quatrième, aux textes canoniques. Et par extension bien plus tard, le sens du « wen » s'est étendu à celui de la littérature, au texte, mais sans se référer au caractère[1]. Les quatre niveaux sémantiques du *wen* sont connaturels au Ciel et à la Terre.

---

[1] Cf. Zhou Shaohuan 周紹桓, *Wenxin diaolong sanlun ji qita* 文心雕龍散論及其他, Beijing 北京, Xueyuan chubanshe 學苑出版社, 2004 p. 167-174 ; Liu Xie 劉勰, *Dragon-Carving and the Literary Mind* 文心雕龍, trad. par Yang Guobin 楊國斌, 2 volumes, coll. *Library of Chinese Classics* 大中华文库, Beijing 北京, Waiyu jiaoxue yu yanjiu chubanshe 外語教學與研究出版社, 2003, p. 20-28.

Quant au « Dao », ici, désigne l'univers[2]. Le « wen »
est son réceptacle idéographique. Le concept du « taiji »
太極, l'origine de l'univers :

> Que la vertu[3] du *wen*[4] est immense, elle est née
> avec le Ciel et la Terre. Et pourquoi ? Sombre
> et jaune[5] se mélangent, carré et rond[6] prennent
> forme distincte : Soleil et Lune se superposent en
> disques de jade, montrant avec bienveillance les
> figures du Ciel en beauté. Montagnes et fleuves
> resplendissent tels tissus de soie, déployant et tail-
> lant les formes de la terre en suivant ses veines. Et
> ceci est le *wen* du Dao. Lever la tête et observer le
> Soleil, la Lune et les étoiles scintillant, incliner la
> tête et scruter les lignes éclatantes de la Terre, haut
> et bas prennent place, ainsi les deux figures pri-

---

[2] Guo Jinxi 郭晋稀, *Wenxin diaolong yizhu shibapian* 文心雕龍譯註
十八篇, Lanzhou 蘭州, Gansu renmin chubanshe 甘肅人民出版社,
1963, p. 1.

[3] Selon Zhou Shaoheng 周紹恒, en aucun cas, le wen ne peut se traduire
en « mots ». Voir *Wenxin diaolong sanlun ji qita* 文心雕龍散論及其
他 (Propos sur *Wenxin diaolong*), Beijing 北京, Xueyuan chubanshe 學
苑出版社, 2004, p. 167-174. Liu Xie 劉勰, *Dragon-Carving and the
Literary Mind* 文心雕龍, trad. par Yang Guobin 楊國斌, 2 volumes,
coll. Library of Chinese Classics 大中華文庫, Beijing 北京, Waiyu
jiaoxueyuyanjiu chubanshe 外語教學與研究出版社, 2003, p. 20-28.

[4] *De*, désigne vertu, effet, et nature.

[5] Dans les temps anciens, les Chinois pensaient que le Ciel était rond
et que la terre était carrée (*tianyuan difang*). cf. *Le canon des Mutations*
(*Yijing*, chap. *Kun*) et *Traité des rites* (*Liji*, chap. *Zengzi tianyuan*).

[6] En haute antiquité chinoise, la couleur sombre (*xuan*) est celle du Ciel
et le jaune (*huang*), celle de la Terre.

mordiales[7] du Yin et du Yang ont pris naissance.
Seul l'Homme les rejoint en troisième élément où
nature et âme se rassemblent, ainsi se nomment
les trois talents[8]. L'homme est la fine fleur des
cinq éléments[9], en effet, il est l'esprit du Ciel et de
la Terre. L'esprit naît et la parole se constitue, la
parole constituée, le *wen* se distingue, c'est le dao
de la nature.

Les dix mille espèces, animaux et végétaux sont dans
le « wen ». Liu Xie passe d'abord par les choses du visible.
Pour le visible, ce sont le dragon et le phénix qui de par leur
éclat et leurs figures colorées, font apparaître d'heureux
présages. Le tigre et le léopard, de par leur lustre et leur pres-
tance, parachèvent la beauté de leur corps et de leur pelage.
Les nuages et les aurores sculptent les couleurs. Les herbes
et arbres s'épanouissent, sans attendre le merveilleux des
tisseurs de brocart, voilà la nature, mais non la décoration.

Quand les formes apparaissent, le « wen » est né. Ce
dernier n'est pas visuel mais auditif : les bruits des bois,
les cours d'eau... comme ces dix mille choses de la grande
nature en forme d'élégance et d'éclat, l'homme est pourvu
du « wen » qui est forme et esprit. Et de cette origine natu-

---

[7] *Liang yi*, les deux figures élémentaires dont sont formées les soixante-
quatre figures selon les *Mutations*, l'une correspondant au yang (le Soleil),
l'autre correspondant au yin (la terre). Les deux figures sont nées du *taiji*,
fondement originel de l'univers, le soleil étant le haut, et la terre le bas.
[8] La triade Ciel-Terre-Homme.
[9] Cinq éléments – métal, bois, eau, feu, terre, sont les cinq éléments
formants les dix mille êtres. Dans *Le canon des rites* (*Liji*), il est noté que
l'homme est le souffle des cinq éléments (chap. *Liyun*).

relle provient le « wen » de l'Homme qui prend source du Faîte suprême-*Taiji*. Le Faîte suprême (*Taiji* 太極)[10] est l'entité fondamentale, l'origine de toutes choses.

Le Faîte suprême engendre deux hémisphères primordiaux. De ces deux hémisphères primordiaux se forment quatre figures. De ces quatre figures se forment huit trigrammes. Ici, Liu Xie reprend l'idée de la théorie des mutations sur l'origine de l'univers. Le Faîte suprême éclaire le fin fond des esprits divins, tandis que le monde humain parvient, grâce à ses observations sans fin des mouvements célestes, à saisir les figures du ciel.

La trinité chinoise est ici fidèlement interprétée par Liu Xie de façon abrégée : le ciel dont la voix est du *yin* et du *yang*, la terre dont la nature des dix mille choses se figure par le *wen*, et l'Homme qui est né entre deux par son naturel et son âme. Cette idée se profile en filigrane dans sa pensée sur l'universalité de la trinité des fonctions de communication et de spéculation dans l'écriture. Elle n'est possible que par la corrélation entre la nature et l'homme non par le concept mais par la création. Il cherche à exprimer non pas ce qu'il voit de la montagne, de la rivière, du rocher, du saule ou du sapin, mais le sens cosmique à travers le monde phénoménal.

Cette trinité du ciel-terre-homme a permis la naissance de l'écriture. Liu Xie en rappelle l'histoire légendaire de la création passant par Paoxi 庖犧, autrement appelé Fu Xi 伏羲, l'un des trois empereurs légendaires en Haute

---

[10] Le terme « Taiji » se reporte au livre *Grand commentaire* des *Mutations*, chap. XXXXII.

Antiquité chinoise. Selon la légende, il inventa les rites du mariage (cf. *Yijing, Canon des Mutations, Le grand Commentaire*). Dans les hautes époques, Pao Xi gouvernait le monde, levant les yeux pour observer les images dans le ciel, abaissant les yeux pour observer les phénomènes sur la terre. Il observait les signes des oiseaux et des animaux et leur adaptation à la nature suivant différentes régions, inventa directement de ses observations les huit trigrammes pour entrer en correspondance avec les divinités lumineuses et vertueuses, et classer les conditions existentielles de tous les êtres vivants. Ainsi fit-il des cordelettes nouées et les utilisa comme filets pour la chasse et la pêche. Il tira probablement avantage de cette invention pour créer les hexagrammes.

Puis, Liu Xie convoque Confucius à qui il attribue le succès du *Canon des Mutations* par son écrit des *Dix Ailes*, ouvrage de Confucius qui donna des exégèses, dix commentaires intitulés « *Dix ailes* » pour commenter le *Canon des Mutations des Zhou*. Ces dix « ailes » sont : « Exégèses sur les jugements » (*Tuan*, 2 chapitres), « Traité des Figures mélangées » (« *Zaguazhuan* »), *Traité de l'ordre des Figures* (*Xugua*), « Traité sur les exégèses des Figures » (« *Shuogua zhuan* »), « Traité des commentaires annexés » (2 chapitres), « Écriture en *wen* » (*Wenyan*), « Traité sur les Figures » (*Xiang*, 2 chapitres). Si les mutations préoccupent l'esprit de Liu Xie dans son argumentation, c'est le concept de tradition de l'origine de l'univers basé sur les deux positions où se trouvent les hexagrammes le *Qian* et le *Kun* qui fondent le *Wenyan*[11] dont le « wen » du langage est l'esprit du Ciel et de la Terre !

Dans ce contexte, Liu Xie reprend le mythe de l'origine de l'écriture graphique chinoise, celui de la *Carte du Fleuve*[12] pour expliquer *les huit trigrammes* dans le *Canon des mutations*, celui de *L'Écrit de la Rivière Luo*[13] pour interpréter les neuf méthodes de la bonne gouvernance[14], et

---

[11] *Wenyan*, écriture *wen*, est le titre du 7e chapitre des *Dix ailes*, où l'auteur présumé, Confucius, commenta les deux trigrammes *Qian* et *Kun* du livre des *Mutations* : Ciel et Terre.

[12] He Tu 河圖, *Carte du Fleuve*, selon la légende, fut offerte par un dragon-cheval à Fu Xi qui, s'inspirant de la forme des poils spiralés de son dos et fit les huit trigrammes. cf. *Hanshu* 漢書 (Histoire des Han), chap. « Wu xing zhi » 五行志. Il s'agissait des cinq transformations (cinq éléments) à partir des nombres pairs et impairs. Cf. « *Formules annexées* » : « C'est pour cela que le Ciel engendre les esprits et les êtres, et que l'homme sage en formule les règles ; le Ciel et la Terre se modifient et se transforment ; et l'homme sage en explique les lois. Le Ciel montre les symboles, manifeste le présage heureux ou malheureux, et l'homme sage les représentent ». « Du Fleuve sort le dessin, de la Rivière sort le livre, et l'homme sage en formule les règles. » (*He chu tu, Luo chu shu, sheng ren ze zhi*).

[13] *L'Écrit de la Rivière (Luo Luoshu)*, semble avoir été tracé sur le dos d'une tortue qui le présenta à Yu le Grand.

[14] Les neuf catégories (*jiu xu* 九序), neuf grandes méthodes pour gouverner le pays. Selon la légende, Yu le Grand régularisait les cours d'eau. Un jour, une tortue sortit de la rivière Luo et lui montra des fissures inscrites sur son dos, Yu le Grand recopia ces signes et composa un livre intitulé *L'Écrit de la Rivière (Luo Luoshu)*. Grâce à ce livre, Yu le Grand instaura neuf grandes méthodes pour gouverner son pays. cf. *Shangshu* 尚書 (*Livre le plus vénérable*, ou *Canon du livre*), chap. Hongfan 洪範 (Grand plan). *Neuf Catégories* sont aussi neuf articles de la Grande Règle. D'après *Shangshu*, chap. *Grande Règle*, le Ciel donna

celui des tablettes de bambou vertes[15] pour évoquer le culte des ancêtres. Ces trois sources légendaires représentent, pour Liu Xie, les lignes conductrices naturelles de la puissance de l'esprit[16].

Ce n'est qu'à partir de cette trinité de l'origine de la terre (carte du Fleuve jaune), du ciel (neuf méthodes de la gouvernance) et de la protection des ancêtres pour l'homme (tablettes de bambou vertes) que l'écriture de l'homme est possible d'être créée, mais toujours par une force de la nature divine représentée par les traces des oiseaux succédant aux cordes nouées[17] d'où l'écriture[18]. Cette source mythique de l'écriture chinoise notée dans les *Mémoires historiques* de Sima Qian reste dominante dans l'interprétation des historiens chinois jusqu'à nos jours. Il

à Yu le Grand neuf articles de la Grande Règle. Ils servirent à expliquer les grandes lois de la société et les devoirs mutuels du père et du fils, du prince et du sujet, du mari et de la femme, des vieux et des jeunes, des amis et des compagnons.

[15] Les « tablettes de bambou vertes » (*lüdie*), selon *Le Canon des documents* (*Shangshu*), sont sorties du Fleuve et attribuées par un dragon-cheval à Fu Xi, les inscriptions du dessus sont en couleur verte. Le vert fait allusion à l'eau du Fleuve.

[16] *Shen li*, les lignes conductrices naturelles de la puissance de l'esprit. *Shen li* se retrouve dans le célèbre passage de *Zhuangzi*, chap. III, l'histoire du boucher.

[17] Selon la légende, l'écriture aurait été inventée par un ministre de l'empereur Jaune (Huangdi 黄帝). Ce ministre, ayant étudié les traces laissées par les oiseaux sur le sable, s'en inspira pour créer une écriture.

[18] Dans le *Livre des Mutations*, au chapitre du « Grand commentaire » (*Xici*), il est noté qu'en haute antiquité, on gouvernait le pays par le moyen de compter le nombre des nœuds à la corde ! Les sages des générations suivantes les remplacèrent par l'écriture.

faut attendre Léon Vandermeersch qui l'a mise en question dans son récent ouvrage *Les deux raisons de la pensée chinoise-Divination et idéographie* (Gallimard, 2013)[19].

L'écriture d'origine légendaire a permis la naissance de la littérature au sens large du terme qui constitue une chaîne du texte canonique qui a fondé toute la civilisation chinoise, dont les œuvres laissées par Yan[20] et Hao[21] dites *Trois Classiques*[22] de l'époque très lointaine, la composition musicale sous Tang-Yao et Yü-Shun[23], les discours de Bo Yi

---

[19] Il indique clairement que « La tradition passe ainsi complètement sous silence les origines de la divination par la tortue. Il est bien question, parallèlement au mythe du cheval dragon sorti du Fleuve Jaune porteur des trigrammes, d'une tortue mythique sortie, elle, de la rivière Luo, et porteuse elle aussi d'une formule divinatoire. Mais la formule inscrite sur la carapace de la tortue, alors que l'on pourrait s'attendre à ce qu'elle représente les matrices *zhao* de craquelures scapulomantiques, est un carré magique numérique, comme si la divination par la tortue était, elle aussi achilléomantique. Toute l'histoire de la scapulomancie, dont nous venons de voir l'extraordinaire importance, est en somme complètement oblitérée par cette mythologie de la divination par l'achillée fabriquée autour du personnage du roi Wen. », in Léon Vandermeersch, *Les deux raisons de la pensée chinoise-Divination et idéographie*, Paris, Gallimard, 2013, p. 92.

[20] Yan, empereur légendaire Shen Nong Shi.

[21] Hao, Tai Hao, autre nom de Fu Xi.

[22] *San fen* 三墳. Le *fen* 墳, tertre funéraire, lieu où demeure la sagesse des ancêtres. Trois Tertres : trois grands classiques écrits aux temps des trois empereurs : Huang Di, Tai Hao et Yan Di. Les trois ouvrages n'ont pas pu résister aux temps, ils ont disparu.

[23] Tang-Yao 唐堯, Yü-Shun 虞舜, Yao et Shun sont deux empereurs légendaires. Leurs règnes furent appelés respectivement Tang et Yü.

et Hou Ji [24], les *Odes*, les actes méritoires de l'époque de Yu le Grand[25], les inscriptions de bronze du temps des Shang et des Zhou, les exégèses du roi Wen des Zhou sur les trigrammes et les lignes composant les hexagrammes, les *Éloges*[26] et la musique rituelle, *Odes*, actes méritoires, jusqu'aux ouvrages canoniques[27] de Confucius, ont été cités par Liu Xie comme références littéraires canoniques et exemplaires de sources originelles. Confucius est pris ici comme grand saint qui « cisela et polit les sentiments et la nature humaine » (1.4), dont l'enseignement[28] a pris son cours sur « dix mille générations ». Confucius, le Roi sans couronne[29], institua ainsi les premiers canons. Tous les textes canoniques pris dans l'enseignement de Confucius remontent à la source de l'esprit du Dao, la puissance spirituelle divine. Le *Canon des Mutations* note ainsi que « Les impulsions des mouvements (au son du

---

[24] Bo Yi et Hou Ji, deux ministres de l'empereur légendaire Shun (environ vingt-deux siècles avant notre ère).

[25] Yu le Grand, l'un des cinq empereurs (souverains) légendaires (environ vingt-deux siècles avant notre ère).

[26] Une partie du *Livre des Odes* se compose de poèmes et de chants écrits par Gong Dan.

[27] Les Six Grands Classiques : *Yijing, Livre des Mutations* ; *Shi Jing, Livre des Odes, Shujing, Canon des Documents* (*Livre le plus vénérable*) ; *Liji, Mémoires sur les Rites* ; *Chun Qiu, Chroniques de la Principauté de Lu* ; *Yue Ji, Mémoires sur la Musique*.

[28] L'enseignement se passa, au temps de Confucius, sur la natte, les élèves et le maître étant assis par terre.

[29] *Su wang*, les grands hommes qui ont la vertu royale mais sans en savoir la couronne.

tambour[30]) sous le Ciel résident dans les expressions[31]. » Ce par quoi les expressions peuvent soulever le dessous du Ciel, le *wen* du *Dao*.

Dans ce cadre de littérature canonique, Liu Xie cite dix personnages historiques dont Fu Xi 伏羲, Shen Nong 神农, Yao 堯, Shun 舜, Yu le Grand 禹, Bo Yi 伯益, Hou Ji 后稷, le roi des Zhou Zhou Wenwang 周文王, le duc Dan des Zhou Zhougongdan 周公旦 et Confucius. Tous les personnages cités dans ce chapitre datent du XXXe au VIe siècle avant notre ère. Un réel appel à l'antiquité de la Chine.

Nom des personnes citées	Époques
Fu Xi 伏羲 (Pao Xi 庖犧)	XXXe siècle avant J.-C. ?
Shen Nong 神农 (Yandi 炎帝)	XVIe siècle avant J.-C. ?
Tang Yao 唐堯	XXIIIe siècle avant J.-C. ?
Yu Shun 虞舜	XXIIe siècle avant J.-C. ?
Da Yu 大禹	XXIe siècle avant J.-C.
Bo Yi 伯益	XXIe siècle avant J.-C.
Hou Ji 后稷	XXIe siècle avant J.-C.
Zhou Wenwang Ji Chang 周文王姬昌	XIe siècle avant J.-C.
Zhougongdan 周公旦	XIe siècle avant J.-C.
Kong Qiu 孔丘	551 – 479 avant J.-C.

---

[30] Tambour, en fait le tambour est l'image resserrée pour décrire une force qui ébranle, agissante, qui excite. Quand le *yin* et le *yang* se mettent en branle, comme le fait le tambour, cela émeut la subjectivité. La réalité à l'extérieur engendre une émotion correspondante à l'intérieur de l'humain, et advient le poème.

[31] *Ci*, expression. Liu Xie joue sur l'ambiguïté de *ci* qui veut dire dans le *Livre des Mutations* le « jugement » sur les hexagrammes. Liu Xie reprend ce terme dans le sens de : « expression du langage ».

La liste ci-dessus couvrant deux mille quatre cents ans montre que le pic de références exemplaires se trouve à l'époque du XXIe siècle avant notre ère avec trois noms (Yu le Grand 禹, Bo Yi 伯益, Hou Ji 后稷). L'époque du XIe siècle avant notre ère se trouve en seconde place avec deux personnages historiques Zhou Wenwang Ji Chang 周文王 姬昌 et Zhougongdan 周公旦.

À côté de ces personnages historiques cités, vingt-et-une œuvres sont appelées comme textes « sacrés » canoniques de la littérature chinoise en langue du « wen ».

Ouvrages cités	Siècle d'apparition
Shangshu 尚書	XVIe siècle avant J.-C. ?
(Shundian 舜典, Dayumo 大禹謨	
Yiji 益稷, Hongfan 洪範, Jinteng 金縢	
Shimai 時邁, Yinzheng 胤征	
Jiongming 尚書·周書·冏命)	
Zhouyi	
Xici 周易	XIe-VIIIe siècle avant J.-C.
(Wenyan 文言, Li 離	
Liusan 六三	
Xici shang 繫辭上	
Xici xia 周易·繫辭下	
Ge 革, Xugua 序卦	
Bi 賁, Shuoguazhuan 說卦傳	
Fu 復, Guan 觀, Dachu 大畜)	

Shijing 詩經   XIᵉ-VIIIᵉ siècle avant J.-C.
(Zhijing 執競, Caipin 采蘋,
Jiaogong 角弓, Jizui 既醉)
Laozi 老子   Vᵉ siècle avant J.-C.
Lunyu   Vᵉ siècle avant J.-C.
(Yongye 雍也, Taibo 泰伯
Xue'er 論語·學而)
Zuozhuan
(Zhaogong shi'ernain 左傳·昭公十二年
Xigong qinian 左傳·僖公四年
Zhaogong ershiwunian 左傳·昭公二十五年
Xianggong ershijiunian 左傳·襄公二十九年)
(Zuo Qiuming 左丘明)
Zhuangzi   IIIᵉ siècle avant J.-C.
(Qiwulun 齊物論
Lie Yukou 列禦寇
Tiandao 天道
(Zhuang Zhou 莊周)
Mengzi   IIIᵉ siècle avant J.-C.
(Wanzhang xia 萬章下
Lilou 離婁)
(Meng Ke 孟軻)
Xunzi 荀子
(Wangzhi 王制, Jiebi 解蔽
(Xun Kuang 荀況)

Huainanzi 淮南子   IIe siècle avant J.-C.
（Chuzhenxun 俶真訓, Jingshenxun 精神訓
Shiji 史記   Ier siècle avant J.-C.
（Kongzi shijia 孔子世家
Sanhuang benji 三皇本紀
Sima Qian zhuan 司馬遷傳
（Sima Qian 司馬遷）
Dadai Liji 大戴禮記   Ier siècle avant J.-C.
（Zengzi tianyuan 曾子天圓
Baofu 保傅
（Dai De 戴德）
Xiaodai Liji 小戴禮記   Ier siècle avant J.-C.
（Daxue 大學, Ruxing 儒行
Liyun 禮運）
（Dai Sheng 戴聖）
Fayan 法言   Ier siècle avant J.-C.
（Wenshen 問神, Junzi 君子
Xuexing 學行）
（Yang Xiong 揚雄）
Hanshu 漢書   Ier siècle
（Dong Zhongshu zhuan 董仲舒傳）
（Ban Gu 班固）
Lunheng 論衡   Ier siècle
（Shujie 書解）
（Wang Chong 王充）

Dongingfu 東京賦   IIe siècle
(Zhang Heng 張衡)

Wudi lei 武帝誄   IIIe siècle
(Cao Zhi 曹植)

Shanyanggong zengcewen 山陽公贈冊文   IIIe siècle
(Wei Mingdi Cao Rui 魏明帝曹叡)

Sanguo zhi 三國誌   IIIe siècle
(Qin Mi zhuan 秦宓傳)
(Chen Shou 陳壽)

Shudufu 蜀都賦   IIIe siècle
(Zuo Si 左思)

Dans ce genre d'écrit, parmi les vingt-et-un ouvrages
cités, il y a cinq ouvrages canoniques dont *Shangshu* 尚書,
Zhouyi 周易, *Dadai Liji* 大戴禮記, *Xiaodai Liji* 小戴禮
記 et *Lunyu* 論語, quatre ouvrages des mémoires historiques, dont *Zuozhuan* 左傳, *Shiji* 史記, *Hanshu* 漢書 et
Sanguo zhi 三國誌, sept essais de maîtres philosophes dont
Laozi 老子, *Zhuangzi* 莊子, *Mengzi* 孟子, *Xunzi* 荀子,
Huainanzi 淮南子, *Fayan* 法言, *Lunheng* 論衡, *Wudi lei*
武帝誄, deux textes dans un style de prose dont *Shanyanggong zengcewen* 山陽公贈冊文, et trois dans un style de
poésie dont *Shijing* 詩經, *Shudufu* 蜀都賦 de *Zuo Si* 左
思, *Dongingfu* 東京賦 de Zhang Heng. En tout cinq textes
littéraires contre seize écrits historiques ou philosophiques.
Ainsi est constitué le répertoire des références littéraires de
Liu Xie.

Sur le plan du temps, ces vingt-et-une œuvres citées comme bonnes références canoniques de la littérature chinoise datent respectivement du XVIᵉ siècle avant notre ère au plus tôt et au IIIᵉ siècle après notre ère au plus tard. Pour une période de mille neuf cents ans, le pic se trouve au Iᵉʳ siècle avant notre ère avec six œuvres citées. Le IIIᵉ siècle se trouve en deuxième place avec quatre ouvrages cités.

Les deux listes illustrent deux mouvements différents, d'un côté, l'époque du XXIᵉ siècle avant notre ère est la plus citée sur le plan des personnages historiques, de l'autre côté, sur le plan des œuvres, c'est le Iᵉʳ siècle avant notre ère qui est impératif comme source de la littérature.

Cette incohérence représente un aspect de l'horizon datant de Liu Xie à l'égard de l'esprit du « Dao », la voie tracée par les Anciens. Le « Dao » est ici interprété de deux façons, d'un côté historique avec les figures apparues dans le panthéon de Liu Xie, de l'autre côté littéraire avec les premiers textes canoniques considérés comme littéraires au sens large du terme. Dans ce sens, Liu Xie qualifie, à la fin du chapitre sous forme de l'éloge[32], l'esprit du Dao de « subtil », par la « gloire éclatante aux sages anciens » et le « wen » du ciel pour que le peuple y prenne modèle.

Ces deux mouvements manifestent deux volets (pro-temps antiques et pro-littérature philosophiques set histo-rique du temps moderne) dans la critique littéraire de Liu Xie sur le « Dao ». Chronologiquement, Liu Xie prête une étroite attention aux personnages historiques (voire

---

[32] *Zan*, il s'agit de chants de louange, d'éloge, de laudes (pour les défunts).

légendaires) des époques antiques, essentiellement du XXIᵉ siècle avant notre ère. Littérairement, Liu Xie convoque les écrivains historiens, philosophes, puis poètes, du Iᵉʳ siècle avant notre ère et des époques plus proches de son temps, avec une préférence pour des essais plutôt que des œuvres de style poétique (seize essais contre trois poèmes et deux proses).

Cet aspect particulier à double volet historique et littéraire sera la ligne principale de la pensée littéraire de Liu Xie dans le présent ouvrage.

III
LES CONNOTATIONS DU « WEN »

————

L iu Xie déploie sa pensée dans son écrit du Wenxin diaolong sur le « wen » par un plan à trois niveaux. Le premier est de remonter au fondement du « Dao », le second est de souligner le magistère des sages en définissant les éléments fondamentaux, le troisième est de se référer aux textes transversaux[1] et au genre du *sao*–élégie[2].

Rappelons que dans le chapitre « Remonter au *Dao originel* » (*Yuandao* 原道), Liu Xie a indiqué le « Dao » comme ressource du « wen ». À partir de cette idée, il déploie son argumentation sur le lien entre le « wen » et les grands sages dont Confucius et le duc des Zhou, démontrant que c'est chez les sages que le « Dao » s'influe grâce au « wen », et que les sages à travers le « wen » éclairent le « Dao ». Les écrivains doivent s'inspirer des sages aussi bien sur le plan de l'émotion que sur le plan de l'expression dans leur écriture.

————

[1] Cf. la note sur le titre du chapitre IV.
[2] Il s'agit du chapitre V sur les élégies de Chu.

Leur langage doit fonctionner en modelant[3] et fondant[4] la nature et les sentiments de l'être. « La réussite du savoir des anciens » (2.1) de Confucius représente un exemple :

> 2.1. Les écrits de Confucius sont accessibles et connaissables. Ainsi les sentiments du Saint sont manifestes dans ses écrits et son discours. La sainte culture des anciens rois couvre les tablettes de bois et les lamelles de bambou ; la silhouette de sagesse de Confucius s'imprime dans ses propos. Ainsi pour les temps éloignés, il fait l'éloge de l'époque de Tang Yao pour sa splendeur débordante. Pour les temps rapprochés, il fait l'éloge de l'époque des Zhou pour sa luxuriance exemplaire.

Ici, Liu Xie convoque Confucius pour définir le « wen » en trois fonctions : la bonne gouvernance est exprimée et transmise grâce au « wen » (*zhenghua guiwen* 正化貴文), les événements historiques sont transmis grâce au « wen » (*shiji guiwen* 事跡貴文) et la perfection du soi passe par le « wen » (*xiushen guiwen* 修身貴文).

Au sujet de la bonne gouvernance exprimée et transmise par le « wen », l'époque légendaire de Yao et celle des Zhou ont été prises comme références indispensables et « lumineuses », non seulement pour la littérature mais également pour le fait qu'elles représentent une belle illumination du « wen » qui est transmise aux générations suivantes.

---

[3] *Tao*, moduler, façonner des poteries d'où : former, éduquer.
[4] *Zhu*, fondre des vases rituels, cloches, armes d'où : éduquer, instruire.

Sur la fonction historique du « wen », Confucius est appelé pour son travail de compilation des canons. Liu Xie cite une anecdote notée dans *La chronique de la principauté de Lu*[5]. Lors de la vingt-cinquième année du règne du duc Xiang de Lu, le duc Jian de Zheng attaqua le pays de Chen. Jin, pays hégémonique à l'époque, il reprocha à Zheng son action. Zi Chan, grand officier des Zheng répliqua en expliquant la raison pour laquelle les Zheng devaient agir contre les Chen. Confucius appréciait Zi Chan, disant que quand on en a la volonté, la parole est servie, mais que sans le « wen », l'action ne va pas loin.

Pour Liu Xie, *La chronique de la principauté de Lu* est un exemple par excellence qui, par un seul mot pour louer ou blâmer, fournit à l'écriture un sens non-dit mais lourd de signification. Un autre cas cité est extrait de la même chronique. En 721 avant notre ère, « en été, au cinquième mois de l'année, le prince de la principauté de Zheng, le duc Zhuang soumit de force Duan (son jeune frère) à Yan ».

Xia wuyue, Zheng Bo ke Duan yu Yan
夏五月，鄭伯克段於鄢.

---

[5] *Chunqiu, La chronique de la principauté de Lu*, depuis l'année 721 jusqu'à l'année 481 avant notre ère. Y sont notés avec une rigoureuse fidélité les années, les saisons, les mois, les jours avec les faits et gestes qu'ils datent. La chronique attribuée à Confucius, fut augmentée d'un commentaire de Zuo Qiuming, dont on ne sait pas au juste à quelle époque il vivait. Dans les *Entretiens* de Confucius, ce nom est cité au chapitre V. Selon Du Yu (222-284), grand commentateur du *Zuozhuan*, Zuo Qiuming était histographe *shiguan* de la principauté de Lu.

L'expression « *ke* 克 » (soumettre de force) dénote implicitement une critique sévère de Confucius. Toute l'affaire remonte à la conduite de la mère des deux frères. La princesse avait gardé une frayeur éprouvée en accouchant de l'aîné un ressentiment, et avait la mauvaise idée de susciter la rébellion de son second fils. L'aîné en *réduise militairement* (*ke*) l'insoumission. L'emploi du terme *ke*, normalement appliqué à ce qui relève d'un contexte d'hostilité réciproque entre ennemis, suffit ici à marquer combien Confucius réprouve cette inimitié entre frères.

Selon Liu Xie, pour la perfection du « soi », le chemin pris par les grands sages est à suivre. Il faut suivre ce qu'ils ont fait de « regarder tout autour comme tournent le Soleil et la Lune, et atteint merveilleusement le subtil[6] et le spirituel » (2.2), de mettre ses pensées et son expression en parfaite « coïncidence des deux parties du *fu* ou du *qi*[7] » (2.2). Une fois cette union entre le ciel et la terre réalisée

---

[6] *Ji*, présages subtils, manifestations infinitésimales qui annoncent l'heur ou le malheur. Étymologiquement, *ji* composé de pictogrammes de cocons de ver à soie, de pousses végétales et d'un homme en approche, signifie « premiers signes », « tout début », « choses infimes », « qui pointe à peine ». Dans le *Canon des Mutations*, *ji* signifie « premier indice », « commencement imperceptible », « subtil ». Il prend le sens d' « être sur le point de », « dans peu de temps », « imminent ».

[7] *Fu* 符, tablette de bambou coupée en deux parties qui servaient autrefois de signe de créance ou de laissez-passer. Le *qi* 契, texte écrit sur une tablette de bois qu'on divisait en deux moitiés destinées à chacun des deux contractants. Dans l'administration de la Chine impériale, le *qi* s'utilisait comme insigne en deux parties dont chacune servait de « contremarque ». Le *fu* et le *qi* sont ici les symboles d'une parfaite adéquation de l'expression de ce qui est exprimé.

par le soi, il faut alors travailler sur le « wen » à quatre niveaux : culturel, éducatif, stylistique et linguistique.

Culturellement, le « wen » est, dès son apparition, la principale fonction dans les mœurs passant par la musique rituelle. Liu Xie appelle ici les empereurs légendaires de la haute antiquité Yao et Yu le Grand qui initièrent le « wen » par les chants qui exprimaient les « aspirations » du peuple. Les rejoignirent Bo Yi et Hou Ji, deux ministres de l'empereur légendaire Shun censément XXIIe siècle avant notre ère. Ils débutèrent l'usage des exposés francs adressés à l'empereur. Tous les grands exploits et mérites furent célébrés en neuf odes palatiales à l'époque des Xi[8]. Par-là, le « wen » assume son rôle moral magnifié.

Le « wen » au niveau éducatif est assuré à partir de l'époque des Shang (1600-1046 avant notre ère) et de celle des Zhou (1046-256 avant notre ère). Dans le premier chapitre de *L'esprit de la littérature ciseleur de dragons*, portant sur la ressource du *Dao*, Liu Xie indique que le « wen » devient méta-expression du fond (*zhi* 質)[9] par chants de cour (*ya* 雅) et chants liturgiques (*song* 頌)[10]. Le « wen »

---

[8] *Xu* 序, au sens étymologique, désigne le mur des chambres latérales se trouvant à l'est et à l'ouest de la chambre principale. C'est là où on chantait les actes éminents des Souverains.

[9] *Zhi* 質, concept littéraire en Chine classique, qui désigne ce qui est opposé à la forme, c'est-à-dire le sens, le fond. L'expression *Sheng qi zhi* 勝其質, surélévation, déplacement vers le haut du sens par rapport à la littéralité. Selon Liu Xie, il ne faut pas rester dans la sécheresse de la littéralité.

[10] Titres de deux chapitres du *Canon des Odes*. *Ya*, titre de l'une des sections du *Canon des Odes*, chants royaux sous les Zhou. *Song*, éloges, quatrième partie du *Livre des Odes*, chants, sous les Zhou, pour les rites dans le temple des ancêtres.

est chargé non seulement de déployer les exploits des Zhou, mais surtout, grâce aux talents du duc Dan[11], d'exprimer les idées et les émotions en odes, en hymnes[12] — musique rituelle et par un discours bien travaillé.

Encore une fois, Confucius est appelé comme exemple. Suivant les anciens sages, il refondit et compila les textes anciens en six recueils pour qu'ils résonnent en écho, comme la cloche à battant de bois[13] qui s'entend loin. Ainsi l'enseignement de Confucius sur la natte de préséance[14] continue de « couler sur dix mille générations, transcrivant les lumières du Ciel et de la Terre et activant l'intelligence des oreilles et des yeux des hommes. » (1.4) Liu Xie en conclut, sur la fonction éducative du « wen » :

> 2.3. Ainsi pour parler du *wen*, on se réfère forcément aux Saints. Pour se rendre compte de ce que sont les Saints, on ne peut que se guider avec les canons.

La fonction éducative du « wen » est ainsi passée par les canons, les odes et les vers chantés qui représentent une qualité exemplaire de vertu pour l'esprit. Assurer cette

---

[11] Gong Dan, le Comte des Zhou dont le prénom est Dan, fils du roi Wen des Zhou.

[12] Une partie du *Canon des Odes* est composée de poèmes et de chants écrits par Gong Dan.

[13] Dans les temps anciens, la cloche à battant de bois servait à l'officier chargé d'instruire le peuple. Le son de la cloche annonçait l'ouverture de la séance éducative auprès du peuple.

[14] Du temps de Confucius, l'enseignement se passait ensemble, avec tout le monde assis sur des nattes.

valeur éducative nécessite deux facteurs à travailler : le style et le langage.

Le style du « wen » reflète le mouvement du ciel, c'est ce que les sages anciens avaient compris. Ils atteignirent « merveilleusement le subtil et le spirituel ». (2.2) Et pour cela, leur écriture est en rigueur comme celle du compas et de l'équerre[15], pourvue d'une exactitude en parfaite cohérence entre idée et son expression :

> 2.2. Tantôt c'est par la sobriété qu'il atteint le sens, tantôt c'est par la profusion du wen qu'il cerne ses sentiments, tantôt il éclaire le Principe[16] régissant toutes choses pour en systématiser l'organisation, tantôt il laisse la signification implicite pour en réserver la portée.

Liu Xie prête une étroite attention au style, indiquant que ce dernier a quatre aspects à travers des textes canoniques définis par Confucius. Le premier est la sobriété

---

[15] *Guiju*, compas et équerre. *Gui*, « compas », évocateur du Ciel et de son élan initiateur, symbole du printemps, a le sens de « norme », de « règle », « coutume qui fait loi », d'où : prendre pour règle, régler, corriger, exiger. Sous les Jin du Nord, le *gui* était le fonctionnaire chargé de l'inspection des canaux d'irrigation. *Ju* est un syllogigramme composé des pictogrammes de la flèche et de l'équerre. La flèche indique la droiture, la justesse. *Ju* a, de même, le sens de « norme de conduite », de « loi constante ». C'est aussi un nom de l'automne, la cassure en angle droit symbolisant la mort, tandis que la flèche désigne le mouvement de la vie. Ici, Liu Xie entend, par *guiju*, ce qui relève de la constance des lois de la nature.

[16] *Li*, veines du jade, de la pierre ou du bois. Ici, il désigne la saine raison, le Principe qui régit toutes choses.

pour atteindre le sens (*jianyan yi dazhi* 簡言以達旨), le second, la profusion du « wen » pour cerner les sentiments (*bowen yi gaiqing* 博文以該情), le troisième, l'illumination des dix mille choses de la nature pour en systématiser la forme (*mingli yi liti* 明理以立體), et enfin, la signification implicite pour en réserver la portée (*yinyi yi cangyong* 隱義以藏用).

Comme arguments éloquents, quatre écrits sont proposés ici comme exemples à suivre, dont le premier est *La chronique de la principauté de Lou*, un texte canonique pour éclairer le sens par un langage simple en utilisant un seul mot[17] lourd de sens au point de vue de l'évocation. Pour le deuxième exemple dans le cas de la profusion du « wen » pour cerner les sentiments, Liu Xie cite le *Poème de Bin* et les *Conduites du lettré*, deux textes poétiques dans un langage de profusion. Ce sont deux cas excellents illustrés par le « wen ».

---

[17] Dans le *Chunqiu* 春秋, *La chronique de la principauté de Lou* (ou *Annales des Printemps et Automnes*, il est noté qu'en 721 avant notre ère, « en été, au cinquième mois de l'année, le prince de la principauté de Zheng, le duc Zhuang soumit de force Duan (son jeune frère) à Yan » *Xia wuyue, Zheng Bo ke Duan yu Yan* 夏五月，鄭伯克段於鄢. L'expression « soumettre de force » dénote implicitement une critique sévère de Confucius. Toute l'affaire remonte à la conduite de la mère des deux frères, laquelle avait gardé d'une frayeur éprouvée en accouchant de l'aîné un ressentiment qui lui avait donné la mauvaise idée de susciter la rébellion du cadet, qui dura jusqu'à ce que l'aîné en *réduise militairement* (*ke*) l'insoumission. L'emploi du terme *ke*, normalement appliqué à ce qui relève d'un contexte d'hostilité réciproque entre ennemis, suffit ici à marquer combien Confucius réprouve cette inimitié entre frères.

Au niveau de l'illumination du principe des dix mille choses de la nature pour en systématiser la forme d'écrit, c'est la composition de l'hexagramme « guai » du *Canon des mutations*, sobre, rigoureuse et symbolique.

En ce qui concerne le quatrième niveau du style par la signification implicite pour en réserver la portée, Liu Xie a convoqué les quatre sortes de figures des hexagrammes du même *Canon des mutations* qui esquissent implicitement les fines pensées, et les *Cinq illustrations*[18] de *La chronique de la principauté de Lou*, qui subliment les mots dans une concision allusive et implicite.

Après avoir expliqué la signification culturelle, éducative du « wen » et son style approprié, Liu Xie poursuit sa réflexion sur le « wen » au niveau linguistique, indiquant qu'il faut un langage « idoine », « simple », « subtil » (2.3), c'est-à-dire un discours « rectifié », dans ce cas, même s'il est « insinuant et énigmatique », il n'est pas nuisible à l'appropriation de l'essentiel :

> 2.3. Le Canon des Mutations dit : « Distinguer les choses, rectifier le langage, et discerner le discours, cela rend le sens complet »[19]. Les Anciens

---

[18] Les « Cinq illustrations » *wuli* : il s'agit des cinq façons de relater les événements dans *La chronique de la principauté de Lou* ; critiquer en exposant mais par insinuation, en notant exhaustivement ce qui s'est passé sans rien cacher ; en réprimandant les coupables et en les exhortant à la bonté (*Préface du Zuozhuan des Printemps et Automnes, Chunqiu zuoshi zhuanxu*, autre traduction du titre : *La chronique de la principauté de Lou*).

[19] Le *Canon des mutations*, chap. « Grands commentaires annexés » (*Xi ci*, vol. II).

documents[20] disent : « Le plus précieux pour le discours, c'est de rendre l'essentiel, sans se préoccuper de chercher hors de l'ordinaire[21] ».

Liu Xiu appelle le *Canon des documents* comme l'exemple du langage idéal du « wen », simple et profond, insistant sur ce que « l'élégance et la beauté des écrits du Saint sont telles des fleurs tenues porteuses de fruits » (2.3). Il faut « consulter les saints pour établir le discours » (2.3), alors le « wen » est abouti.

Cinq personnes historiques ont été convoquées par Liu Xie dans ce chapitre sur le « wen » culturel, éducatif, stylistique et linguistique : Yao 堯 (XXIIIe siècle avant J.-C.), Zi Chan 子產 (584 ?-522 avant notre ère), le duc Jian 簡 des Zheng (570-530 avant notre ère) et Yan He 顏 闔 (VIe siècle avant notre ère), avec une conclusion qu'« à la lumière de ces exemples du duc Zhou de Confucius, alors le « wen » aura trouvé ses Maîtres » (2.3). Ces cinq maîtres sont tous venus des époques antiques, du XXIIe siècle au IIe siècle avant notre ère.

À leurs côtés, dix-sept œuvres sont citées à titre d'exemple pour le « wen », dont huit des textes canoniques : le *Canon des documents* (*Shangshu* 尚書), le *Canon des mutations* (*Zhouyi* 周易), les *Entretiens de Confucius* (*Lunyu* 論語), *La Chronique de la principauté de Lou commentée par le Maître Zuo* (*Zuozhuan*), *La Chronique de la principauté de Lou commentée par le Maître*

---

[20] *Shangshu* 尚書, *Canon des documents* ou *Les Annales de la Chine*.
[21] Le *Canon des anciens documents*, chapitre *Weibiming*.

Gongyang (*Gongyangzhuan/Dinggong yuannian* 公羊傳), le *Canon des rites* (*Liji* 禮記), les *Mémoires des Han* (*Hanshu/Huoguang zhuan* 漢書).

Les six œuvres d'essai des maîtres de pensée comme références exemplaires ont répondu à l'appel de Liu Xiu : le *Zhuangzi* 莊子, le *Hanfeizi* 韓非子, le *Huainanzi* 淮南子 de Liu An 劉安 (179-122 avant notre ère), le *Dictionnaire de dialectes* (*Fangyan* 方言) et la *Critique de Qin et louange de Xin* (*Juqin Meixin* 劇秦美新) de Yang Xiong 揚雄 (53-18 avant notre ère), la *Réponse à Yan Yannian* (*Da Yan Yannian* 答顏延年) de Wang Sengqian 王僧虔 (425-485 après notre ère), une *Préface sur les Annales des Printemps et Automnes* et *La Chronique de la principauté de Lou commentée par le Maître Zuo* (*Chunqiu Zuoshi zhuan xu* 春秋左氏傳序) de Du Yu 杜預 (222-285 après notre ère).

On y compte un ouvrage du même genre que le catalogue des œuvres, les *Sept catégories de la littérature* (*Qilüe* 七略) de Liu Xin 劉歆 (50 avant notre ère-23 après notre ère), deux œuvres littéraires, le *Canon des odes* (*Shijing* 詩經), le *Récitatif versifié de la capitale de Wu* (*Wudufu* 吳都賦) de Zuo Si 左思 (250-305 après notre ère).

Si les cinq sages que Liu Xie convoque sont tous venus des époques antiques datant du XXIIe siècle au IIe avant notre ère, les dix-sept textes cités ici comme écrits canoniques du « wen » représentent par contre une palette de temps variée qui s'étend du XXIIe siècle avant notre ère jusqu'au Ve siècle, à l'époque contemporaine de Liu Xie.

Pour nuancer cette différence entre deux types de corpus historique ou littéraire, remarquons que l'évocation des noms et des textes reste cohérente et va dans le même sens. Huit textes cités datent du XXIIe au IIIe siècle avant notre ère (la première période de l'histoire littéraire chinoise, chronique établie par Liu Xie), six textes cités datent de la dynastie des Han (202 avant notre ère-220), représentant la première période de l'histoire littéraire chinoise, deux textes de quatrième période littéraire (dynastie des Jin (266-420)) et un du Ve siècle après notre ère (la cinquième période littéraire), l'époque contemporaine de Liu Xie.

Le « wen » est culturel, éducatif, stylistique et linguistique. Liu Xie y convoque cinq personnes historiques qui sont Yao, Zi Chan, le duc Jian des Zheng et Yan He avec une conclusion qu'à la lumière de ces exemples du duc Zhou de Confucius. Ces personnes sont appelées « les saints » qui viennent tous des époques antiques datant du XXIIe siècle au IIe siècle avant notre ère. Ainsi les dix-sept textes cités comme écrits canoniques du « wen » représentent une palette de temps variée qui s'étend du XXIIe siècle avant notre ère jusqu'au Ve siècle. Parmi les dix-sept œuvres cités il y a huit textes canoniques qui sont : le *Canon des documents*, le *Canon des mutations*, les *Entretiens de Confucius*, la *Chronique de la principauté de Lou* commentée par deux maitres différents, le *Canon des rites* et les *Mémoires des Han*. Pour conclure, le « wen » doit suivre l'exemple des sages tout en se perfectionnant au niveau culturel, éducatif, stylistique et linguistique. Ce passage est possible par les textes canoniques.

Se forment ainsi deux mouvements, l'un des noms cités, l'autre des œuvres cités. Sur le plan du temps, tous les deux ont vu leur pic sur les mêmes époques anciennes. Sur le plan des références littéraires, le même rythme. La première période littéraire se trouve au pic des mêmes époques anciennes. La présence absolument dominante des époques antiques avec les noms et les œuvres cités est contrastée par l'absence de la troisième période avec aucune œuvre citée (la dynastie des Wei, 220-266). D'où la préférence de Liu Xie pour les époques antiques comme sources du « wen ». Elle représente la ligne majeure de sa poétique.

Ainsi, le « wen » doit suivre l'exemple des sages, en se perfectionnant à quatre niveaux : culturel, éducatif, stylistique et linguistique. Et pour cela, il faut passer par les textes canoniques. Par ce chemin, l'écriture devient en rigueur et en parfaite cohérence entre l'idée et son expression.

Mais on peut se rendre compte malheureusement de l'absence de la dynastie des Wei. L'absence de cette palette, celle de la dynastie des Wei, est marquante d'autant plus qu'elle représente dans l'histoire littéraire chinoise une belle époque. Pour quelle raison alors Liu Xie l'a mise de côté dans ce chapitre sur le « wen » ?

La réponse, s'il y en avait, devrait se trouver dans la suite de sa spéculation.

IV
FAIRE SA RELIGION
DES CANONS EN TROIS ENTITÉS

———

Une fois les deux premiers facteurs réunis, le « dao » (la voie) a trois entités tracées, les grands sages appelés, le dernier élément qui constitue la trinité du « wen » est alors cité dans la pensée de Liu Xie. C'est le « zong jing » – se ressourcer chez les Anciens avec leurs textes canoniques.

Le « zong » signifie littéralement : *considérer comme l'ancêtre fondateur (dont il faut suivre l'exemple)* ; mais à l'époque de Liu Xie il est utilisé pour qualifier les enseignements du bouddhisme, du taoïste et du confucianisme, apparus dans la culture chinoise comme trois « religions » (*zongjiao*), et c'est dans ce sens nouveau qu'il est employé ici. Quant au « jing », il est étymologiquement composé du radical de la soie signifiant *fil de chaîne*, puis par extension ce dont la rationalité traverse les phénomènes, ce qui est canonique. Les traducteurs chinois des soutras bouddhiques empruntèrent ce nom pour traduire le sanscrit *sūtra* qui désigne « le fil reliant les perles du collier ».

Les textes classés par Liu Xie en « jing », sont les écrits enregistrant les enseignements « Yi[1] » (de la loi suprême) sur les « trois entités[2] ». Liu Xie insiste sur le fait que ces écrits canoniques sont réalisés « à l'image du Ciel et de la Terre, comme font tous les esprits, se référant à l'ordre des choses, et instituant le bon ordre entre les hommes, pénétrant ce qu'il y a de plus secret dans la nature et l'âme, jusqu'à la quintessence de la littérature et de la composition ». (3.1)[3]

Les œuvres citées dans le panthéon du « jing » sont primordialement, pour Liu Xie, les *Trois Tombeaux*[4] de l'âge des Trois Augustes[5], les *Cinq Canons* de l'époque

---

[1] *Yi*, nom générique des vases de bronze servant aux sacrifices, et comme ces vases étaient inscrits de formules par là même sacralisées, par extension nom des écrits formulant les principes les plus fondamentaux.

[2] Le ciel, la terre et l'homme.

[3] *Zhang* – composition musicale ou littéraire.

[4] Trois tombeaux, *Sanfen*, trois grands registres réalisés par les trois augustes (les trois premiers empereurs légendaires). Le mot *fen*, tombeau est le nom donné par révérence aux écrits immémoriaux des *trois augustes* empereurs.

[5] Les Trois augustes *Sanhuang*, sont Fu Xi, qui inventa les rites de mariages, Sui Ren, qui découvrit le feu et Shennong à tête de bœuf, qui inventa la charrue et enseigna les principes de l'agriculture.

des cinq empereurs[6], les *Huit écrits purs et simples*[7], et les *Neuf Tertres*[8]. De l'époque antique passant à l'époque contemporaine de Confucius, grâce au travail de ce dernier qui assuma la compilation et de la glose des archives anciennes, viennent les rejoindre le *Canon des Mutations* avec les *Dix ailes*, le *Canon des documents* reclassé en sept

---

[6] *Wudi*, cinq empereurs légendaires. *Huangdi*, inventeur des armes, fondateur de la civilisation chinoise, atteignit l'Extrême-Occident, il établit partout l'ordre pour le Soleil, la Lune et les Étoiles. *Zhuan Xu*, façonna des vases d'argile. *Di Ku*, observa le Soleil et la Lune pour les recevoir et les accompagner. *Yao*, avait l'intelligence d'un être divin (shen), instaura le règne de la piété familiale et des vertus civiques. *Shun*, successeur de Yao, vécut uniquement pour le bien du peuple et sans penser à lui-même. Dans la première compilation d'histoire générale *Shiji* 史記 (*Mémoires Historiques*) écrit par Sima Qian, à la fin du IIe siècle avant notre ère (Jésus-Christ), les Cinq Souverains font l'objet du premier chapitre.

[7] *Huit* écrits *purs et simples* : traité en huit chapitres faisant partie du corpus canonique du taoïsme religieux rédigé à partir d'une révélation surnaturelle sur les hexagrammes. *Su*, étoffe de soie écrue, métaphore chez les taoïstes de « simplicité », de l'« état de la nature avant toute civilisation ». Il est surprenant que Liu Xie mette cet écrit, apparu à son époque avec bien d'autres relevant de croyances religieuses, sur le même plan que les canons confucéens. Il faut y voir un signe de plus de l'évolution idéologique principalement marquée par l'apparition de la prise en compte de « *sanjiao* » (*trois religions* : confucianisme, taoïsme et bouddhisme).

[8] *Neuf Tertres Jiuqiu*, ouvrage perdu, célèbre à l'époque des Printemps-Automnes, terme indiquant les neuf régions antiques de la Chine empire, sous les Shang et les Zhou.

vertus[9] ; le *Canon des odes* réparti en quatre livres[10], le *Canon des rites* en cinq classes canoniques de cérémonies[11], et les *Printemps-Automnes* en cinq paradigmes[12].

Ces œuvres appelées représentent non seulement la valeur de l'ancienneté, mais aussi la qualité exemplaire du « wen » qui les sacralise. Cette qualité est assurée par le langage taillé selon les principes du « wen », la rectitude de l'expression de la spiritualité du « dao » subtile et celle de la nature des sentiments. L'esprit du « dao » réuni à l'expression du « wen », permet aux enseignements des saints de s'étendre « comme une cloche de dix mille *jun*[13]. » (3.1)

---

[9] Les sept points de vue (*qiguan*) qui sont le point de vue de la loyauté (*yi*), celui de la bienveillance (*ren*), celui de l'honnêteté (*cheng*), celui de la mesure (*du*), celui de la pratique (*shi*), celui de la gouvernance (*zhi*), et celui de la beauté (*mei*).

[10] Quatre pièces du début (*sishi* 四始) des quatre parties du *Canon des Odes* : *Guanju* dans *Guofeng*, *Luming* dans *Xiaoya*, *Wenwang* dans *Daya*, et *Qingmiao* dans *Song*.

[11] *Cinq classes canoniques de cérémonies* (*wujing*), il s'agit ici des cinq cérémoniaux notés dans les *Mémoires sur les Rites* (*Liji*). Selon Zheng Xuan, commentateur du *Liji*, ces cinq classes de cérémonies sont les cérémonies de bon augure (*jili*) – sacrifices et offrandes aux esprits, les cérémonies funèbres (*xiongli, binli*), les cérémonies militaires (*junli*), les cérémonies de l'hospitalité (*binli*) – visites et messages entre les princes et les cérémonies joyeuses (*jiali*) – les festins donnés aux parents, le mariage, etc. *Wu jing*, ce terme désigne aussi les cinq livres canoniques appelés *jing* sous l'empereur Wu Di (156-87 avant notre ère) : *Canon des Mutation*, *Canon des Documents*, *Canon des Odes*, *Canon des rites*, et les *Annales des Printemps – Automnes*.

[12] Les cinq paradigmes (*wuli*) de l'historiographie qui détermine les cinq sortes d'évènements relatés dans les *Annales des Printemps – Automnes*.

[13] *Jun*, nom d'une unité de poids valant trente livres.

Les œuvres citées comme premières références canoniques sont au nombre de cinq :

XVIᵉ siècle - l'époque avant la dynastie des Han de l'Ouest
(XXIIᵉ siècle avant notre ère-202 avant notre ère)

Shangshu 尚書	
(*Jiugao* 酒誥, *Dayumo* 大禹謨,	
Yixun 伊訓, *Wuzizhige* 五子之歌,	
Yaodian 堯典, *Shundian* 舜典)	XVIᵉ siècle avant notre ère
Zhouyi 周易	
(*Heng* 恆, *Tuan* 彖, *Meng* 蒙,	XIᵉ-VIIIᵉ siècles
Wenyan 文言, *Xici* 系辭)	avant notre ère
Shijing 詩經	
(Daya/Wenwang 大雅·文王, Jizui 既醉)	XIᵉ-VIIIᵉ siècles
	avant notre ère
Laozi 老子	Vᵉ siècle avant notre ère

Parmi ces textes anciens, le *Canon des Mutations*
(*Zhouyi* 周易) a une place importante pour ses termes
spirituels appropriés[14] et son *Grand commentaire* en un
langage profond, suivi du *Canon des documents* (*Shangshu*
尚書) pour sa fidèle note des discours même trop énigmatiques. Le *Canon des Odes* (*Shijing* 詩經) les rejoint pour
son expression exceptionnelle de l'aspiration de l'âme en
chants populaires, en allusion, en métaphore et en chants
cérémoniaux au plus intime des sentiments du cœur.

---

[14] *Shen*, à la différence des esprits distingués des ancêtres, l'esprit du Ciel.

Derrière le *Canon des Mutations*, est convoqué le *Canon des rites* qui a pour fonction d'établir les règlements et les institutions, formulant tous les rites selon les situations, les coutumes et les réalités de société. Puis c'est le *Canon des documents* considérés comme un trésor. L'importance des *Annales des Printemps – Automnes*, pour Liu Xie, c'est son art d'employer un seul mot pour dévoiler les signifiés. Un exemple parlant est l'expression des « cinq pierres » (*wushi*), faisant allusion à un événement rapporté dans les *Annales des Printemps – Automnes* des cinq météorites. (*Xigong*, l'année XVI). Une autre histoire notée dans cette chronique est appelée comme un exemple aussi, est celle des « six hérons », faisant allusion à un événement rapporté par la même source d'une façon très sobre mais évocatrice : « Le même mois, six hérons, volant à reculons, passèrent au-dessus de la capitale de Song. » Les oiseaux ne pouvant pas voler à reculons, étaient repoussés par le vent en arrière dans leur vol. Les deux événements (chute de météorites et vol à reculons de hérons) n'étaient pas de bons signes, aux yeux de Shu Xing, historiographe de la cour impériale des Zhou.

Ces événements, notés si sobrement, servent de bons exemples aux yeux des historiographes chinois. La chute des météorites est décrite de façon très précise, datée de l'année et du mois, et qualifiée de conséquence non pas du renversement naturel du *yin* et du *yang* mais de la conduite des hommes. Tandis que la reculade des hérons n'est que datée de l'année et du mois, car cet événement est un pur hasard. Ainsi Liu Xie les qualifie d'une écriture faite « de

façon convenablement sobre et plus au moins précise »
(3.2). Il voulait dire ici que ce genre de style sert de bon
exemple pour l'écriture. Il faut toujours être sobre mais
précis là où il faut.

La troisième histoire de cette chronique citée par
Liu Xie est celle de la « Porte du faisan[15] ». Le récit est
subtil, évoquant à demi-mot. Il est noté dans les *Annales
des Printemps – Automnes* (livre XI, *Ding Gong*, l'année
III) qu'en été, au cinquième mois, le jour du « renchen »,
la porte méridionale (nommée porte du faisan) et les deux
tours furent incendiées. Le feu prit d'abord aux deux tours
dont la porte méridionale était flanquée, mais l'auteur des
Annales des Printemps – Automnes mentionne la porte
avant les deux tours, car la porte est plus importante.

Ces canons cités ont chacun un point fort que Liu
Xie prend comme exemple. Le *Canon des documents* développe les principes tout en clair, les *Annales des Printemps
– Automnes*, laissent voir et comprendre d'emblée le mot
à mot. Ils représentent la haute variété des modèles d'écriture des saints, et les différentes formalisations du dit et du
non-dit par lesquelles on s'exprime. L'essentiel de ces écrits
une fois établi, quel que soit leur style florissant ou sobre,
sont composés dans une langue concise en riche polysémie,

---

[15] Il est noté dans les *Annales des Printemps – Automnes* (livre XI, *Ding
Gong*, l'année III) qu'en été, au cinquième mois, le jour du « renchen »,
la porte méridionale (nommée porte du faisan) et les deux tours furent
incendiées. Le feu prit d'abord aux deux tours dont la porte méridionale
était flanquée, mais l'auteur des *Annales des Printemps – Automnes*
mentionne la porte avant les deux tours, car la porte est plus importante.

si bien que ces textes du passé portent une fraîcheur hors du temps, dont les générations suivantes s'inspirent et se nourrissent.

Si on fonde les formes de l'écriture suivant les ouvrages canoniques exemplaires riches « comme montagnes pour en tirer le bronze et la mer pour en extraire le sel », de leur langage, on s'inspire pour sublimer l'écriture. De leurs formes s'appliqueront six particularités : richesse des sentiments sans artifice (*qingshen er bugui* 情深而不詭), clarté de l'esprit sans mélange (*fengqing er buza* 風清而不雜), fiabilité du récit sans débordement (*shixin er budan* 事信而不誕), rigueur du sens sans détour (*yizhi er buhui* 義直而不回), sobriété de la forme concise sans déstructuration (*tiyue er buwu* 體約而不蕪), embellissement du discours sans maniérisme (*wenli er buyin* 文麗而不淫). Voilà la beauté du « wen » à travers les cinq canons et leurs influences sur les temps. Le lettré Yang Xiong compare le rôle de matrice du « wen » de ces canons à la taille en objet d'art du jade brut.

À côté de ces textes anciens, Liu Xie a convoqué un groupe de cinq ouvrages canoniques moins anciens, compilés ou commentés par de trois personnes (Confucius, 551-479 avant notre ère, son disciple Zixia, 507-400 avant notre ère et le lettré Yang Xiong, 53 avant notre ère-18 après notre ère) :

Maoshi xu 毛詩序 de Zixia 子夏   Vᵉ siècle avant notre ère

Lunyu 論語 (*Shu'er* 述而) de Confucius   Vᵉ siècle avant notre ère

Zuozhuan 左傳
(*Zhaoggong shiernian* 昭公十二年,
Wengong liunia 文公六年,
Chenggong shisinian 成公十四年,
Xigong shiliunian 僖公十六年)
de Zuo Qiuming 左丘明   Vᵉ siècle avant notre ère
Gongyangzhuan 公羊傳
(*Xigong sanshinian* 僖公三十一年)
de Gongyang Gao 公羊高)   IIIᵉ siècle avant notre ère
Shangshu dazhuan 尚書大傳
(*Lüeshuo* 略說) de Fu Sheng 伏生   IIIᵉ siècle avant notre ère

À leurs côtés, sont cités également trois ouvrages comme références littéraire ou « philosophique » du maître taoïste :

Lisao 離騷 de Qu Yuan 屈原   IIIᵉ siècle avant notre ère
Chuci 楚辭 (*Jiubian* 九辯) de Song Yu 宋玉   IIIᵉ siècle avant notre ère
Zhuangzi 莊子 (*Zaiyou* 在宥, *Lie Yukou* 列
禦寇) de Zhuang Zhou 莊周   IIIᵉ siècle avant notre ère

En tout, vingt-six ouvrages cités, douze présentés ci-dessus datent du XVIᵉ siècle avant notre ère jusqu'à l'époque des Han de l'Ouest (XXIIᵉ siècle avant notre ère-202 avant notre ère), dix datent du IIIᵉ siècle avant notre ère et du IIIᵉ siècle après notre ère :

Shangshu xu 尚書序
de Kong Anguo 孔安國   Iᵉʳ siècle avant notre ère

Shiji 史記 (*Rulin zhuan xu* 儒林傳序,
Qu Yuan liezhuan 屈原列傳,
Wuwang Bi zhuan 吳王濞傳)
de Sima Qian 司馬遷   Ier siècle avant notre ère
Fayan 法言 (*Wuzi* 吾子,
Guajian 寡見)
de Yang Xiong 揚雄   Ier siècle avant notre ère
Yu Yang Xiong shu 與揚雄書
de Liu Xin 劉歆   Ier siècle avant notre ère
Xijing zaji 西京雜記
de Liu Xin 劉歆   Ier siècle avant notre ère
Qilüe 七略
de Liu Xin劉歆   Ier siècle avant notre ère
Hanshu 漢書
(*Liyue zhi* 禮樂志,
Xuzhuan 敘傳, *Yiwenzhi* 藝文志)
de Ban Gu 班固   Ier siècle avant notre ère
Dianyin 典引
de Ban Gu   Ier siècle avant notre ère
Xidu fu 西都賦
de Ban Gu   Ier siècle avant notre ère
Xijing fu 西京賦
de Zhang Heng 張衡   Ier siècle avant notre ère
Liang jing fu 兩京賦 de Zhang Heng

Deux ouvrages littéraires de la dynastie des Jin (266-420) ont été appelés :

Shudufu 蜀都賦
de Zuo Si 左思   IIIᵉ siècle après notre ère
Erya xu 爾雅序
de Guo Pu 郭璞   IIIᵉ siècle après notre ère

La dynastie des Song (420-479), l'époque contemporaine a le droit également de deux ouvrages :

Ting gao 庭誥 de Yan Yanzhi 顏延之   Vᵉ siècle après notre ère
Houhanshu 後漢書
(*Cui Yin zhuan* 崔駰傳,
Liu Penzi zhuan 劉盆子傳)
de Fan Ye 範曄   Vᵉ siècle après notre ère

Remarquons que les ouvrages anciens l'emportent sur les écrits des temps récents, cette préférence pour les Anciens correspond à l'esprit de « Faire sa religion des canons » de Liu Xie.

Liu Xiu insiste sur la valeur du « wen », puisque « Le wen prend corps par la conduite morale, et la conduite se transmet par le wen qui préside aux quatre enseignements[16] ». Selon lui, comme le jade ne vient que pour embellir, rares sont les discours et la rhétorique qui sont composés dans le but de réussir. C'est ce qui conduit à l'échec si on ne suit pas les canons. Les élégies de Chu qualifiées de « trop fleuries »

---

[16] Les quatre enseignements (*Sijiao* 四教) sont définis par Confucius. Selon le *Lunyu* 論語 (*Entretiens*), ce sont les enseignements du *wen*, de la conduite, de la loyauté et de la sincérité.

et la prose rythmée des Han de « trop pompeuse » en sont deux exemples. C'est en retournant aux racines (*zhengmo guiben* 正末歸本) que l'on peut éviter cette « profération en frondaison » (*yi* 懿). Liu Xie reprend l'idée exprimée au début du chapitre 3 sur la finalité de revenir aux racines canoniques, que les ouvrages sont à l'image du Ciel et de la Terre, qu'ils se modèlent sur les esprits et les divinités et qu'ils suivent l'ordre des choses.

Ainsi se déploie une argumentation poussée sur l'importance des ouvrages classés en canon portant sur l'image du Ciel et de la Terre, reprenant le modèle des esprits et des divinités. Ces œuvres représentent une participation exemplaire dans l'ordre des choses et des règles du monde humain. Les livres canoniques *jing* sont à l'image du ciel et de la terre, c'est-à-dire qu'ils gravent le monde phénoménal et le monde supra-phénoménal tout en se gravant.

L'ancienneté joue un rôle primordial dans cet héritage canonique et pour cela, Liu Xie cite une image du *jing* 井 (puits) où il faut descendre dans les profondeurs pour y capter ce qui vivifie sans s'épuiser. Voilà « une image est ce en quoi l'Autrefois rencontre le Maintenant dans un éclair pour former une constellation. La constellation c'est ce qui change le Ciel[17] » selon Walter Benjamin. L'éclair, c'est la fulgurance. La constellation, c'est ce qui change le ciel. En Chine, l'autrefois rencontre le maintenant dans un éclair pour former un dragon. Alors, l'esprit critique est une image fulgurante.

---

[17] Cf. Walter Benjamin, *Paris, capitale du XIXe siècle – le livre des Passages*, Paris, Cerf, 1997, p. 478-480.

LES CANONS EN TROIS ENTITÉS

De ces sources inépuisables, se forment plus tard le dictionnaire *Erya*[18] 爾雅 grâce auquel le sens de ces textes anciens devient lumineux et signifiant, puis les écrits de tous genres dont principalement les quatre, le « lun » 論, traité doctrinal, le « shuo » 說, exposition discursive, le « ci » 辭, prose oratoire, le « xu » 序, propos d'exergue tirent leur origine du *Canon des mutations*. Les écrits en genre « zhao » 詔, édit impérial, « ce » 策, décret conférant une dignité, « zhang » 章, mémoire de remerciement et en « zou » 奏, rapport officiel adressés au trône impérial, prennent source dans le *Canon des documents*. Le *Canon des rites*[19] (*Lijing* 禮經 ou *Liji* 禮記) donne naissance aux deux groupes d'écrits dont le premier est représenté par le « fu » 賦, prose rythmée, le « song » 頌, ode liturgique, le « ge » 歌, poèmes chantés et le « zan » 讚, dithyrambe, tous quatre constituent le fondement de la poésie ; le deuxième groupe, par le « ming » 銘, exhortation, le « lei » 誄, oraison funèbre, le « zhen » 箴, sentence morale et le « zhu » 祝, prière. Les *Annales des Printemps et Automnes* donnent forme aux quatre genres d'écrits dont le « ji » 紀, annales, le « zhuan » 傳, biographie, le « meng » 盟, texte de foi jurée et le « xi » 檄, déclaration de guerre.

En somme, ces cinq groupes de vingt genres littéraires devenus l'axe du « wen » littéraire de Liu Xie sont nés respectivement des cinq canons qui s'affichent au plus haut

---

[18] *Erya*, dictionnaire de mots attribué en partie au Duc Zhou, à Confucius, et à ses disciples, un des livres canoniques.

[19] *Lijing* 禮經 (ou *Liji* 禮記, XVIᵉ siècle avant notre ère), le *Canon des rites*, commenté par Dai Sheng 戴聖.

et servent de modèles avec les maîtres des cent écoles des temps anciens. Tradition et création font ainsi un grand « U » comme l'anneau de jade des écrits canoniques qui ne sont jamais éloignés de « l'ici-présent » du monde humain et à qui doivent toute la littérature et ses ressources.

V
CANONISME ET TRANSVERSALITÉ : QUATRE ASPECTS DES ÉCRITS « NON CANONIQUES »

L e canon signifie véritablement « zheng » dans le contexte historique. Le « wei », « transversal ». Les trois concepts basiques de Liu Xie relatifs aux aspects fondamentaux du « wen », celui du « Dao », celui de Saints (cinq empereurs fondateurs de la culture chinoise...) et celui de « jing » (canons) une fois exposés, arrive naturellement comme suite du traité, suivi du quatrième portant sur le pendant des canons, les « Textes transversaux[1] ».

---

[1] Les textes transversaux (*Weishu* 緯書) sont des textes composés de la même façon que les canons, mais ne sont pas revus par Confucius (bien que parfois ils aient été attribués à Confucius comme compléments aux canons mais demeurés non officiels). La qualification de « transversaux » signifie qu'ils traversent les textes canoniques de la même façon que les fils de trames traversent les fils de chaîne. La sinologie occidentale les a réunis sous l'intitulé d'*apocryphes* à cause de leur imputation

Liu Xie tout en étant très confucianiste est ouvert aux écrits réputés qui sont non orthodoxes mais qui témoignent de pensées tout aussi dignes d'être respectés que les anciens canons « Jing » (經), dont les six[2] attribués à la compilation de Confucius. Cette indépendance d'esprit lui vient de sa sensibilité intellectuelle au bouddhisme.

Les textes transversaux (*Weishu* 緯書) sont à l'origine des textes très anciens qualifiés de « fantastiques » (*shenwen* 神文) portant sur les thèmes variés. Ils furent composés de la même façon que les canons, mais pas par Confucius (bien que parfois ils aient été attribués à Confucius comme compléments aux canons après le iiie siècle avant notre ère suivant l'orthodoxie des canons).

L'installation des canons confucéens sur la place orthodoxe à l'époque des Han du iie siècle avant notre ère provoque l'opposition des textes canoniques aux écrits transversaux. Se forment alors deux courants chez les lettrés. Pour ceux qui sont pour, les écrits transversaux complètent les écrits canoniques (*bangjin gerxing* 傍經而行), mais pour ceux qui s'y opposent, les écrits transversaux n'avaient pas leur place à côté des canons à cause de leur

---

fallacieuse à Confucius, ce qui a entraîné l'erreur de les considérer non seulement comme peu importants mais même comme déviants. En vérité, bien qu'ils aient été condamnés par l'orthodoxie confucianiste, ils représentent un courant très important touchant la réflexion scientifique et métaphysique.

[2] Les six recueils canoniques sont le *Yijing, Canon des mutations* ; le *Shijing* 詩經, *Canon des odes*, le *Shujing* 書經, *Canon des documents* ; le *Liji, Canon des rites* 禮記 ; le *Chunqiu* 春秋, le *Yueji* 樂記, le *Canon de la musique* et les « Dix commentaires » du *Canon des mutations*.

langage et du contenu. Liu Xie essaie de rester entre deux, avec des indications voilées sur quatre aspects de ces écrits non canoniques.

La qualification de « transversaux » signifie qu'ils traversent les textes canoniques de la même façon que les fils de trames traversent les fils de chaîne. La sinologie occidentale les a réunis sous l'intitulé d'*apocryphes* à cause de leur imputation fallacieuse à Confucius, ce qui a entraîné l'erreur de les considérer non seulement comme peu importants mais même comme déviants. En vérité, bien qu'ils aient été condamnés par l'orthodoxie confucianiste, ils représentent un courant très important touchant la réflexion scientifique et métaphysique.

Liu Xie suivait le confucianisme dominant de son époque et rédigea son œuvre dans cette idéologie mais sans s'opposer aux textes transversaux, encore moins en les rejetant comme « faux » écrits. Il tente de relever les aspects particuliers de ces écrits non classés en rang canonique, qui ont été rédigés (*wei* 偽, faire) hors de la lignée chronologique.

Le « wei » est étymologiquement un morphophonogramme composé du radical de l'homme et de la phonétique qui signifie *faire*, dans le « wenyan » — chinois ancien, il fut employé dans le même sens que le caractère « wei » 為.

C'est dans ce sens que Liu Xie débute son chapitre par deux images symboliques dont le cheval-dragon qui donne naissance au *Canon des mutations*, et la tortue surnaturelle qui inspire le *Digeste des grandes régulations*[3], et appelle ce

---

[3] *Hongfan* 洪範 (« Digeste des grandes régulations »), cet ensemble de régulations est analogue au Digeste du droit romain de l'époque de

que dit le « Jici » 繫詞 (Formules attachées, appendices du *Jijing* 易經, *Canon des mutations*) : « Du Fleuve Jaune est sorti le graphisme, de la rivière Luo est sortie l'écriture, et les saints s'y sont soumis ». Mais au fil du temps, le « wen » s'en est obscurci et s'est dégénéré en se détournant en absurdité, Liu Xie trouve qu'il est important d'en faire une clarification entre les écrits dits « zheng » corrects et les textes dits « wei » (éloignés) qui à l'origine avaient inspirés les anciens écrits classés plus tard en canons.

Liu Xie ne se cantonne pas dans la notion du « canonique ». Pour lui, la primauté des six livres canoniques (*Liu jing* 六經) dont le *Zhouyi* 周易 (*Canon des mutations des Zhou*), le *Shangshu* 尚書 (*Canon des documents)*, le *Shijing* 詩經 (*Canon des odes*), le *Liji* 禮記 (*Canon des rites*), le *Yueji* 樂記 (*Canon de la Musique*), le *Chunqiu* 春秋 (*Annales des Printemps et Automnes*) étant incontestablement marqués et classés comme références principales, lumineux, on ne doit pas perdre de vue que les commentaires transversaux ont leur place, ils ne sont pas pour autant à être négligés, ils sont abondants et redondants. Même dans les écrits confucéens tels que le *Canon de la piété filiale*[4] et celui des *Entretiens* de Confucius il y a des paraphrases oraculaires[5].

---

justinien. Ce digeste est réputé avoir été révélé par le Ciel à Yu le Grand, fondateur de la première des *trois dynasties*, celle des Xia (XXIIᵉ-XVIIᵉ avant notre ère).

[4] *Xiaojing* 孝經 (*Canon de la piété filiale*), un des treize classiques rapportant les enseignements de l'école confucéenne sur les relations sociales et familiales. Les *Entretiens* 論語, entretiens de Confucius.

[5] *Chen* 讖, interpréter un présage, livres de divination. *Chenshu* 讖書, les livres et textes ésotériques parus sous les Qin (221-207) et les Han

À côté des livres canoniques, les textes transversaux sont des témoins sous quatre aspects d'une hétérodoxie : « en premier lieu, ils sont pour les canons comme le croisement des fils de chaîne sur les fils de trame, mais sans s'homogénéiser, tels le chanvre et la soie qui ne se confondent pas » (4.2), toile et soierie se tissant chacune suivant leur propriété.

Le second aspect « transversal » se trouve sur le plan du langage, les livres canoniques représentent les instructions des Sages (*shengxun* 聖訓), dans un style clair (*xian* 顯), tandis que les textes transversaux sont obscurs (*yin* 隱), exprimant une doctrine théosophique (*shenjiao* 神教).

Le troisième aspect « transversal » est marqué par l'attribution de ces textes. Liu Xie en compte quatre-vingt-un qualifiés de « transversaux », tous furent à son époque portés au crédit de Confucius ou à celui de l'empereur légendaire Yao pour la « Carte Verte » (*Lütu* 綠圖), selon *Shangshu zhonghou* 尚書中候 (Commentaires des *Canon des documents*). Lors d'une cérémonie, un dragon-cheval apparut à Yao, portant entre ses dents une cuirasse faite d'écailles, où s'inscrivaient des lignes rouges sur fond vert. Le dragon-cheval du Fleuve Jaune monta sur l'autel et déposa une carte. La cuirasse ressemblait à une carapace de tortue. Le dragon-cheval était venu informer Yao qu'il devait céder son trône à Shun. L'empereur Yao recopia le message. Il attendit le déclin du jour. Alors une lueur rouge apparut. Une tortue sortit des eaux, avec un écrit en lignes rouges sur son dos et s'installa sur l'autel. De même, l'écrit

de l'Ouest (206 avant notre ère-8 après notre ère) mais détruits pour la plupart sous les Sui (581-618).

informait Yao qu'il devait céder son trône à Shun[6]. La même attribution est à Chang[7] 昌, le Roi Wen des Zhou 周文王 qui institua l'« écriture rouge ».

Le quatrième et le dernier aspect transversal, selon Liu Xie, explique qu'il y a d'abord les textes transversaux et ensuite les écrits canoniques, et que c'est avant les Shang et les Zhou que les cartes et les talismans sont apparus, régulièrement, tandis que les livres canoniques furent tous au complet seulement à la fin de l'époque des Printemps et Automnes.

Liu Xie insiste sur la fonction « secondaire » des textes « transversaux » par rapport aux textes canoniques, pas dans le sens historique ou orthodoxe mais plus précisément et très intelligemment par l'interprétation de la signification du « wen ». Pour cela, les deux légendes occupent une place primordiale dans sa spéculation, car elles représentent la source des textes transversaux et furent reprises par Confucius.

La première est la « carte verte ». À l'origine, son apparition ainsi que celle des autres cartes théosophiques représentaient l'effet de la bienveillance céleste, signes auspicieux discernés par les anciens.

---

[6] Pour la carte verte, cf. *Shangshu zhonghou – Woheji* 尚書中候·握河紀, *Yiwei tonggua yan* 易緯通卦驗, annoté par Zheng Xuan 鄭玄, 北京, Zhonghua shuju 中華書局, 1991, vol. I, p. 1.

[7] Selon *Shangshu zhonghou*, le Roi « wen » des Zhou obtint une écriture en couleur rouge apportée par un oiseau rouge. Voir *ibid.*, vol. III, p. 13.

La seconde légendaire est l' « écriture rouge » (*Danshu* 丹書, carte sortie du fleuve Jaune). Jadis, le Roi Kang[8] des Zhou exposa la carte du fleuve Jaune dans son appartement de l'Est[9]. Cela symbolise l'héritage des présages fidèlement transmis de génération en génération.

Sur ces deux légendes considérées comme sources des écrits transversaux, Confucius et les lettrés adeptes de numérologie y ajoutèrent des exégèses sous forme de préface ou par des notes amphigouriques sur le *yin* et le *yang*, sur les phénomènes catastrophiques inattendus. Cette culture ésotérique était appréciée par l'empereur Guangwu et enrichie par les lettrés de l'époque dont le Roi Pei Xian[10] qui collectionnait les textes qui pouvaient servir aux commentaires des textes canoniques, Cao Bao[11] composa un recueil d'oracles corroborant les rites.

---

[8] Le roi Kang des Zhou (Zhou Kangwang 周康王), le troisième roi des Zhou (XIe-256 avant notre ère).

[9] Appartement de l'Est (*Dongxu* 東序), appartement de l'empereur, se trouvant à l'extrémité orientale de la salle principale. Voir *Shangshu*, chap. Guming 尚書·顧命 (*Canon des documents*, chap. XXII « Dernières volontés »), in *Chou King*, trad. par Fr. S. Couvreur S. J., Hien Hien, imprimerie de la mission catholique, 1916, p. 286-289. À l'époque des Xia, l'appartement de l'Est était le lieu de l'Académie où on se souciait des anciens.

[10] Le Roi Pei Xian 沛獻王 dont le nom Liu Fu 劉輔, le fils de l'empereur Guangwu (r. 25-57 après notre ère), faisait des exégèses à l'aide des interprétations de présages (voir *Houhanshu* 後漢書, chap. « Pei Xian wang Fu zhuan » 沛獻王輔傳).

[11] Cao Bao 曹褒, haut fonctionnaire – lettré, vivant à l'époque de l'empereur Zhang 章帝 (r. 76-89) (voir *Houhanshu* 後漢書, chap. « Cao Bao zhuan » 曹褒傳).

Liu Xie cite certains grands noms confucéens qui s'opposaient à cette tendance transversale, Huan Tan[12] la qualifie de « non-sens », de « fausseté » (*xuwei* 虛偽), Yin Min[13], et de « superficialité » (*fujia* 浮假), Zhang Heng[14], de partialité et d'absurdité (*pimiu* 僻謬), Xun Yue[15] indiquant que ces écrits étaient fallacieux (*guituo* 詭托).

La nature et la fonction des écrits transversaux étant clarifiées, Liu Xie exprime son idée selon laquelle la riche pensée et la beauté du langage des écrits transversaux peuvent inspirer les générations suivantes telle une source littéraire. Il cite certaines légendes sur Fuxi[16], Shennong[17], Xuanyuan[18] et Hao[19], et des histoires fascinantes sur la

---

[12] Huan Tan 桓譚, lettré des Han orientaux, très critique des traités de divination (voir *Houhanshu* 後漢書, chap. « Huan Tan zhuan » 桓譚傳).

[13] Yin Min 尹敏, lettré des Han orientaux, très critique des traités de divination (voir *Houhanshu* 後漢書, chap. « Rulin zhuan » 儒林傳).

[14] Zhang Heng 張衡 (78-139), mathématicien astronome (voir *Houhanshu* 後漢書, chap. « Zhang Heng zhuan » 張衡傳).

[15] Xun Yue 荀悅, lettré des Han orientaux, très critique des traités de divination, auteur de l'ouvrage *Shenjian.suxian* 申鑒 qui dénonce l'absurdité des textes ésotériques.

[16] Fuxi 伏羲, personnage légendaire auquel est attribuée l'invention de l'écriture.

[17] Shennong 神農, l'un des trois Augustes légendaires, à tête de bœuf, inventeur de la charrue et instituteur des principes de l'agriculture.

[18] Xuanyuan 軒轅, Huangdi 黃帝 (Empereur Jaune), l'un des cinq souverains légendaires, inventeur des armes, fondateur de la civilisation chinoise, portée jusqu'à l'Extrême–Occident.

[19] Hao 暤, dont le nom complet est 少暤, fils de l'Empereur Jaune.

nature des montagnes et des eaux[20], d'un poisson blanc et d'un corbeau rouge[21] sur l'origine de la musique en cloches et en tubes[22]. Ce sont des écrits qui sont pour la plupart les travaux d'érudits connus ou inconnus, mais au moins, qui littérairement, apportent beaucoup à la composition. Mais la proposition de Zhang Heng de bannir sans exception les textes transversaux semble peu pertinente pour Liu Xie qui est plutôt du côté du lettré Xun Yue 荀悅 (148-209)[23] qui déplorait le risque de perdre nombre de textes transversaux authentiques et s'opposait à l'autodafé proposé par certains confucéens, étant donné que durant les dynasties antérieures les textes transversaux avaient accompagné les canons. Mais Liu Xie ne va pas loin au-dehors de la critique courante de son époque à l'égard des écrits transversaux,

---

[20] Il s'agit de *Guyue dujing* 古岳瀆經 (Ancien classique des montagnes et des fleuves) où le lit d'un fleuve est décrit comme ayant la forme d'un singe.

[21] In Sima Qian, *Mémoires historiques* (chap. 4) où il est ainsi noté : Le roi Wu des Zhou franchit la rivière. En son milieu, un poisson blanc jaillit hors de l'eau et chuta dans la barque du roi. Le roi le prit pour l'offrir en sacrifice. Une fois la rivière traversée, une flamme jaillit de haut en bas, paradoxalement. Elle devint un corbeau rouge dont la voix était très douce. (Le blanc est la couleur symbolique de la dynastie des Yin ; ce qui présage la chute de celle-ci. La douceur de la voix du corbeau, lequel symbolise la piété filiale présage la paix acquise sous le règne des Zhou.)

[22] Voir le chapitre *Zhonglü* 鐘律 (Les cloches et les tubes musicaux) sur les calamités naturelles dans *Yi « wen zhi »* 藝文志 (Le traité bibliographique) du *Hanshu* 漢書 (*Mémoires des Han postérieurs*).

[23] Xun Yue 荀悅 (148-209) devint chef de la Bibliothèque impériale, ayant eu de nombreuses discussions sur la littérature avec l'empereur Xian 獻帝. Il compila *Hanji* 漢紀 (Annales de la dynastie des Han).

laissant leur vérité latente et indiquant que « leur sens est caché, mais précieux est leur 'wen' » (*liyin wengui* 理隱文貴) et leur raffinement de la beauté à ciseler (*caiqi diaowei* 採其雕蔚).

Regardons la galerie des ancêtres et des œuvres que Liu Xie propose. Pour défendre son idée de remettre les textes transversaux à leur place historique, Liu Xie a cité dix-sept personnages comme références :

Fu Xi 伏羲, xxxᵉ siècle avant notre ère ?

Huangdi 黃帝, xxviᵉ siècle avant notre ère ?

Shen Nong 神农 (Yandi 炎帝), xxviᵉ siècle avant notre ère ?

Shao Hao 少皞, xxviᵉ siècle avant notre ère ?

Tang Yao 唐堯, xxiiiᵉ siècle avant notre ère ?

Wenwang Ji Chang 文王姬昌, xiᵉ siècle avant notre ère

Kangwang Ji Zhao 康王姬釗, ?-996 avant notre ère

Kongzi 孔子, 551-479 avant notre ère

Aidi Liu Xin 哀帝劉欣, 25-1 avant notre ère

Huan Tan 桓譚, 23 avant notre ère-56

Pingdi Liu Kan 平帝劉衎, 9 avant notre ère-6

Guangwudi Liu Xiu 光武帝劉秀, 5 avant notre ère-57

Yin Min 尹敏, ?- ?

Pei Xianwang Liu Fu 沛獻王劉輔, ?-84

Cao Bao 曹褒, ?-102

Zhang Heng 張衡, 78-139

Xun Yue 荀悅, 148-209

Remarquons que le nombre de personnes mentionnées varie en fonction du temps. Les époques d'avant la dynastie des Han occidentaux, datant du XXIIe siècle à 202 avant notre ère, comptent seize noms, le nombre diminue pour atteindre zéro à l'époque des Wei (de 220 à 265), à celle des Jin (de 266-420) et à celle des Song (420-479).

Sur le plan des écrits, trente-trois références littéraires ont été appelées par Liu Xie dans son argumentation sur la rectification des textes transversaux, dont sept datent du XXIIe siècle avant notre ère à l'an 202 avant notre ère :

Shangshu 尚書 (*Hongfan* 洪範, *guming* 顧命)	XVIe siècle avant notre ère ?
Zhouyi 周易 (*Dayou* 大有, *Guan* 觀, *Xici* 繫辭)	XIe-VIIIe siècle avant notre ère
Shijing 詩經 (*Shangsong* 商頌, *Daya* 大雅)	XIe-VIIIe siècle avant notre ère
Maoshi xu 毛詩序	Ve siècle avant notre ère
Lunyu 論語 (*Weizheng* 為政, *Xianjin* 先進, *Yanghuo* 陽貨, *Zihan* 子罕)	Ve siècle avant notre ère
Zuozhuan 左傳 (*Xianggong sanshinian* 襄公三十年, *Yingong yuannian* 隱公, *Zhaogong* 昭公)	Ve siècle avant notre ère
Shenzi 申子[24]	IVe siècle avant notre ère

---

[24] *Shenzi* 申子, l'œuvre de Shen Buhai 申不害 (395-337), représentant de l'école légiste de l'époque des Royaumes Combattants (475-221).

Vingt-six textes datant de la dynastie des Han (202 avant notre ère-220 après notre ère) occupent impérativement la première place. Citons ici ces références précieuses à Liu Xie :

Fengshanwen 封禪文 de Sima Xiangru 司馬相如	IIe siècle avant notre ère
Gongyangzhuan 公羊傳 (*Xigong sanshinian* 僖公三十一年) de Gongyang Gao 公羊高	IIe siècle avant notre ère
Guliangzhuan 谷梁傳 (*Wengong shisinian* 文公十四年) de Guliang Chi 谷梁赤	IIe siècle avant notre ère
Guoqin lun 過秦論 de Jia Yi 賈誼	IIe siècle avant notre ère
Shiji 史記 de Sima Qian 司馬遷 (*Guijia zhuan* 龜筴傳, *Liuhou shijia* 留侯世家, *Shi'er zhuhou nianbiao xu* 十二諸侯年表序, *Zhou benji* 周本紀)	Ier siècle avant notre ère
Dongxiao fu 洞簫賦 de Wang Bao 王褒	Ier siècle avant notre ère
Liji/Liyun 禮記·禮運 commenté par Dai Sheng 戴聖	Ier siècle avant notre ère
Shangshu Zhonghou 尚書中候 (*Woheji* 握河紀, *Woying* 我應)	Ier siècle avant notre ère
Yi qianzaodu 易乾鑿度	Ier siècle avant notre ère
Li Douweiyi 禮斗威儀	Ier siècle avant notre ère
Gouming jue 鉤命訣	Ier siècle avant notre ère
Wenyao gou 文耀鉤	Ier siècle avant notre ère
Jiyao gou 稽耀鉤	Ier siècle avant notre ère
Bikao chen 比考讖	Ier siècle avant notre ère
Fayan 法言 de Yang Xiong	Ier siècle avant notre ère
Xinlun 新論 de *Huan Tan* 桓譚	Ier siècle avant notre ère

Yichen zhongshang shu 抑讖重賞疏 de *Huan Tan* 桓譚	Ier siècle avant notre ère
Hanshu 漢書 (*Lüli zhi* 律曆志, *Wang Mang zhuan* 王莽傳, *Wuxingzhi* 五行志) de Ban Gu 班固	Ier siècle
Da binxin 答賓戲 de Ban Gu	Ier siècle
Qing jinjue tuchen shu 請禁絕圖讖疏 de Zhang Heng	Ier siècle
Xijing fu 西京賦 de Zhang Heng	Ier siècle
Shenjian/Suxian 申鑒·俗嫌 de Xun Yue 荀悅	IIe siècle

Deux textes datés des Jin (266-420) sont appelés par Liu Xie :

Wenzhang liubie lun 文章流別論 de Zhi Yu 摯虞	IIIe siècle
Shudufu 蜀都賦 de Zuo Si 左思	IIIe siècle

Les textes datés de la dynastie des Song (420-479) sont également au nombre de deux :

Sanyue sanri qushuishi xu 三月三日曲水詩序 de *Yan Yanzhi* 顏延之	IVe siècle
Houhanshu 後漢書 (*Ban Gu zhuan* 班固傳, *Fangshu zhuanxu* 方術傳敘, *Huan Tan zhuan* 桓譚傳, *Su Jing zhuan* 蘇竟傳, *Pei Xianwang Fu* 沛獻王輔傳, *Rulin zhuan* 儒林傳, *Zhang Heng zhuan* 張衡傳, *Zhang Cao Zheng liezhuan* 張曹鄭列傳)	Ve siècle

Comme le nombre des noms cités, le nombre de textes littéraires cités varie à différentes époques en Chine. Pour la même période que celle des personnages cités, c'est-à-dire celle du XXIIe jusqu'au IIIe siècle avant notre ère, il y a dix-sept textes cités. Puis, de 202 avant notre ère jusqu'en 220, le nombre d'articles cités a considérablement diminué avec sept textes cités. La même absence que celle des Wei, aucun écrit n'est cité. Remarquons qu'il y a un timide changement par rapport à l'absence des noms cités des Jin et des Song, au niveau des textes cités pendant les deux dynasties des Jin, de 266 à 420, il y a deux textes littéraires cités, et la dynastie des Song qui dure de 420 à 479, un texte littéraire cité.

En somme, du XXIIe siècle avant notre ère jusqu'en 479, il y a un total de vingt-six personnes citées avec vingt-sept articles mentionnés. Sur le plan du nombre de personnes en fonction du nombre d'écrits à différentes époques en Chine, les époques anciennes jusqu'à 202 avant notre ère sont représentées par seize personnes avec dix-sept articles cités. L'époque qui suit de 202 avant notre ère à 220 après notre ère sous les Han, le nombre de personnes citées a diminué à dix avec sept articles cités. Pendant le royaume de Wei (de 220 à 265), le nombre de personnes est inexistant ainsi que le nombre d'articles. Pendant les deux dynasties des Jin (266-420), il n'y a aucune personne citée, mais il y a tout de même deux articles mentionnés. Quant à la dynastie des Song qui suit, le nombre de personnes citées en 0 recensé est accompagné d'un écrit cité.

Au-delà de l'idéologie de l'État, les textes transversaux sont importants pour caractériser ce qui est dans la pensée chinoise. C'est très proche de ce qu'est la divination (*zhanbuxue* 占卜學). Les textes canoniques, c'est la divination transformée en philosophie, tandis que les textes transversaux sont plus proches de l'original divinatoire, c'est la raison pour laquelle vers la fin de la dynastie des Han, ils étaient utilisés comme prévisions de la chute de l'empire. Ce qui est ancien, c'est la pensée, ce sont des formes, des expressions de la même époque que les textes canoniques, mais une expression d'une pensée plus ancienne que les textes canoniques. Les textes canoniques représentent la pensée complètement ritualisée dans le confucianisme, tandis que les textes transversaux conservent la mentalité chamanique touchant le supra-phénoménal et le magique, un supra-phénoménal plus religieux, plus magique, mois philosophique. L'un relève du supra-phénoménal philosophique, l'autre, du supra-phénoménal magique. Cet aspect « magique » reste toujours « dérangeant » pour le pouvoir politique, pour la volonté politique, quelle que soit la dynastie, seulement pour la raison politique, non pour la raison théorique. C'est la divination qui conduit à la théorie du *yin-yang* et des cinq éléments (*wuxing* 五行).

Remarquons que les textes transversaux sont moins opposés, de l'origine jusqu'à l'époque de Liu Xie, mais plutôt parallèles aux textes canoniques par rapport à ce qu'est en Occident l'opposition entre les textes théologiques et les textes qui relèvent de l'astrologie et de ce qui est mythique contre l'Église. Face aux textes canoniques, se forme le classement des textes dits « wei » – transversaux – par les lettrés de l'école du Jinwen (écriture moderne). Cette appellation s'accompagne d'une division entre les lettrés, se creusant au fil du temps une opposition suivie de l'interdiction à l'époque des Sui (581-618).

Suivant la logique chronique de l'histoire, étant bouddhiste et lettré, Liu Xie ne saurait prendre la position critique ou celle du refus des époques suivantes par rapport aux textes transversaux, ni prévenir le futur autodafé de l'empereur Yang des Sui. Il fait œuvre d'unification suivant les efforts de l'école du Guwen (écriture ancienne) des Han, de mettre à leur place les textes canoniques et transversaux. La bascule n'était pas voulue par Liu Xie qui situe les textes canoniques et les textes transversaux entre la référence ancêtre sacrée par l'époque des Han et la source ancienne du principe surnaturel (*shenli* 神理). Les œuvres transversales convoquées sont comme référentes extra-lointaines mais non moins réelles. Ces derniers convoqués dans ce chapitre ne sont pas simplement et uniquement pour dire que ces textes ont la valeur de fournir une source du style florissant ou luxurieux à l'écriture littéraire, ce que les lettrés critiquent depuis la dynastie des Qing jusqu'à nos jours. Bien plus encore, Liu Xie souligne l'importance de la complémentarité de ces deux classements des textes.

VI

LE GENRE POÉTIQUE DU « SAO[1] » :
ÉCRITURE MYTHIQUE,
LYRIQUE, ALLUSIVE
ET PLACE DE L'EGO DE QUAN

Le *Lisao* ou *Rencontrer le chagrin* est écrit par Qu Yuan (343-290 avant notre ère) du royaume de Chu. Avec ses trois cent soixante-douze vers, il est le premier long poème chinois d'auteur.

Pour Liu Xie, le *Lisao* s'éloigne trop des livres canoniques *feng* et *ya* qui sont liés à l'image du ciel et de la terre. L'analyse de Liu Xie met l'accent sur l'importance historique du *Lisao* avant de souligner l'étrangeté de son

---

[1] 騷, genre littéraire classique. Qu Yuan, poète célèbre du pays de Chu (340-278 avant notre ère) écrivit une œuvre poétique *Lisao* 離騷 (*Rencontrer le chagrin*). Membre du clan royal, après avoir subi la disgrâce de la Cour, il fut deux fois exilé, et c'est dans le chagrin de l'exil qu'avant de se suicider, il écrivit ce *Lisao*. (littéralement : *rencontrer le chagrin*) qui par la suite sera le nom d'un genre poétique.

propos et sa beauté fantastique qui en fait un genre littéraire spécifique, indiquant divers aspects de cette œuvre avec le *Canon des odes*.

À l'encontre des lettrés confucéens de son époque, Liu Xie n'est pas réellement méprisant envers le genre poétique « sao », marquant son non-conformisme à l'opinion confucianiste.

Zhou Zhenfu, critique chinois contemporain, interprète ainsi le titre du chapitre V, disant que cette évolution fut engendrée dans le caractère du titre *bian* 變 (changer, changement). Le *bian* ne peut pas se comprendre uniquement selon son premier sens (distinguer, discerner), car Liu Xie fit aussi allusion à un autre caractère phonétiquement identique *bian*. Discerner pour connaître le changement[2].

Wang Yi 王逸 (89-158), grand lettré chinois de la dynastie des Han déclare sa sympathie pour Qu Yuan dans son ouvrage *Chuci zhangju* 楚辭章句 (*Commentaires des Éloges de Chu*, in *Sikuquanshu* 四庫全書, vol. 1062). Il apprécie le courage du poète à contester le pouvoir en place, ajoutant que cette contestation s'inscrivait dans le fil de la tradition des poèmes canoniques primitivement recueillis comme témoins de l'opinion critique sur la bonne ou mauvaise gouvernance.

Selon Wang Yi, les *Éloges de Chu* sont parfaitement dans la ligne de la tradition des odes canoniques, mais ils

---

[2] Voir l'étude de Gernet, Jacques, « Sur la notion de changement en Chine », in *Notions et perceptions du changement en Chine*, Alleton, Viviane, Alexeï Volkov (éds.), Paris, Collège de France, Institut des hautes études chinoises, 1994, p. 1-12.

sont moins directs pour tirer les oreilles[3] aux mauvais gouvernants. L'expression « tirer les oreilles » exprime une méthode directe de remontrance et de persuasion appliquée dans le *Canon des odes*.

Ajoutons que pour Wang Yi, le suicide de Qu Yuan résulte du désespoir de ne pas pouvoir convaincre le roi de Chu. Cette déception fut exprimée sublimement dans un langage lyrique et métaphorique :

駟玉虬以乘鷖兮,

溢埃風余上征

Dès lors, je pouvais atteler les dragons blancs et monter sur l'oiseau céleste[4], Tout à coup, poussière et tempête, je fus emporté vers le ciel. (*Lisao*, 46)

Wang Yi indique l'aspect héritier du *Lisao* dans la lignée des textes anciens, c'est de s'appuyer sur le sens fondamental des recueils canoniques 依經立義. En voici comme exemple selon Wang Yi, la métaphore des six dragons inspirée du *Canon des mutations*:

時乘六龍以御天
À son heure il chevauche les six dragons pour monter au ciel[5].

---

[3] « Tirer les Oreilles » (*ti'er* 提耳) l'expression est tirée du *Canon des odes* (chap. *Daya/Yi*), cf. *Chuci zhangju xu* 楚辭 章句序, « Préface du Commentaire du *Chuci* ».

[4] Traduction du Marquis d'Hervey de Saint-Denys, in *Le li-sao, poème du IIIᵉ siècle avant notre ère*, Paris, Maisonneuve et Cie, 1870, p. 31.

[5] La phrase complète du *Zhouyi* 周易 (*Mutations des Zhou*, chap. *Qian – Xiangci* 乾象辭, Les définitions des hexagrammes). Voir *Yi King, le Canon des mutations*, trad. par Richard Wilhelm, Étienne Perrot, Paris, Librairie de Médicis, 2001, p. 423.

Et les monts Kunlun inspirés du *Shangshu* (*Canon des documents*) :

邅吾道夫昆仑兮

Vers les Kunlun je fais détour[6] (*Lisao*, 24)

Ainsi que les « Sables coulants » de la même source :

乎吾行此流沙兮

Lors j'accède aux Sables coulants[7] (*Lisao*, 25)

Ces vers renvoient au mythe de la répartition des Terres et au « Tribut fixé par Yu sur la terre[8] ». Dans le *Shangshu* (*Canon des documents*, chap. « Yugong » 禹貢 Tribut de Yu), il est noté que le règne de Yu le Grand se fut étendu sur les « neuf terres » de Chine, dont la montagne Kunlun et le lieu mythique nommé Liusha. Un autre fait qui soutient l'idée de Wang Yi est que les célèbres lettrés confucéens de l'époque prirent le *Lisao* pour modèle dans leurs écrits en poésie et prose. Il en conclut ainsi que le *Lisao* est une pièce d'or brillante, un jade pur (*jinxiang yuzhi* 金相玉質), et qu'il durera longtemps, de génération en génération, à la plus grande hauteur (*baishi wupi* 百世無匹).

---

[6] Toute traduction des vers du *Lisao* citée dans ce chapitre est celle de Rémi Mathieu, voir Qu Yuan, *Élégies de Chu*, traduit du chinois, présenté et annoté par Rémi Mathieu, Paris, Gallimard, coll. Connaissance de l'Orient, 2004, p. 59.

[7] *Ibid.*, p. 59.

[8] Voir *Shangshu* (*Canon des documents*), chap. « Yugong » 禹貢 (Tribut de Yu), il s'agit du règne de Yu le Grand sur les « neuf terres » de Chine, Kunlun et Liusha furent notés comme noms de lieu. La dynastie des Xia (2205-1766) fut fondée par Yu le Grand.

Ban Gu[9] (32-92 après notre ère) admirait la beauté
et l'élégance de son écriture, le considérant Maître du *ci*
(poèmes irréguliers) et du *fu* (récitatifs versifiés) d'un merveilleux talent, même si ses récits du *Lisao*[10] sur Houyi[11],
Guojiao[12] et les deux filles Yao[13] ou sur les Monts Kunlun[14]

---

[9] Ban Gu 班固, historien et lettré des Han, l'auteur du *Hanshu* 漢書
(*Histoire des Han*). L'ouvrage fut achevé par sa sœur Ban Zhao 班昭
après la mort de son frère en prison.

[10] Voir également Qu Yuan, « *Tian wen* » 天問 (*Interrogations au
Ciel*), long poème où Qu Yuan pose cent soixante-douze questions sur
l'univers, les êtres divins, la terre.

[11] Houyi 后羿, personnage légendaire. Sous les Xia (XXIIe-XVIIe siècles
avant notre ère), le Ciel envoya l'archer Yi pour supprimer les calamités
et certains démons sur terre. Il tira des flèches contre dix soleils qui
desséchaient la terre. Ensuite il régna et eut une vie dissolue. Il blessa
même le Dieu du Fleuve. Le Ciel en colère le fit tuer par l'esclave Zhuo
浞, et il fut mangé.

[12] Guojiao 過澆, fils de Zhuo. Zhuo, après avoir tué son maître, le Prince
Houyi, l'archer, usurpa le trône et eut deux fils de la concubine de Houyi.
La veuve de l'un de ces fils devint la maîtresse de son beau-frère Guojiao
qui était guerrier. Le dernier était fort et portait les bateaux sur son
dos en terre ferme et noyait les ennemis sur leurs bateaux. Il fut tué par
Shaokang 少康 des Xia.

[13] Les deux filles Yao furent données en mariages à Shaokang qui assura la
renaissance des Xia. Elles furent d'origine du pays de Youyu 有虞, clan dont
le nom de famille était Yao 姚, lignée provenant de l'Empereur Shun 舜.

[14] Qu Yuan écrit dans le *Lisao* 離騷 (86) : « *Zhan wu Dao fu Kunlu xi, lu
xiuyuan yi zhouliu* » 邅吾 道夫崑崙兮，路修遠以周流 (*Je me dirige
de nouveau vers les monts Kouen-lun/La distance est grande, la route est
longue à parcourir.*), traduit par Marquis d'Hervey de Saint-Denys, in
Le li-sao, poème du IIIe siècle avant notre ère, Paris, Maisonneuve et Cie,
1870, p. 60.

et Xuanpu[15] ne s'accordent pas vraiment avec ce qui en est écrit dans les recueils canoniques. Yang Xiong approuva l'avis de Ban Gu[16] que l'expression du *Lisao* était de même nature que celle des chants *Ya* du *Canon des odes*.

Mais Liu Xie est allé bien plus loin. Il place cette œuvre poétique au rang des *Odes*, source de toute poésie ancienne. Le *Lisao* fournit l'exemple à la poésie d'auteur qu'ont suivi la plupart des auteurs chinois généralement bien moins complaisants que les poètes de la littérature française envers l'autorité.

Parmi les aspects du *Lisao* saisis par Liu Xie, le premier est l'ancienneté du poème, chronologiquement le *Lisao* se trouve juste après l'époque ancienne où avaient vécu les grands sages dont Confucius, ce qui donne raison de son statut particulier à côté des *Odes*.

Après son ancienneté, le second aspect est marqué par son rôle de successeur aux *Odes* et de précurseur du genre littéraire « ci » (élégies des Chu). Ainsi indique Liu Xie dès le début du chapitre V :

5.1自風雅寢聲，莫或抽緒，奇文鬱起，其離騷哉！固已軒翥詩人之後，奮飛辭家之前，豈去聖之未遠，而楚人之多才乎！

---

[15] Xuanpu 懸圃, le mont le plus élevé des monts Kunlun. Qu Yuan écrit dans le *Lisao* (47) : « *Zhao faren yu cangwu xi, xi yu zhihu xuanpu* » 朝發軔于蒼梧兮，夕余至乎懸圃 (*Le matin, je me mettais en route en partant du lieu appelé Tsang-ou/Le soir, j'arrivais aux jardins suspendus de Huen-pou*), traduction du Marquis d'Hervey de Saint-Denys, in *Le li-sao, poème du IIIᵉ siècle avant notre ère,* Paris, Maisonneuve et Cie, 1870, p. 32.

[16] Yang Xiong écrivit des textes sur l'acuponcture, la musique, les poèmes lyriques inspirés par Qu Yuan. Il défendait l'idée que la nature de l'humain n'était ni bonne, ni mauvaise, mais mitigée, que l'homme se développait dans la direction que déterminait son environnement.

Traduction :

5.1 Depuis que l'art poétique des odes *Feng*[17] et *Ya*[18] est entré en sommeil, n'en a été qu'un fil de ver à soie et ont proliféré les écrits d'autre nature, tel le *Lisao*[19] (*Rencontrer le chagrin*) ! Assurément dans le sillage des poètes du « Shi »[20] leur postérité s'élevant dans un essor précurseur de la poésie du « ci »[21] ne s'éloigne pas encore des Saints de l'antiquité : il en est ainsi du riche talent de Chu (c.-à-d. Qu Yuan) !

Cent ans après la mort de Confucius, compilateur des *Odes*, la poésie ancienne connut le déclin suivant celui de la dynastie des Zhou, la seule voix qui en coupait le silence est celle de Qu Yuan. Liu Xie en résume quatre points forts du *Lisao* dans la lignée des *Odes* : l'éclat et la grandeur de Yao et de Shun[22], la louange du contrôle de soi des souverains Yu

---

[17] *Feng* 風, (vent) souffle dont le souffle a inspiré les *Guofeng*, chants folkloriques de la Chine antique, présentés au souverain par les princes féodaux, qui ont constitué la première partie du *Canon des odes* (*Shijing* 詩 經) révisé par Confucius.

[18] *Ya* 雅, littéralement « convenable », « juste », « correct », appliqué comme nom à une partie du *Canon des odes*, celle des odes raffinées, chantées lors des cérémonies rituelles dans la Chine antique. Cette partie est subdivisée en deux sections *Xiaoya* (*Petites odes*) pour les petites occasions et *Daya* (*Grandes odes*) pour les grandes occasions.

[19] *Lisao* 離騷, long poème de Qu Yuan 屈原 (343-290 avant notre ère) sorte de complainte élégiaque.

[20] Allusion au *Canon des odes*.

[21] Poésie du pays de Chu. *Shi* est le nom du plus ancien genre poétique chinois, celui des poèmes du *Canon des Odes*, tandis que *ci* est le nom d'un genre tout nouveau à l'époque de Liu Xie, de poèmes composés sur des airs de musique donnés (et dont la prosodie est accordée à ces airs de musique au lieu d'être réglée par la musique du *shi*).

[22] Ici Liu Xie fait allusion à ce que Qu Yuan écrit dans son *Lisao* (8) : « *Bi Yao Shun zhi gengjie xi, ji zunDao er delu* » 彼堯舜之耿介兮，   既

et Tang imitant le style des « Règles et Proclamations[23] »,
la critique sur le déchaînement des instincts débridés[24] de
Jie et de Zhou[25], et la déploration sur la déchéance et la
chute de Yi et de Jiao[26]. Ces quatre éléments témoignent de
la même fonction du poète de faire la remontrance[27], ce qui
fait de ce poème un repère indispensable dans l'histoire de
la poésie chinoise ancienne.

Le troisième aspect du *Lisao* est marqué par sa valeur
mythique, lyrique, et allusive. Liu Xie apprécie la fidélité

遵道而得路 (L'éclat et la grandeur de Yao et Shun/De ce que, suivant
la voie, ils trouvèrent le chemin), traduction du Marquis d'Hervey
de Saint-Denys, in *Le li-sao, poème du IIIe siècle avant notre ère*, Paris,
Maisonneuve et Cie, 1870, p. 7. Selon Wang Yi, *Geng* 耿 désigne l'éclat,
la lumière ; *Jie* 介 désigne la grandeur.

[23] Il s'agit de deux chapitres du *Shangshu* (*Canon des documents*) :
« Yaodian » 堯典 (Règle de Yao) et « Tanggao » 湯誥.

[24] Le déchaînement des instincts débridés, l'expression traduite du mot
chinois *changpi* 猖拔, ne pas être habillé correctement, donc avoir une
conduite perverse (Wang Yi, *Chuci zhangju*).

[25] Jie 桀 et Zhou 紂, deux tyrans qui furent les derniers empereurs des
dynasties des Xia et Shang. Jie sous les Xia, Zhou sous les Shang. Types de
la cruauté et de la tyrannie. Dans le *Lisao* (8), Qu Yuan écrit : « Oh, qu'ils
furent arrogants et pervers, Jie et Zhou/Ils prirent un chemin court et
facile mais finirent par se trouver dans l'impasse. (*He Jie Zhou zhi changpi
xi/Fu wei jiejing yi jiongbu* 何桀紂之猖披兮，夫唯捷徑以窘步).

[26] Yi, est le nom simplifié de Houyi, ainsi que le Jiao pour le nom de
Guojiao. Dans le *Lisao* (39), Qu Yuan écrit : *Ri kangyu yi ziwang xi/
Jueshou yongfu dianyun* 日康娛以自忘兮，厥首用夫顛隕 (Laissant
couler ses jours dans la débauche et dans l'oisiveté, il oubliait lui-même/
Sa tête, enfin, paya cet oubli par une lourde chute), traduction du
Marquis d'Hervey de Saint-Denys, in *Le li-sao, poème du IIIe siècle avant
notre ère,* Paris, Maisonneuve et Cie, 1870, p. 27.

[27] Fonction de certains poèmes du *Canon des odes*.

de Qu Yuan en *Odes*, sur le plan de la tournure métaphorique et allégorique du poème[28]. Les « dragons à corne », sont une métaphore des hommes de vertu, les « nuages et l'arc-en-ciel[29] » sont des phénomènes météorologiques pris pour métaphore des délateurs et des pervers. Quand il tournait la tête pour regarder le palais, c'était à la vue des « neuf portes de la résidence du souverain[30] » qui le rejeta. Pour Liu Xie, c'est l'expression d'un homme loyal et critique. Si l'on s'en tient à ces quatre manières de servir (*sishi* 四事), la première renvoie au style des *Annales* (*Canon des documents, Shujing*), les trois autres au *Canon des odes*, sous forme de remontrances au souverain en figures d'allégories et de métaphores. Le sujet loyal et plaintif qu'est Qu Yuan se trouve parfaitement dans la lignée du *Canon des odes*, plus précisément avec les poèmes *feng* et *ya*[31].

---

[28] Métaphore et allégorie, *Bi, Xing*, deux des six figures de rhétorique contenues dans le *Canon des odes*.

[29] C'est un avertissement du Ciel. La Nature se désordonne. La terre ne reçoit donc plus la pluie matinale. Symboliquement, c'est un mariage contracté sans tenir compte des convenances. (cf. *Le canon des odes*, chap. « Guofeng », Livre IV, Ode 7).

[30] Cf. *Jiubian* 九辯 (Neuf modifications, IV-22) de Song Yu : « *Qi bu yutao er sijun xi, jun zhi men yi jiuchong* » 豈不郁陶而思君兮，君之門以九重 (Comment ne pas penser à mon seigneur avec telle tristesse profonde, mais il y a ces neuf portes).

[31] Chapitres du *Canon des odes*. Le *Feng Ya* veut dire également : règles de conduite dans les choses ordinaires et dans les grandes choses.

6.1. Écriture mythique, lyrique, allusive

Héritier des *Odes*, le *Lisao* reprend la valeur mythique, lyrique et allusive dans la lignée des chants anciens. Précurseur au nouveau genre littéraire, il réalise une transformation des *Odes* en une écriture fantastique et subjective, et en déclenche ainsi le processus de l'évolution de l'écriture mythique à l'écriture lyrique. Parmi elles, l'une agit comme lame de fond, c'est l'écriture mythique.

L'écriture mythique

Des mythes – « histoires aberrantes et extravagantes », des légendes mystiques, le renoncement de Qu Yuan vis-à-vis de la société, marque la distance avec l'écriture canonique, en fournissant une nouveauté à l'écriture littéraire. Quatre mythes en sont représentatifs, la légende de la fille de l'empereur Fu Xi, celle de l'oiseau noir, du mythe de Kang Hui 康 回 et celle des dix soleils.

Dans le *Lisao* (56), Qu Yuan écrit :

Je priai le dieu du tonnerre de monter sur ses nuées,
Et de chercher l'endroit où résidait Fo-fey.

Fu Fei, fille de l'empereur Fu Xi, se noya dans la rivière Luo, et devint la déesse des cours d'eau Luo. L'empereur conduisit les dragons de nuage pour « aller chercher Fu Fei[32] », ou pour « mandater un serpentaire ».

---

[32] Fu Fei, fille de l'empereur Fu Xi, qui se noya dans la rivière Luo, et devint la déesse des cours d'eau Luo. Dans le *Lisao* (56), Qu Yuan écrit :

Le mythe de l'oiseau noir dont les plumes, trempées dans le vin, le transformaient en poisson. Son nom de serpentaire provient du fait qu'il s'agit d'un oiseau rapace qui se nourrit de serpents. Dans les *Mémoires historiques* de Sima Qian, Shang est le nom de la terre qui fut donnée à Xie 契 par l'empereur Shun. La fille de la maison des Song était l'épouse de second rang de l'empereur légendaire Ku 嚳. Elle s'appelait Jian Di 簡 狄. Elle alla se baigner et vit un oiseau noir qui laissa tomber un œuf. Jian Di le prit et l'avala. Elle tomba enceinte. Elle enfanta Xie, le premier ancêtre des Shang. Ainsi noté dans le *Livre des odes*, un chant de l'oiseau sombre sur l'origine de la famille impériale des Shang : « Le ciel ordonna à l'oiseau noir de descendre et de donner naissance à Shang. » (*Tian ming xuanniao jiang er Shang* 天 命 玄 鳥 降 而 商).

Le mythe de Kang Hui en est le troisième repris par Liu Xie. Kang a un autre nom : GGong 共 工 qui a été ministre de l'empereur Fuxi ou vassal de l'empereur Shennong 神 農. Il semble qu'il se soit rebellé et qu'il avait tenté d'écraser la terre sous les eaux d'un immense déluge. Ce nom a été aussi donné au ministre du Travail sous le règne de l'empereur Yao. Il fut banni par l'empereur, pour avoir « autorisé » des inondations excessives. Cette histoire fut mentionnée dans *Tianwen* 天 問 de Qu Yuan. Titre diffi-

---

« *Wu ling fenglong chengyun xi, qiu Fu Fei zhi suozai* » 吾令丰隆乘雲兮，求宓妃之所在 Je priai le dieu du tonnerre de monter sur ses nuées et de chercher l'endroit où résidait Fo-fey. (Traduction du Marquis d'Hervey de Saint-Denys, in *Le li-sao, poème du IIIe siècle avant notre ère*, Paris, Maisonneuve et Cie, 1870, p. 40.)

cile à traduire. Même Wang Yi, commentateur des *Chuci* (Éloges de Chu), qui se disait être l'ami de Qu Yuan bien que Qu Yuan existât avant lui quatre siècles auparavant, ne savait par lui-même s'il fallait comprendre *Tianwen* par questions sur le Ciel ou question au ciel. Si c'est au Ciel, disait Wang Yi, pourquoi n'avoir pas écrit *Wentian* ?

Dans le *Tianwen*, il est écrit : « Le compas de qui a-t-il mesuré les neuf régions du Ciel. Qui a fait ce travail et comment a-t-il été accompli ? Où était fixé le mât céleste ? Où les huit piliers rejoignaient-ils le Ciel et pourquoi étaient-ils trop courts au Sud-Est ? » (« *Kang Hui fengnu, di hegu yi dongnan qing* » 康 回 馮 怒 ， 地 何 故 以 東 南 傾 ？). Selon le mythe concernant le cosmos, le mât céleste était planté verticalement au milieu de la terre. Dressé il atteignait le Zénith (centre du Ciel). Le mât était entouré de huit piliers renforcés et noués par des cordes partant du haut du mât. Gong Gong brisa un pilier. Le choc provoqua la rupture des cordes et délogea le Ciel de ses huit supports. Le Ciel se pencha d'Est en Ouest. Et la terre pencha dans la direction du Sud-Est.

Dix soleils représentent le quatrième mythe, selon lequel, ils s'accrochaient sur l'arbre Fusang (mûrier) situé à l'Est du Ciel, dont neuf se tiennent sur les branches inférieures du mûrier. Le dixième, sur la branche supérieure. (cf. *Shanhaijing* 山 海 經 *Canon des Monts et des Mers*, vol. IX, *Haiwai dongjing* 海外東經). Le destin a voulu que tous les dix soleils sortent ensemble, brûlant tout sur leur passage. Yi, l'Archer dut intervenir. Il détruisit avec ses flèches neuf des dix soleils, en laissant un sur l'arbre. Le *Fusang* est l'arbre de l'Est, un lieu où se lève le soleil, et un point de départ de l'activité du Yang. Cette histoire est reprise dans *Zhaohun* 招 魂 (Sommation à comparaître de l'âme, 7) de Song Yu (宋 玉, 298-265 avant notre ère) : *Shiri daichu, liujin lishi xie* 十日代出， 流金鑠石些 (Dix soleils surgissent ensemble, liquéfiant le métal, dissolvant la pierre). L'œuvre fait partie des éloges du pays de Chu *Chuci* dont Liu Xie parle dans le présent chapitre. Par contre, pour Zhuangzi, ces dix soleils ne sont pas négatifs : « Jadis, quand dix soleils apparurent ensemble, les dix mille êtres furent illuminés. » (*Zhuangzi*, chap. 2). Quant aux neuf têtes, Liu Xie fit allusion au poème de *Zhaohun* (15) de Song Yu : « Un homme à neuf têtes déracine neuf mille arbres » (*Yifu jiushou, bamu jiuqian xie* 一夫 九 首 ， 拔 木 九 千 些). Toujours dans *Zhaohun* (18-19) :

魂兮歸來，君無下此幽都些 ！ 土伯九約，其角觺觺些。敦脄血拇，逐人駓駓些。參目虎首，其身若牛些。

Traduction :

Oh âme, reviens. Ne va pas dans la région de l'obscur où gît le Dieu de la Terre dans un enroulement de neuf anneaux, avec des cornes terrifiantes, énorme bosse sur le dos, les pouces en sang, poursuivant les hommes, au pied léger. Il a trois yeux sur sa tête de tigre, son corps est celui d'un taureau.

Quant à « conduire les dragons de nuage » et raconter des histoires aberrantes et extravagantes, « enfourcher le dieu des nuages pour aller chercher Fu Fei[33] », ou à « man-

---

[33] Fu Fei : fille de l'empereur Fu Xi, qui se noya dans la rivière Luo, et devint la déesse des cours d'eau Luo. Dans le *Lisao* (56), Qu Yuan écrit :

dater un serpentaire[34] comme entremetteur pour obtenir la main de la fille du prince de Song[35] ».

Pour Liu Xie, Qu Yuan raconta admirablement des histoires qui sont pourtant aux yeux des confucéens aberrantes et extravagantes, ses quatre mythes ne sont qu'élucubrations étranges, ce qui le sépare de la lignée des *Odes*.

L'écriture lyrique

Si les *Élégies de Chu* dénotent quelque chose des Classiques, c'est surtout son expressivité lyrique outrancière et fantastique. Les *Chuci* se sont constituées sur le modèle de la littérature des Trois Dynasties[36]. Ils ont la tournure des chants folkloriques et des chants lyriques plus qu'elles ne ressemblent à la littérature des Royaumes Combattants (IVᵉ-IIIᵉ siècle avant notre ère), ère de discours rationnels sur fond de guerres sans fin entre vassalités. La dernière est marquée par des discours d'attaques et de tirs contre

---

« *Wu ling fenglong chengyun xi, qiu Fu Fei zhi suozai* » 吾令丰隆乘雲兮，求宓妃之所在 Je priai le dieu du tonnerre de monter sur ses nuées et de chercher l'endroit où résidait Fo-fey. Traduction du Marquis d'Hervey de Saint-Denys, in *Le li-sao, poème du IIIᵉ siècle avant notre ère*, Paris, Maisonneuve et Cie, 1870, p. 40.

[34] Serpentaire : oiseau qui, quand ses plumes sont trempées dans le vin, se transforme en poisson. En français il est appelé « serpentaire », parce qu'il se nourrit de serpents.

[35] Famille Song 娀. Dans les *Mémoires historiques* de Sima Qian, Shang est le nom de la terre qui fut donnée à Xie 契 par l'empereur Shun. La fille de la maison des Song était l'épouse de second rang de l'empereur légendaire Ku 嚳. Elle s'appelait Jian Di 簡狄.

[36] Trois Dynasties (*Sansdai* 三代) : dynasties Xia, Shang et Zhou.

l'ennemi, sur les techniques militaires, adaptant ses actions politiques du moment. Les *Élégies de Chu* représentent une érudition des chants lyriques, elles brillent d'un réel éclat par les vers inégaux et les vers en récitatif, dont l'élégante beauté des *Jiuzhang* (*Neuf déclamations*) du *Lisao*[37] qui révèle une aspiration de l'âme, le lyrisme poignant des *Jiuge*[38] et des *Jiubian* (*Neuf jugements*)[39] avec l'expression émotive forte, l'expression « insolite » en finesse incisive du *Yuanyou* (*Errances lointaines*) et du *Tianwen* (*Interrogation sur le Ciel*), la beauté et la profondeur du *Zhaohun*, (*Rappels de l'*âme) et du *Dazhao* (*Grands rappels*), le degré extrême du discours de l'exil du *Buju* (*Mantique d'une situation*) et du *Yufu* (*Le Pêcheur*).

Héritée des chants folkloriques et des chants lyriques, de là, l'écriture des *Élégies de Chu* fut ainsi légitimée et justifiée. Or elle n'est pourtant pas une héritière fidèle et conservatrice. Les aspects différents des livres canoniques

---

[37] *Jiuzhang*, dont l'attribution est sujette à discussion, bien que ses auteurs s'inspirent manifestement du *Lisao*.

[38] *Jiuge* (*Neuf chants*) : ils s'adressent aux esprits cosmiques masculins et féminins, et aux esprits des combattants tués sur le champ de la bataille. Les acteurs et danseurs qui interprétaient ces chants étaient revêtus de la tenue des chamanes. L'orchestre était composé de lithophones, tambours, cloches, et instruments à cordes et à vent. Les chamanes entraient dans le monde des esprits, mais soit leurs esprits ne voulaient pas revenir, soit leur vision de cet autre monde était très brève. Le plus probable est que ces neuf chants aient été écrits par Qu Yuan lors de son exil.

[39] *Jiubian*, *Neuf jugements* de Song Yu, qui soulignent le pathétique dont résonne la nature en écho avec les sentiments de l'homme. Le début est un magnifique chant funèbre. Le terme *Bian* (jugement) qui a pu, en langue ancienne, avoir le sens de *sélection du mode musical approprié*.

représentaient un changement voire une naissance d'un modèle de genre littéraire remarquable. Contrairement à l'intellectualisme, au caractère déductif et à l'abstraction formalisante européenne, le texte de Liu Xie exprime l'idée d'une transformation progressive et continue. Aucun changement n'est en isolation, comme le paysage et la nature. La critique devient inépuisable.

Liu Xie y distingue le superficiel, l'extravagant mais aussi la simplicité, l'émotion, la logique et les figures allégoriques qui sont là à titre de démonstration. Il y a évidemment l'analyse d'un élément isolé mais toujours une relation fluctuante entre les éléments où interviennent l'esprit (*shen* 神), l'objet (*wu* 物), les oreilles et les yeux (*ermu* 耳目), la roue du potier (*taojun* 陶鈞), c'est-à-dire la création. Il lie le vent à l'os – *feng gu* 風骨. Le « vent », ce sont les émotions, les idées qui affluent, l'os, c'est l'ossature du langage, substance de l'esprit.

L'écriture allusive

L'allusion au passé constitue une continuité de l'histoire. Liu Xie évoque cette histoire passant par quatre détails écrits dans l'écrit de Qu Yuan, dont celui de Peng Xian (彭 咸) qui se suicida en se noyant, ayant perdu l'écoute du Prince, sous la dynastie des Yin, et celui de Zixu 子 胥, haut responsable des affaires militaires au Ve siècle avant notre ère, qui avait le courage de faire des remontrances au roi de Wu et se donna la mort avec l'épée offerte par le roi. Si Qu Yuan évoque dans ses poèmes ces deux suicides, c'est qu'il souhaite prendre appui sur l'exemple de Peng Xian, se

conformer au sort de Zixu, voulant s'enfermer dans le renoncement. Ces deux cas de suicide ne plaisent pas à Liu Xie
qui les juge par de « l'esprit trop étroit ». Les deux derniers
détails cités portant sur la description du « milieu lettré et
féminin ensemble, mêlé en désordre et indistinctement[40] »,
et du monde où on buvait sans frein nuit et jour, immergé,
sombré, assoiffé de débauche[41].

Pour Liu Xie, ces quatre exemples marquent l'écart
entre les *Élégies de Chu* et les textes canoniques (*jihu jin-
gdian* 異乎經典, 5.2).

Paradoxalement, cet écart sémantique ne provoque
aucune déviation de la tradition ancienne, puisque le *Chuci*
dénote l'esprit des grands classiques, bien que l'expressi-

---

[40] Il s'agit de Song Yu et du *Zhaohun* 招魂 (*Rappel de l'âme*). Le *Zhaohun*
crie sans cesse « Oh Âme revient ! » (*Hunxi guilai* 魂兮歸來) L'âme est
sommée à comparaître. Cela rappelle à *Yili* 儀禮 (*Le cérémonial*), grand
Classique qui donne des renseignements très précis sur la structure idéale
du gouvernement, les funérailles, les banquets, les mariages, la conduite
convenable dans une société confucéenne très hiérarchisée. Ce livre
semble avoir été composé à la période des Printemps et Automnes (722-
481 avant notre ère). Au chapitre XII il était écrit ainsi : « cérémonies
funèbres à la mort d'un officier ». Le mort est dans la salle principale de
ses appartements. Un homme est chargé de rappeler l'âme de l'officier
défunt. Il prend le bonnet de peau couleur de tête de moineau et les
vêtements du défunt... Il monte sur le faîte du toit par l'extrémité est du
toit. Au milieu du toit, le visage tourné vers le nord, l'officiant rappelle
l'âme du défunt en lui montrant ses vêtements et lui dit : « Je vous crie
de revenir. Il pousse ce cri trois fois. » En effet, de grands dangers venant
du monde surnaturel attendent l'âme.

[41] Le texte de Liu Xie est au mot près identique à celui de Song Yu dans
le *Zhaohun* (52, 57) : « *Shinü zazuo, luan er bufen xie* [...] *Yujiu bufei,
shenriye xie* » 士女雜坐 亂而不分些。 [...] 娛酒不廢，沈日夜些.

vité en est outrancière, fantasmagorique. Il est fait sur le modèle de la littérature des dynasties des Xia, des Shang et des Zhou. Les poèmes du *Chuci* portent des caractères du « vent » – des chants folkloriques et des chants lyriques du *Canon des odes*. Restant dans la lignée de l'esprit des odes, ils donnent source et brillance aux vers inégaux et les vers en récitatif des temps qui les suivent sur le plan du langage lyrique :

Mei Cheng et Jia Yi[42] pénétrèrent la beauté de cette écriture en suivant le style de Qu Yuan et Song Yu ; Sima Xiangru[43] et Yang Xiong atteignirent le merveilleux en leur suite. (5.4)

Ainsi l'esprit du *Chuci* rejoint la hauteur des anciens avec un langage « en éclat surprenant et en beauté hors pair » (*jincai jueyan* 驚采絕豔, 5.3). Mais la bonne mesure est réclamée par Liu Xiu :

Si l'on s'appuie sur le *Ya* et le *Song* comme on se tient à la barre d'appui du char, si l'on maîtrise les chants de Chu comme on tient les rênes du cheval, si l'on en tire et boit le merveilleux sans perdre la justesse élégante, savourant la fine fleur sans perdre la simplicité, on arrive à lancer la force du langage en un clin d'œil et à atteindre le sommet de l'écriture en une seule respiration. (5.4)

---

[42] Jia Yi 賈誼 (200-168 avant notre ère), homme talentueux, à peine entré dans ses vingt ans, il fut nommé par l'empereur « wen » des Han « lettré érudit » (*boshi* 博士) et Grand Officier de la Cour impériale.

[43] Sima Xiangru 司馬相如 (?-117 avant notre ère), homme de lettres sous les Han.

L'écriture subjective

Selon Liu Xie, c'est justement cette nouvelle écriture extravagante, fantastique et lyrique, différente de celle des livres canoniques, qui a marqué une importante évolution du genre littéraire classique, dont la subjectivité est un élément de la plus grande importance. Nous citons ici la première partie du *Jiubian* (I, 1-6) pour voir à quel point ce lyrisme s'exhale pour la désorientation de la subjectivité :

(1)
Hélas pour le souffle de l'automne !
Blême et morne, fleurs et feuilles voletant tombent en flétrissure.
Tristesse et solitude, comme en voyage loin,
Grimpant sur un mont et percevant au-dessous l'eau qui va accélérer le retour d'un ami.
(2)
Vide et immensité, les cieux sont hauts, l'air est froid,
Immobilité et profondeur, le cours d'eau a bu son plein, les eaux sont claires.
Avoir la mort dans l'âme, soupirs de douleur, car le froid s'enfile et pénètre l'homme.
(3)
Éperdu, désappointé, quittant l'ancien, tourné vers de nouveau lieux,
Affligé, le pauvre homme de bien a perdu sa fonction et son cœur se rebelle.
(4)
Désolé, le long de son voyage, il demeure sans ami,
Mélancolique, il berce sa propre peine.
(5)
L'hirondelle vole à destination de sa demeure,
La cigale désespérée ne profère aucun son ;
L'oie sauvage appelle au loin en route vers le Sud,
La perdrix jacasse avec le cri du deuil.

(6)
Seul il attend la venue de l'aurore, insomniaque,
Se lamentant avec le grillon, le voyageur de minuit.
Son temps court à grands pas, déjà la moitié est parcourue,
Immobile, il languit, rien n'est accompli.

Song Yu est considéré comme poète dans la lignée de Qu Yuan.

Il y a subjectivité au-delà de la sphère de la Cour. Il y a subjectivation dès qu'il y a clarification de la puissance de l'adversaire. Et cette puissance lui est nécessaire. Car cette puissance de Qu Yuan est d'un autre type, pas calquée sur la puissance de la Cour. Sa puissance est d'affirmer quelque chose qui soit disjoint de l'adversaire, dans la figure de la Cour princière, à savoir l'organisation de l'acceptation du Pouvoir, orienté selon les lois de la Cour. C'est un rebelle. Le rebelle est une figure d'inacceptation. Ne pas être le pouvoir, c'est ne pas être. En revendiquant le ne pas être le pouvoir, on revendique le ne pas être. On va se revendiquer d'être dans la dissolution de ce qu'il y a.

Notre attention se porte non sur la valeur morale, politique ou sociale de l'expression subjective, mais sur la posture textuelle du *je* dans l'espace poétique du *Lisao*. Il s'agit *bien* d'une mise en analyse, à partir des données statistiques tirées de l'apparition de différents pronoms à la première personne du singulier, point d'appui incontournable à la problématique de la subjectivité du *je* dans l'écriture de Qu Yuan.

Qu Yuan se rend compte de cet état de fait, déçu par la Cour princière. Le négatif est tiré vers l'apparence, l'essence c'est l'acceptation. C'est fondamentalement vrai au niveau de la plainte (*Lisao*), qui est la négation, la récrimination de ce qu'il y a. La plainte est un sentiment ambigu parce que, finalement, on ne sait pas si elle n'est pas installation dans l'acceptation. Se plaindre après avoir récriminé, c'est ce qui a l'apparence d'une négation, mais qui est en fait une acceptation. C'est comme une négation qui, tant qu'elle apparaît, est une négation de la négation. C'est une re-négation. En clair, il y a négation (sous forme de remontrances) de quelque chose qui n'a pas à être là. La négation de la négation, c'est finalement l'acceptation de ce qu'il y a. La désorientation a fait tomber Qu Yuan dans le piège de l'acceptation, laquelle est lue comme re-négation.

Dans ce contexte historique et politique se forge un *je* moderne propre à Qu Yuan, diversement figuré, dont la subjectivité donne lieu à des interprétations multiples grâce aux différents pronoms personnels du *je*, défiant les autorités les plus hautes, sans pour autant transgresser les lois communes pour devenir un héros. Le poète n'est pas un héros puissant, il est un être humain incapable d'agir, mais par l'écriture, il se place volontairement dans l'affrontement avec le destin, avec la destinée existentielle.

La « désorientation » est majeure pour la subjectivité du *je* dans le *Lisao*, en raison de sa présence omniprésente et quelque peu emphatique. C'est le premier texte poétique où le poète s'exprime directement à la première personne. En quoi consiste la désorientation en tant que subjectivité ? La subjectivité résulte de l'acceptation et de la négation. Le « ne pas être d'accord » avec le pouvoir princier est le point qui autorise ce qu'on l'accepte.

Selon Sima Qian, le *Lisao* cumule les deux qualités portées respectivement par les *Guofeng* 國風 (Chants des principautés), être « sensuels » sans être pervers, et par les *Xiaoya* 小雅 (Courtes Odes), qui expriment des « critiques » sans être rebelles.

Le *Lisao* fut écrit sous forme de *fu* 賦, rhapsodies, un genre poétique ancien de cour, dont le *ci* 辭 fait partie. Il est difficile de donner une seule définition à cette forme littéraire qui connut différentes écritures selon les époques. Si l'on emprunte la définition de Liu Xie, le *fu* désigne un discours, une déclaration et une expression poétique et lyrique. Il est moins régulier que le *Shijing* dont la norme est le vers de quatre pieds, car il utilise bien des particules de césure à valeur d'exclamation. Le style est florissant avec un riche vocabulaire, assorti d'images et de métaphores, et plaintif, imprégné de l'émotion du poète.

Beaucoup d'encre a coulé sur les procédés littéraires de cette œuvre poétique, sur l'interprétation symbolique du poème, sur l'érudition et la luxuriance des images, des plantes que les critiques mettent en rapport avec le contexte biographique. Nous avons préféré opter ici pour une lecture textuelle afin d'essayer de retracer, à travers la multiplicité identitaire, cette *Rencontre de la tristesse* du *je*. Cela suppose une attention particulière portée aux fonctions de différents *je* dans l'écriture, afin de dégager les traits essentiels de la subjectivité du poète dans le genre *fu*.

Le *Lisao* présente deux aspects traditionnels : l'un descriptif, l'autre récitatif. Les sujets de ces descriptions sont empruntés soit à la nature soit au passé.

L'aspect descriptif. Les descriptions dans le *Lisao* sont brèves, liées aux thèmes offerts par la nature : la végétation, les oiseaux, les eaux, les chevaux, le tonnerre, la neige, le vent, la pluie et les nuages. Les hommes font également partie de ses descriptions.

Les sujets empruntés à la nature n'ont pas valeur d'ornement, ils sont objets de la description pure et simple. Ils jouent, dans le poème, le rôle de comparaison (*xing* 興) et d'allégorie (*bi* 比) permettant au poète d'exprimer ses sentiments et ses idées. Mais ils ne sont pas des outils. Ils sont eux-mêmes sentiments et idées. C'est une tradition du *Livre des Odes*, tout sujet emprunté à la nature a valeur morale. La végétation, est en soi une exhortation à la pureté et à la vivacité. Les fleurs, le cheval, le dragon, l'oiseau enseignent, les saisons restent encore une trace parlante des usages rituels... Pour le poète Qu Yuan, il est moral de rejoindre la nature, de redevenir la nature même. Pour cette raison, les interprétations et commentaires sur le *Lisao* ont tendance à tirer tout vers le plan moral.

L'aspect récitatif. Contrairement aux poèmes chantés lors des cérémonies dans les temps anciens, liés à des usages saisonniers, aux fines morales, le *Lisao* n'est pas une composition poétique à l'usage cérémonial, bien qu'il ait une origine rituelle. La question est de savoir quelles sont les occurrences du *je* qui pourraient confirmer le milieu intellectuel dont est sorti le *Lisao*, de savoir également s'il ne prit pas naissance dans les chœurs de danse rituelle et s'il conserve l'art primitif de la chanson.

Rémi Mathieu a souligné dans son éminente œuvre de traduction des *Élégies de Chu* cette « place de l'ego de Qu Yuan ». « Aucun poète n'a sans doute autant mis en avant son 'moi'[44] ». Il décompte quatre-vingt-deux mentions du « moi » sous différentes formes dans le *Lisao*[45].

6.2. La subjectivité du « je » poétique de Qu Yuan

Cinq caractères sont utilisés comme pronom de la première personne du singulier : *yu* 余, *wo* 我, *wu* 吾, *zhen* 朕, *yu* 予 dans lesquels se focalise notre première attention : quelles sont les occurrences de ces cinq figures du *je* dans le *Lisao* ?

6.2.1. *Yu* 余- *je* possessif, un pronom polyvalent avec quarante-sept apparitions en quarante-deux vers

Nous avons répertorié quarante-sept apparitions du *yu* 余 (je) en quarante-deux vers, avec différentes fonctions grammaticales.

1 皇覽揆餘初度兮 (p.p.) / 肇錫餘以嘉名 (c.o.i.)

---

[44] Toute traduction des vers du *Lisao* citée dans le présent article est celle de Rémi Mathieu, voir Qu Yuan, *Élégies de Chu*, traduit du chinois, présenté et annoté par Rémi Mathieu, Paris, Gallimard, coll. Connaissance de l'Orient, 2004, p. 37.

[45] Qu Yuan, *Élégies de Chu*, traduit du chinois, présenté et annoté par Rémi Mathieu, Paris, Gallimard, coll. Connaissance de l'Orient, 2004, p. 37, note 1.

Ce père pesant mes signes natifs/(pronom possessif, fonction grammaticale dans la phrase chinoise)
M'offre sitôt noms glorieux[46]

2 名餘曰正則兮 (c.o.d.) / 字餘曰靈均 (c.o.d.)

Lors il me nomme Juste Mesure / (c.o.d.)
Puis il m'appelle Divin Accord (c.o.d.)

3 汩餘若將不及兮 (sujet) / 恐年歲之不吾與

M'élance impétueusement / (sujet)
Craignant des ans l'accablement[47]

4 豈餘身之憚殃兮 (p.p) / 恐皇輿之敗績

Or mes périls importent-ils / (p.p.)
Je crains que verse un noble char ![48]

5 荃不查餘之中情兮 (p.p.) / 反信讒而齌怒

Le lys ne sait mes sentiments / (p.p.)
Suit des flatteurs l'emportement[49]

6 餘固知謇謇之為患兮 (sujet) / 忍而不能捨也

Je peux risquer le franc-parler / (sujet)
Je ne veux point y renoncer[50]

---

[46] Qu Yuan, *Élégies de Chu*, traduit du chinois, présenté et annoté par Rémi Mathieu, Paris, Gallimard, coll. Connaissance de l'Orient, 2004, p. 44.

[47] Qu Yuan, *Élégies de Chu*, traduit du chinois, présenté et annoté par Rémi Mathieu, Paris, Gallimard, coll. Connaissance de l'Orient, 2004, p. 44. Les vers entre parenthèses [] seront cités et classés dans l'une des autres catégories du pronom personnel du *je*.

[48] Qu Yuan, *Élégies de Chu*, traduit du chinois, présenté et annoté par Rémi Mathieu, Paris, Gallimard, coll. Connaissance de l'Orient, 2004, p. 45.

[49] Qu Yuan, *Élégies de Chu*, traduit du chinois, présenté et annoté par Rémi Mathieu, Paris, Gallimard, coll. Connaissance de l'Orient, 2004, p. 46.

[50] Qu Yuan, *Élégies de Chu*, traduit du chinois, présenté et annoté par Rémi Mathieu, Paris, Gallimard, coll. Connaissance de l'Orient, 2004, p. 46.

7 豈豈餘身之殫殃兮 (p.p) / 恐皇輿之敗績

Sincère, jadis il me parla / (c.o.i.)
Mais sans grief il m'éloigna[51]

8 餘既不難夫離別兮 (sujet) / 傷靈修之數化

Ce n'est pas tant cette rupture / (sujet)
Que ses caprices que je n'endure[52]

9 餘既滋蘭之九畹兮 (sujet) / 又樹蕙之百畝

J'ai repiqué arpents d'orchis / (sujet)
De mélilots planté cent ares[53]

10 忽馳騖以追逐兮 / 非餘心之所急 (p.p.)

À ce qu'ils vont accaparer /
Mon cœur ne s'est intéressé (p.p.)[54]

11 苟余情其信姱以練要兮 (p.p.) / 長顑頷亦何傷

Ma passion est si belle, à l'essentiel unie / (p.p.)
Quel mal y a-t-il à ma face appâlie[55]

12 餘雖好修姱以鞿羈兮 (sujet) / 謇朝誶而夕替

Par mon goût du beau fus brisé / (sujet)
Raillé dès l'aube, au soir chassé[56]

13 既替餘以蕙纕兮 (c.o.d.) / 又申之以攬茝

Chassé, de mélilots me ceins / (c.o.d.)
M'adorne d'angéliques glanées[57]

---

[51] *Ibid.*
[52] *Ibid.*
[53] *Ibid.*
[54] *Ibid.*, p. 47.
[55] *Ibid.*, p. 47.
[56] *Ibid.*, p. 47.
[57] *Ibid.*, p. 48.

14 亦餘心之所善兮 (p.p.) / 雖九死其猶未悔

Ce que mon cœur tant apprécié / (p.p.)
Neuf morts ne m'en remordraient point[58]

15 衆女嫉餘之蛾眉兮 (p.p.) / 謠諑謂餘以善淫 (sujet de la subordonnée)

Ses femmes envient mes fins sourcils / (p.p.)
M'accusent de mœurs licencieuses (sujet de la subordonnée)[59]

16 忳鬱邑餘侘傺兮 (sujet) / 吾獨窮困乎此時也

Triste, affligé, si malheureux / (sujet)
En ces temps seul et miséreux...[60]

17 寧溘死以流亡兮 / 餘不忍為此態也 (sujet)

Sous l'eau je préfère m'engloutir /
Qu'à telle attitude consentir (sujet)[61]

18 步餘馬於蘭皋兮 (p.p.) / 馳椒丘且焉止息

Chevaux au pas au lac d'Orchis / (p.p.)
Galopent au tertre, souffle repris[62]

19 高餘冠之岌岌兮 (p.p.) / 長餘佩之陸離 (p.p.)

Hausse ma coiffe, qu'elle soit altière / (p.p.)
Allonge mon ceste, qu'il soit divers[63] (p.p.)

20 民生各有所樂兮/餘獨好修以為常 (sujet)

Chaque homme a ce qui le contente /
L'amour du beau est ma constante[64] (sujet)

---

[58] *Ibid.*, p. 48.
[59] *Ibid.*, p. 48.
[60] *Ibid.*, p. 48.
[61] *Ibid.*, p. 48.
[62] *Ibid.*, p 49.
[63] *Ibid.*, p. 49.
[64] *Ibid.*, p. 49.

21 雖體解吾猶未變兮／豈餘心之可懲 (p.p.)

Qu'on me dissolve, ne changerai /
Comment mon cœur réprimerait[65](p.p.)

22 衆不可戶說兮 ／ 孰雲察餘之中情 (p.p.)

Vous n'irez à chaque foyer /
Clamer : « Voyez mes sentiments »[66] (p.p.)

23 阽餘身而危死兮 (p.p.) ／ 覽餘初其猶未悔 (p.p.)

J'agis au péril de ma mort / (p.p.)
De mon passé point n'ai remords[67] (p.p.)

24 曾歔欷餘鬱邑兮 (p.p.) ／ 哀朕時之不當

Ô mon chagrin à longs sanglots... / (p.p.)
Regrets d'un siècle inadapté[68]

25 攬茹蕙以掩涕兮 ／ 沾餘襟之浪浪 (p.p.)

Séchant mes pleurs d'un mélilot /
Revers de simarre humecté[69] (p.p.)

26 駟玉虯以桀鷖兮 ／ 溘埃風餘上徵 (sujet)

Liant dragon au char-phénix /
Sur de hauts vents au loin m'élance[70] (sujet)

27 朝發軔於蒼梧兮 ／ 夕餘至乎縣圃 (sujet)

Quittant, à l'aube, Sterculiers bleus /
Le soir, aux Jardins suspendus[71] (sujet)

---

[65] *Ibid.*, p. 49.
[66] *Ibid.*, p. 50.
[67] *Ibid.*, p. 51.
[68] *Ibid.*, p. 52.
[69] *Ibid.*, p. 52.
[70] *Ibid.*, p. 52.
[71] *Ibid.*, p. 52.

28 飲餘馬於鹹池兮 / 總餘轡乎扶桑 (sujet)

Mes chevaux s'abreuvent au lac Xian /
Au Fusang j'attache leurs rênes[72] (sujet)

29 鸞皇為餘先戒兮 / 雷師告餘以未具 (c.o.i.)

Argus, phénix sont mes hérauts /
Maître Tonnerre dit n'être prêt[73] (c.o.i.)

30 覽相觀於四極兮 / 周流乎天餘乃下 (sujet)

Je cherche aux quatre coins du monde /
Parcours le ciel, puis redescends[74] (sujet)

31 雄鳩之鳴逝兮 / 餘猶惡其佻巧 (sujet)

Le chant des mâles s'évanouit /
Je hais leur inconstant babil[75] (sujet)

32 懷朕情而不發兮 / 餘焉能忍而與此終古 (sujet)

Que mes sentiments ne s'expriment /
Je ne puis plus guère endurer[76] (sujet)

33 索瓊茅以筵篿兮 / 命靈氛為餘佔之 (c.o.i)

À l'hibiscus les sorts tirés /
« Dis, chaman, l'air est-il propice ? »[77] (c.o.i)

34 世幽昧以眩曜兮 / 孰雲察餘之善惡 (p.p.)

Ô siècle aveuglé de clinquant /
A qui dire : « Vois mes qualités »[78] (p.p.)

---

[72] *Ibid.*, p. 52.
[73] *Ibid.*, p. 53.
[74] *Ibid.*, p. 54.
[75] *Ibid.*, p. 54.
[76] *Ibid.*, p. 55.
[77] *Ibid.*, p. 55.
[78] *Ibid.*, p. 56.

35 皇剡剡其揚靈兮 / 告餘以吉故 (c.o.i.)

Sa clarté m'exalte l'esprit /
Il me dit le faste des sorts[79] (c.o.i.)

36 餘以蘭為可恃兮 (sujet) / 羌無實而容長

Je vis en Orchidée l'appui / (sujet)
Mais, insincère, d'aspect trompeur[80]

37 及餘飾之方壯兮 (p.p.) / 周流觀乎上下

Ma parure brille à la ronde / (p.p.)
En bas, en haut, je cours le monde[81]

38 靈氛既告餘以吉佔兮 (c.o.i.) / 曆吉日乎吾將行

Quand le chaman faste me dit / (c.o.i.)
Je pars au jour qu'il a choisi[82]

39 為餘駕飛龍兮 (c.o.i.) / 雜瑤象以為車

J'attelle mes dragons volants / (c.o.i.)
Mêle en mon char ivoire, diamant[83]

40 朝發軔於天津兮 / 夕餘至乎西極 (sujet)

À l'aube quitte Gué céleste /
Au soir arrive à l'extrême ouest[84] (sujet)

41 屯餘車其仟乘兮 (p.p.) / 齊玉軑而並馳

Nos mille chars, je les rassemble / (p.p.)
Roue dans roue, galopant ensemble[85]

---

[79] *Ibid.*, p. 56.
[80] *Ibid.*, p. 58.
[81] *Ibid.*, p. 58.
[82] *Ibid.*, p. 59.
[83] *Ibid.*, p. 59.
[84] *Ibid.*, p. 59.
[85] *Ibid.*, p. 60.

42 仆仆夫悲餘馬懷兮 (p.p.) / 蜷局顧而不行

Aurige triste, chevaux hagards / (p.p.)
Qui piaffent et tournent leur regard[86]

Parmi ces quarante-sept occurrences, *yu* est placé dix-sept fois dans la fonction du sujet, ce qui représente 36,17 % de l'ensemble de ses apparitions. La deuxième fonction que le *yu* assume massivement est celle du pronom possessif avec vingt apparitions, soit 42,55 % de son ensemble. Comme le tableau 1 l'illustre.

Voici la distribution des fonctions du *yu* :

Tableau 1
APPARITIONS ET FONCTIONS DU *YU* DANS LE *LISAO*

Le « je » sous le caractère	Sujet	Complément d'objet direct	Complément d'objet indirect	Pronom possessif
Yu 余 (47 apparitions)	17 (36,17 %)	3	7	20 (42,55 %)

Nous pouvons constater que le *Yu* s'utilise, dans le *Lisao*, en *je* possessif et sujet. Il est assez polyvalent, assumant également les fonctions de compléments d'objet direct et indirect.

---

[86] *Ibid.*, p. 60.

6.2.2. *Wo* 我 en position passive avec deux apparitions

Par rapport au *yu*, la présence du *wo* est extrêmement faible avec seulement deux apparitions :

1 鳳皇既受詒兮 ／ 恐高辛之先我 (c.o.d.)

Phénix a reçu mon présent /
Crains que Gaoxin m'ait devancé[87] (c.o.d.)

2 國無人莫我知兮 (c.o.d.) / 又何懷乎故都

Pas un homme qui me comprenne / (c.o.d.)
Pourquoi songer à ma cité[88]

Tableau 2

APPARITIONS ET FONCTIONS DU *WO* DANS LE *LISAO*

Le « je » sous le caractère	Sujet	Complément d'objet direct	Complément d'objet indirect	Pronom possessif
Wo 我 (2)		2		

Dans le poème, le *wo* assume exclusivement la fonction de complément d'objet direct. On peut en déduire que la subjectivité du *je* sous le caractère *wo* dans le *Lisao* se trouve en position plutôt passive.

---

[87] *Ibid.*, p. 55.
[88] *Ibid.*, p. 60.

6.2.3. *Wu* 吾 en position impérative
avec vingt-six apparitions tirées des vingt-six vers

L'expression subjective du *wu* contraste avec la faible position du *wo*. Nous avons repéré vingt-six apparitions dans les vingt-six vers du *Lisao* :

1 攝提貞於孟陬兮 (sujet) / 惟庚寅吾以降
Sheti paru, au mois premier /
Au jour *gengyin* je vins au monde[89] (sujet)

2 紛吾既有此內美兮 (sujet) / 又重之以修能
Mêlant en moi ces dons innés / (sujet)
De beaux talents les ai ornés[90]

3 汨餘若將不及兮, 恐年歲之不吾與 (c.o.i.)
M'élance impétueusement /
Craignant des ans l'accablement (c.o.i.)[91]

4 乘騏驥以馳騁兮 / 來吾道夫先路 (sujet)
Attelle Qiji, pars au galop /
Viens ! Je montre une juste Voie[92] (sujet)

5 冀枝葉之峻茂兮 / 願俟時乎吾將刈 (sujet)
J'espère ramage luxuriant /
J'aspire à le cueillir à temps[93] (sujet)

6 謇吾法夫前修兮 (sujet) / 非世俗之所服

---

[89] Qu Yuan, *Élégies de Chu*, traduit du chinois, présenté et annoté par Rémi Mathieu, Paris, Gallimard, coll. Connaissance de l'Orient, 2004, p. 44.
[90] *Ibid.*
[91] *Ibid.*
[92] *Ibid.*, p. 45.
[93] *Ibid.*, p. 46.

J'apprends pour loi le sage ancien / (sujet)
Oublié d'un siècle vulgaire[94]

7 忳鬱邑餘侘傺兮 / 吾獨窮睏乎此時也 (sujet)

Triste, affligé, si malheureux /
En ces temps seul et miséreux...[95] (sujet)

8 悔相道之不察兮 / 延佇乎吾將反 (sujet)

Regret de ne trouver ma piste /
J'hésite et puis je m'en reviens[96] (sujet)

9 進不入以離尤兮 / 退將複修吾初服 (p.p.)

Je n'avance plus, crains le forfait /
Je revêts mes anciens effets (p.p.)[97]

10 不吾知其亦已兮 (c.o.d.) / 苟餘情其信芳

Que cela cesse, s'il ne comprend / (c.o.d.)
Car mes sentiments sont fragrants[98]

11 雖體解吾猶未變兮 (sujet) / 豈餘心之可懲

Qu'on me dissolve, ne changerai / (sujet)
Comment mon cœur réprimerait[99]

12 跪敷衽以陳辭兮 / 耿吾既得此中正 (sujet)

À genoux je dis ma complainte /
Car j'ai en moi juste vertu[100] (sujet)

---

[94] *Ibid.*, p. 47.
[95] *Ibid.*, p. 48.
[96] *Ibid.*, p. 48.
[97] *Ibid.*, p. 49.
[98] *Ibid.*, p. 49.
[99] *Ibid.*, p. 49.
[100] *Ibid.*, p. 52.

13 吾令羲和弭節兮 (sujet) / 望崦嵫而勿迫

J'enjoins à Xihe de trotter / (sujet)
Perçois Yanzi sans m'y porter[101]

14 路漫漫其修遠兮 / 吾將上下而求索 (sujet)

Longue la route, loin le chemin /
En haut, en bas, cherche ma voie[102] (sujet)

15 吾令鳳鳥飛騰兮 (sujet) / 繼之以日夜

Ordre aux phénix de s'élancer / (sujet)
Pour qu'ils volent nuit et journée[103]

16 吾令帝閽開關兮 (sujet) / 倚閶闔而望予

Ordre à l'hostiaire : « Ouvre ta porte » / (sujet)
Mais il me toise devant son huis[104]

17 朝吾將濟於白水兮 (sujet) / 登閬風而緤馬

À l'aube, guée la rivière Blanche / (sujet)
Monte au Vent large, lie mes cavales[105]

18 溘吾遊此春宮兮 (sujet) / 摺瓊枝以繼佩

J'erre alors au palais vernal / (sujet)
De tige en jaspe je fais pendant[106]

19 吾令豐隆乘雲兮 (sujet) / 求宓妃之所在

Ordre à Fenglong : « Monte aux nuées / (sujet)
Cherche la demeure de Fufei[107] »

101 *Ibid.*, p. 52.
102 *Ibid.*, p. 52.
103 *Ibid.*, p. 53.
104 *Ibid.*, p. 53.
105 *Ibid.*, p. 53.
106 *Ibid.*, p. 54.
107 *Ibid.*, p. 54.

20 解佩纕以結言兮 / 吾令謇修以為理 (sujet)

J'ôte un pendant, gage à serment /
Dis à Jianxiu qu'elle s'entremette[108] (sujet)

21 吾令鴆為媒兮 (sujet) / 鴆告餘以不好

Ordre aux colombes qu'elles s'entremettent/(sujet)
Mais elles me disent son désamour[109]

22 靈芬既告餘以吉佔兮 / 曆吉日乎吾將行 (sujet)

Quand le chaman faste me dit /
Je pars au jour qu'il a choisi[110] (sujet)

23 何離心之可同兮 / 吾將遠逝以自疏 (sujet)

Aux ennemis puis-je m'unir/
Je pars au loin m'en affranchir[111] (sujet)

24 遵吾道夫昆侖兮 (sujet) / 路修遠以周流

Vers les Kunlun je fais détour (sujet)
Que dans tous sens longtemps parcours[112]

25 忽吾行此流沙兮 (sujet) / 遵赤水而容與

Lors j'accède aux Sables coulants / (sujet)
À loisir l'eau Rouge suivant[113]

26 既莫足與為美政兮 / 吾將從彭鹹之所居 (sujet)

Nul avec qui la bien gérer /
Je cours au gîte de Peng Xian[114] (sujet)

---

[108] *Ibid.*, p. 54.
[109] *Ibid.*, p. 54.
[110] *Ibid.*, p. 59.
[111] *Ibid.*, p. 59.
[112] *Ibid.*, p. 59.
[113] *Ibid.*, p. 59.
[114] *Ibid.*, p. 60.

Parmi ces vingt-six apparitions, le *wu* assume vingt-trois fois la fonction de sujet, soit 88,46 % de l'ensemble de son apparition.

Tableau 3
APPARITIONS ET FONCTIONS DU *WU* DANS LE *LISAO*

Le « je » sous le caractère	Sujet	Complément d'objet direct	Complément d'objet indirect	Pronom possessif
Wu 吾 (26)	23 (88,46 %)	1	1	1

La position subjective du *je* sous le caractère *wu* est impérative, aucun autre pronom à la première personne du singulier ne peut lui être comparé. Le *wu* semble avant tout un pronom sujet dans le poème.

6.2.4. *Zhen* 朕 occupant la fonction du *je* possessif avec quatre apparitions en quatre vers

Le caractère *zhen* 朕, son inscription sur carapace de tortue, signifie étymologiquement « nous », c'est-à-dire le *moi* souverain, et sa suite. C'est un *nous* de majesté. Le même caractère peut aussi s'utiliser pour désigner le *je* individuel uniquement selon l'usage antique. C'est le cas dans le *Lisao*. À l'époque de Qu Yuan, ce caractère pouvait encore s'utiliser pour désigner un moi simple, non royal.

Il y a en tout quatre apparitions en quatre vers dans le poème :

1 帝高陽之苗裔兮 / 朕皇考曰伯庸 (p.p.)

De sire Gaoyang suis héritier /
Mon défunt père eut nom Boyant[115] (p.p.)

2 回朕車以復路兮 (p.p.) / 及行迷之未遠
Tournant mon char, changeant chemin /(p.p.)
Avant que l'erreur ne persiste[116]

3 曾歔欷余郁邑兮 / 哀朕時之不當 (p.p.)
Ô mon chagrin à longs sanglots ... /
Regrets d'un siècle inadapté[117] (p.p.)

4 懷朕情而不發兮 (p.p.) / 余焉能忍此終古
Que mes sentiments ne s'expriment /(p.p.)
Je ne puis plus guère endurer[118]

En quatre vers, le *Zheng* assure une seule fois le rôle de
pronom possessif. Regardons le tableau suivant :

Tableau 4
**APPARITIONS ET FONCTIONS
DU *ZHEN* DANS LE *LISAO***

Le « je » sous le caractère	Sujet	Complément d'objet direct	Complément d'objet indirect	Pronom possessif
Zhen 朕 (4)				4 (100 %)

Ainsi le *zheng* complète le *yu* dans la fonction du *je*
possessif, la subjectivité du sujet est pesante.

---

[115] *Ibid.*, p. 44.
[116] *Ibid.*, p. 49.
[117] *Ibid.*, p. 52.
[118] *Ibid.*, p. 55.

6.2.5. Yu 予, un *je* actant en position faible (trois apparitions en trois vers)

Le *yu* 予 apparaît trois fois dans le *Lisao*. Étymologiquement, le caractère *yu* désigne l'action de donner, et, au sens figuré, un *je* « donnant ». De ses trois figurations, sa position grammaticale en c.o.d. et c.o.i. ne confirme pourtant pas cette subjectivité active :

1 女嬃之嬋媛兮 / 申申其詈予曰 (c.o.i.)

Ma très attachante Nüxu /
Me réitère ses réprimandes[119] (c.o.i.)

2 世並舉而好朋兮 / 夫何煢獨而不予聽 (c.o.d.)

Les gens se liguent, lient amitiés /
Vous n'écoutez, seul et dolent[120] (c.o.d.)

3 吾令帝閽開關兮 / 倚閶闔而望予 (c.o.d.)

Ordre à l'hostiaire : « Ouvre ta porte » /
Mais il me toise devant son huis[121] (c.o.d.)

Tableau 5
APPARITIONS ET FONCTIONS DU *YU* 予 DANS LE *LISAO*

Le « je » sous le caractère	Sujet	Complément d'objet direct	Complément d'objet indirect	Pronom possessif
Yu 予 (3)		2	1	

Il s'utilise deux fois comme complément d'objet direct et une fois comme complément d'objet indirect. En aucun

---

[119] *Ibid.*, p. 49.
[120] *Ibid.*, p. 50.
[121] *Ibid.*, p. 53.

cas dans ces trois vers, le *yu* « donnant » n'assure l'action du sujet *je* actant.

Les statistiques tirées du *Lisao* sur le *je* désigné par cinq pronoms personnels différents (voir le tableau 6) permettent une analyse au sujet de multiples aspects du *je*, en mettant l'accent sur leurs différentes fonctions grammaticales : sujet, pronom possessif, complément d'objet direct, complément d'objet indirect.

Tableau 6
BILAN DES APPARITIONS DU *JE* DANS LE *LISAO*

Le « je » sous les différents caractères	Sujet	Complément d'objet direct	Complément d'objet indirect	Pronom possessif
Yu 余 (47)	17 (36,17 %)	3	7	20 (42,55 %)
Wo 我 (2)		2		
Wu 吾 (26)	23 (88,46 %)	1	1	1
Zhen 朕 (4)				4 (100 %)
Yu 予 (3)		2	1	
En tout : 82	40	8	9	**25**
100 %	48,78 %	9,75 %	10,98 %	30,49 %

Yu et *wu* : un *je* massivement en position de sujet et polyvalent

Les deux pronoms *yu* et *wu* assument alternativement la fonction grammaticale de sujet. Parmi les cinq pronoms personnels-figures du *je*, le *yu* 余, littéralement traduit par *je* « restant », occupe la deuxième place dans la fonction de sujet avec dix-sept occurrences, il se place juste derrière le

pronom *wu* qui s'affirme comme position subjective dominante. Dans la fonction de sujet, le *wu* occupe la première
place avec vingt-trois apparitions (57 %), l'autre *je* sous le
caractère *yu* représente 42,5 % de l'ensemble des occurrences du sujet. Mais globalement, le *yu* occupe la première
place avec quarante-sept occurrences sur quatre-vingt-deux.
Cela peut confirmer la remarque de Rémi Mathieu selon
laquelle le *yu* est la forme la plus fréquente de la première
personne du sujet de tout le *Chuci*[122].

Le *yu* 余, le moi en personne, selon *Shuowenjiezi* 說
文解字, se définit par l'acte de dire quelques mots pour
annoncer qu'on est là. Il désigne également le quatrième
mois du calendrier lunaire : *yuyue* 余月, la quatrième lune de
l'année. Le troisième sens de ce caractère est « abondant »
et « ce qui reste ». L'expression « *Yu yi ren* 余一人 »
était prononcée par l'empereur ou le souverain devant ses
ancêtres : moi seul, moi l'unique ; dire quelques mots pour
annoncer qu'on est là. C'est la subjectivité du *je* ici présent.

Le *wu* est l'une des deux figures du *je* les plus utilisées
par Qu Yuan dans le *Lisao*. Il apparaît vingt-six fois, se trouvant au deuxième rang derrière le *yu* « restant ». Mais il
est fort subjectif, présent de façon quantitative avec vingt-
trois apparitions contre dix-sept pour le *yu* « restant »
en fonction de sujet. Le *wu*, selon le *Shuowen jiezi* est la
manière dont le *je* se désigne soi-même. Le caractère se
compose du nombre cinq et de la composante bouche, mais
il ne signifie pas pour autant la réunion de cinq bouches.

---

[122] Cf. Rémi Mathieu, *op.*, p. 37.

L'idéogramme cinq comporte deux traits horizontaux qui désignent les correspondances entre le ciel et la terre, ce signe important permet la composition dans l'espace et la succession dans le temps des souffles variés qui produisent et animent les êtres vivants et régissent le fonctionnement de l'univers. Le *wu* désigne la subjectivité d'une personne importante comme celle du roi sous les Zhou antérieurs. Ce *je* est alors une densité, le moteur d'un devenir en acte particulier du moi. Plutôt subsistant, il se distancie de la pluralité, en s'imposant comme individu. Autant le *je – wo* dont la graphie comporte une double lance exprime davantage l'individu extérieur et éphémère, autant le *wu* avec la réunion du chiffre cinq et d'une bouche – signe d'une personne importante, se base sur la constance de l'humanité dans les êtres particuliers, sur la substantialisation du sujet.

À part leur rôle de sujet, *yu* et *wu* sont aussi les plus polyvalents, assumant alternativement, tous les deux, dans le poème, quatre fonctions grammaticales (sujet, c.o.d, c.o.i., p.p)

Le pronom personnel *yu* 予, un *je* actant en faible position

Ce caractère désigne, en tant que verbe, croire, penser, donner, accorder, approuver. Mais le caractère est étymologiquement le *je*, le *moi*. *Yu qu yu qiu* 予取予求 : je prends et je demande. *Yu yi ren* 予一人 était dans les temps anciens l'appellation que prononçait l'empereur pour se désigner : moi seul. Au temple des ancêtres, lors de la cérémonie rituelle, l'empereur s'adressait à ses ancêtres défunts par « *Yu xiao ren* » 予小人 (moi humble fils).

Mais sous la plume du poète, ce *je* très actif n'est utilisé que deux fois en tant que c.o.d. et qu'une seule fois en tant que c.o.i.. Une question se pose sur l'usage alternatif, dans le poème, de deux pronoms personnels, le *yu* – moi restant et le *yu* – moi donnant : le premier assumant dix fois les mêmes fonctions, pourquoi Qu Yuan introduit-il le deuxième dans les mêmes fonctions ? S'agit-il simplement d'une variation au niveau du style ? Ou entend-il nuancer la subjectivité du *je* actant ? La question reste ouverte.

Le *wo*, un *je* collectif à éloigner

Cette pluralité est marquée non par sa position comme c.o.d., mais par son sens étymologique. Le caractère se compose étymologiquement de deux lances ou d'une lance avec une main - une vieille graphie qui illustre le fait de tuer, plus précisément d'immoler une victime avec une arme. Sous les Shang, *wo* désigne un « nous », groupe de personnes conduites par le souverain au combat, à la chasse, à la cérémonie rituelle. Il suggère aussi le sens de « notre territoire » et suppose implicitement des circonstances favorables dans les combats contre les autres grâce aux faveurs accordées par les ancêtres ou les dieux protecteurs. Le contexte du poème confirme cette pluralité du *je* et soulève ainsi un problème de traduction. Dans certaines expressions, son sens pluriel est encore présent. On dit *woguo* (notre pays 我國), *wo tu* (notre territoire 我土), *wo jia* (notre temple ancestral 我家, temple des ancêtres du roi), *wo jia nei wai* (le dedans et le dehors de la maison royale 我家内外), *wo bang wo jia* (mon pays et ma maison royale 我邦我家). Le *je* à doubles lances exprime davantage l'individu possessif, extérieur et éphémère. Mais en aucun cas, le *wo* n'exprime la possession dans le *Lisao*. Il est en position de c.o.d..

Vu le sens pluriel de ce caractère, il n'est pas étonnant que le *wo* n'apparaisse que deux fois en tant que c.o.d. dans le poème dont l'écriture est dominée par la voix impérative du *je*. Le poète semble vouloir l'éloigner à tout prix.

L'usage étonnant du pronom *zhen*, un *je* possessif en pluralité ?

Les occurrences du caractère *zhen* sont faibles, n'étant mentionné que quatre fois, comme pronom possessif. Le *zhen* 朕 est une auto-appellation du *je* souverain, de l'empereur, un moi en nous (le roi et les siens). L'expression *Zhen zhi* 朕知 est significative, elle veut dire : nous (pluriel de majesté) savons ; l'expression *zheng de* 朕德 désigne « notre vertu royale ». Le caractère porte également le sens d' « apparence », de « présage ». Dans le *Lisao* de Qu Yuan, le *zheng* et le *yu* – *je* restant en deux vers de suite, constitue un *je* bicéphale :

怀朕情而不发兮 / 余焉能忍此终古

Que mes sentiments ne s'expriment /
Je ne puis plus guère endurer[123]

---

[123] Rémi Mathieu, *op.*, p. 55.

Ces deux vers contiennent chacun un *je*. Le *je* dans le premier vers est un pronom possessif : « mes sentiments » (*Zhenqing* 朕情). Pourquoi Qu Yuan n'utilise-t-il pas les trois autres caractères *yu*, *wo* et *wu* qui pourraient assumer parfaitement la même fonction grammaticale ? Qu Yuan n'est pas un souverain. Se prenait-il pour un roi face à ses sujets ? Y a-t-il alors une autre possibilité qu'aux temps très anciens, ce caractère portât le sens du *je* normal, sens que le dictionnaire *Shuowenjiezi* n'aurait pas noté ? S'agit-il d'un usage propre à son dialecte et qui est loin de l'appellation de majesté impériale ? Si la pluralité du « nous » en ce *je* est possible, il ne s'agirait plus de « <u>mes</u> sentiments », mais de « <u>nos</u> sentiments ». D'où un autre problème de traduction.

L'analyse sur les fonctions grammaticales et les fréquences des cinq pronoms personnels (*yu*, *wo*, *wu*, *zhen* et *yu*) du *Lisao*, permet d'esquisser les différents aspects de la subjectivité du *je* chez le poète Qu Yuan. Lorsque le *je* s'affirme en tant qu'individu impératif, il est transcrit par *yu* – je restant et *wu*. Ils sont les deux pronoms personnels du *je* les plus polyvalents, très présents dans d'autres fonctions grammaticales. Mais ce *je* est en même temps faible, ambigu, difficile à se définir dans son action, sous forme de pronom personnel *yu* 予, un *je* actant mais en position passive. Le *wo* semble être un *je* collectif que le poète essaie de bannir. Le *yu* se veut un *je* impérativement possessif, quant au *zheng*, il est possessif, mais son côté individuel est remplacé par la pluralité.

Le *je* qui éprouve des difficultés à se définir, à se circonscrire, crée son entité sans frontière, et la remet en question avec la confrontation de ce qui n'est pas exactement lui. Le *Lisao* met en scène poétiquement un *je* qui recèle de nombreux traits se présentant sous une identité faite de multiples premières personnes du singulier. La représentation du *je* se trouve liée étroitement aux mouvements intérieurs de la conscience qui détermine les étapes de la subjectivité. Le poème écrit à la première personne du singulier, raconte l'histoire du *je* vis-à-vis du monde extérieur, ses sentiments d'impuissance et de déception en tant qu'individu condamné à lutter contre une société corrompue.

La subjectivité du poète Qu Yuan est obscure, le signe le plus manifeste de l'impossibilité de la définition du *je*, c'est l'application des cinq pronoms utilisés dans le poème pour désigner la première personne du singulier. Une parfaite ambiguïté s'installe, elle n'agit pas en vue d'une identification mais œuvre plutôt à une déstructuration du *je* tourmenté et profondément déçu par le monde humain.

Les cinq pronoms de la première personne du singulier dans ces quatre-vingt-deux occurrences apportent chacun leur pierre à la subjectivité du *je* et en tracent les traits différents. La question de l'identité personnelle du *je* loin d'être mise en lumière, se pose plus que jamais ici en cette multiplicité de la première personne du singulier, le dédoublement du *je* y atteint son point ultime : la destruction de la subjectivité. Une littérature d'auteur, paradoxalement est née de ce brisement du *je*.

En quoi ces références pourraient pourtant être constructives pour comprendre un ailleurs éloigné aussi bien au niveau du temps (l'œuvre achevée probablement en 496-497 après notre ère) qu'au niveau géographique et culturel ? Suffit-il de se dépayser, de sortir de sa propre langue européenne pour éviter de penser les choses comme allant de soi ?

Si un critique littéraire d'aujourd'hui a l'œil fixé sur le terme et le but – analyse et synthèse –, Liu Xie considère cela comme un montage, une machinerie, une pression sur le texte. Pour lui, le système causal est ouvert à tous les vents – *feng* –, avec des combinaisons infinies. Il essaie de percevoir le champ des forces en présence. C'est de leur transformation qu'advient l'effet qui s'impose. Et cet effet s'impose de lui-même. Loin du désir de rechercher une vérité, Liu Xie cherche à détecter le cours ininterrompu des choses, l'évolution du caché au manifeste. Il est intéressant de déceler une présence non encore advenue, c'est toujours le mouvement, le mouvement même.

En chinois, le verbe est à l'infinitif plus que le passé moins que le futur. Décomposition infinie du présent qui ne cesse de se diviser à la fois en passé et en futur. Pour devenir événement pur. Un verbe que l'on ne peut fixer, ni par le temps, ni l'espace. Un événement, c'est aussi ce qui advient. Composition : un instant. Le titre risque d'être plat si l'on comprend par « Et ».

Le présent est une continuelle transition. Regardez donc le dragon perché sur le toit de l'ouvrage. On sait que le dragon n'a pas de forme fixe. Il ondoie en tous sens, se contracte pour se déployer. Il se replie pour progresser, épousant le cours du monde. Porté par les nuages, il avance sans se dépenser. En Orient, là où le soleil se lève, dans la

Chine de Liu Xie par exemple, on peut faire intervenir l'image de l'eau, fluide, jamais immobile. La force n'est pas raide. L'eau peut devenir violente, mais elle s'adapte et progresse en fonction du terrain. Liu Xie assimile l'origine de la littérature aux processus de la nature, prise en mains sur le Sage. La littérature devient ainsi fonction politique et morale.

Il faut que le présent soit aussi le passé, là se situe l'idée de la transmission de la pensée, d'une transformation progressive et continue. Liu Xie cite abondamment les Classiques qui ont influencé les écrits de Qu Yuan, pour montrer qu'il s'agit là d'un problème philosophique qui remonte à la nuit des temps. Interviennent les empereurs mythiques et la suite. D'où l'importance de l'ordre voulu par Liu Xie, des trois premiers chapitres du *Wenxin diaolong* : *Yuandao* 原道 (Remonter à la source du *Dao*), *Zhengsheng* 徵聖 (Appeler les sages) et *Zongjing* 宗經 (Vénérer les *Jing*, écrits canoniques).

Cette idée pour la transmission de la pensée du passé au présent, du passé canonique au présent légitimé, Liu Xie l'exprime par une écriture évocatrice excellente. Il met l'accent sur l'art de « graver » le style, ciselure ornementale du style. Cette suite de références livresques qui semble désordonnée montre la flexibilité aux changements de l'histoire, aux événements de l'histoire. L'histoire n'est pas immobile.

Liu Xie est nourri de la tradition confucéenne, bien qu'il y ait chez lui un apport bouddhiste. Car il a été moine, pendant un certain temps. Il manifeste le flux de connaissances. Il y a le multiple en lui sous forme de traces marquant des puissances productives, des valeurs idéales. Dans tous ces sens, Liu Xie comprend Qu Yuan et le met sur la place des écrivains canoniques. Il ancre le poème de Qu Yun dans une tradition des odes dont il hérite et qu'il poursuit.

Il se peut qu'à cause de cette préférence particulière pour Qu Yuan et de cette tendance demi-confucéenne, demi-bouddhiste que son œuvre est mise de côté jusqu'au XVIᵉ siècle. Elle fut reconnue grâce à la critique du lettré Yang Shen 楊慎 (1488-1559). Mille ans de silence.

VII
FONCTION, SOURCE
ET FORME DE LA POÉSIE :
QUADRISYLLABE
OU PENTASYLLABE

───────

Pour son art de poétisation du « wen » à travers la figure du « dragon ciselé », Liu Xie déploie dans le chapitre « *Canons des odes* en lumière » (*Mingshi* 明詩), une mise en forme fine de sa pensée sur la poésie ancienne.

Nous allons tenter de saisir la logique de Liu Xie sur l'histoire de l'évolution du genre poétique, à travers l'analyse de quelques éléments majeurs de la signification (fonction et forme) dans le chapitre portant justement sur la poésie.

Il importe de respecter le sens pur (par rapport aux temps modernes) du caractère chinois pour ne pas trop s'éloigner de sa pensée ni de son écriture.

La méthode que Liu Xie applique comme base rhétorique et poétique rejoint la tradition philologique du « wenyan » (*xun* 訓). Le cas de « shi » 詩 (poésie), associé à « shi » 時 (saison), en est un bon exemple. Les deux caractères relèvent à l'origine de la même graphie *si* 寺, étymologiquement un syllogigramme composé du pictogramme du soleil et de celui du pied en marche (transformé en 時 et prononcé *si*), pour signifier « la marche du soleil ». Ensuite, l'idée que la poésie a induit l'emploi de la même graphie moyennant la substitution du radical de la parole avec celui du soleil comme signifiant. On voit par-là que dans la culture européenne, la poésie est ressentie comme cosmique, alors que dans la culture européenne, elle est ressentie comme une source d'inspiration surnaturelle (soufflée par les muses). Cette liaison entre les saisons et la poésie est attestée par l'importance canonique de la première forme de poésie en Chine, celle des « feng » (chants populaires), c'est-à-dire des sortes d' « airs » folkloriques, recueillis dans le *Canon des odes*.

L'auteur du *Wenxin diaolong* propose les anciens poèmes, remontant plus loin, jusqu'à l'origine située aux temps mythiques. La sienne est une quête des temps lointains et de l'art des Anciens qui inspire les œuvres poétiques des siècles suivants, même si ces derniers sont plus inventifs.

Le *Canon des odes*, avec ses trois cent huit poèmes, est à l'origine de la poésie dont la majorité absolue des écrits est en quadrisyllabes. Ce sont des chants populaires liés aux temps saisonniers, et des prières, propres aux pièces les plus anciennes composées pour les cérémonies rituelles, d'où la thèse sur une relation entre la danse et la poésie chantée que nous avons élaborée ailleurs.

7.1. Fonction et source

La poésie chinoise dialogue avec le cosmos avant tout par le biais des inscriptions divinatoires sur les carapaces de tortue. Au départ, le poète reste anonyme. Qu Yuan est le premier à signer de son nom ses compositions poétiques. La poésie chinoise ancienne révèle justement cette corrélation entre l'homme et l'univers. Fusionnant avec la nature, le poète chinois vibre avec les Dix mille choses. De part et d'autre, les mouvements du cœur et les mouvements de la nature sont réciproques et se nourrissent l'un l'autre. Cette relation réciproque s'oppose à la séparation de la conscience du poète du monde de l'expérience. Cette séparation fait que le poète occidental imite seulement la nature avec laquelle il n'a pas de ce fait une relation fusionnelle. Par son union avec la nature (dialogue méta-cosmique), le poète chinois, en revanche, transcende son être et sa personnalité aidé par le sentiment de la dimension cosmique de sa sensibilité.

Dans la poésie chinoise, et particulièrement dans ces prières sous forme d'ode ou quadrisyllabique, on entend non pas le contexte quotidien mais seulement l'émotion qu'inspire le ciel. C'est donc le ciel à la base de l'inspiration, cette poésie n'exprime pas le soi sentimental, et ce n'est pas non plus une narration. Elle a la mission de transformer la mentalité de l'homme, c'est ce que Liu Xie indique dans ce chapitre portant sur la poésie, avant même d'en aborder la forme et son évolution.

La fusion entre le ciel et la nature ne correspond pas à l'imitation de la nature : la nature étant créatrice, elle peut très bien représenter en même temps l'inspiration du ciel et sa fusion avec la nature. Les vers en quadrisyllabes expriment cette caractéristique de la poésie chinoise, dont l'inspiration ne vient pas seulement des réactions personnelles de l'auteur vis-à-vis de l'ensemble du monde qui l'entoure, mais également et directement du ciel, à savoir de son émotion fusionnelle avec la nature. C'est ce besoin d'éclairer cette fonction morale du genre poétique qui a fait se tourner Liu Xie vers les époques anciennes afin d'aborder la poésie par le bon rivage, en retrouvant dans ces époques précédentes des écrits exemplaires, tels les paroles du chant *Xuanniao* (玄鳥, *L'oiseau noir*[1]) de Ge Tianshi[2], une vraie composition musicale, le *Yunmen* (雲門, *La porte des nuages*[3]) de Huangdi, le *Datang*

---

[1] Il est rapporté dans le *Lüshi chunqiu* 呂氏春秋 (*Printemps et Automnes du sieur Lü*, ou *Annales du Sieur Lü*), ouvrage encyclopédique composé par des lettrés de l'entourage de Lü Buwei 呂不韋 (?-235 avant notre ère) que la musique du *Getianshi* était constituée de huit chants interprétés par trois personnes dansant en tenant dans la main une queue de bœuf (*Lüshi chunqiu*, chap. *Zhongxiaji/Guyue* 仲夏紀·古樂). Ces huit chants sont : *Zaimi* 載民 (*Représenter le peuple*), *Xuanniao* 玄鳥 (*L'oiseau noir*), *Suicaomu* 遂草木 (*Aller vers les herbes et les bois*), *Fenwugu* 奮五穀 (*Faire multiplier les cinq céréales*), *Jingtianchang* 敬天常 (*Révérer le ciel éternel*), *Dadigong* 達帝功 (*Étendre les exploits des empereurs*), *Yidide* 依地德 (*S'appuyer sur la vertu de la terre*) et *Zong qinshou zhiji* 總禽獸之極 (*Le sommet de l'animalité*).
[2] Getianshi 葛天氏, souverain mythique de l'époque légendaire des Trois empereurs (*Sanhuang* 三皇).
[3] *Yunmen*, musique dansante qui fut enseignée aux jeunes descendants des ministres à l'époque des Zhou (cf. *Zhouli* 周禮, *Rites des Zhou* ;

zhige (大唐之歌, *Le chant de Tang le Grand*[4]) de l'empereur Yao, le poème *Nanfeng* (南風, *Vent du sud*) de l'empereur légendaire de Shun, les neuf expositions[5] chantées sur les exploits de Yu le Grand, le *Wuzi zhige* (五子之歌, *Chants des cinq hommes*) écrits par les frères de Taikang[6]. Pour Liu Xie, « l'homme est enclin à sept genres d'émotion[7], qu'il éprouve à chaque fois qu'il rentre en relation avec l'objet contacté, qui l'induit à chanter de façon parfaitement spontanée » (6.2) ; par conséquent, ces vers musicaux poétiques anciens sont exemplaires pour chanter le beau de la vertu ou blâmer le mal.

La fonction primordiale de la poésie sur l'esprit de l'homme une fois ressaisie, Liu Xie déploie son analyse sur le genre poétique de son origine jusqu'à son évolution.

Si on prend le *Canon des odes* comme une source de la poésie, cette inspiration particulière fusionnelle avec la nature se traduirait plutôt par des quadrisyllabes que par des pentasyllabes ou par des hexasyllabes. Cela reste simplement un constat. Y aurait-il une coïncidence avec le fait que ce n'est que dans les prières qu'on utilise des quadrisyllabes ?

---

chap. « Chunguan/Dasiyue » 春官/大司樂, Ministère du Printemps/ Grand ministre chargé de mission de la musique).

[4] Musique qui chante la grande vertu du Yao.

[5] Les neuf expositions sont les neuf développements des règles de la bonne gouvernance recueillies dans le *Shangshu*.

[6] Taikang, le souverain des Xia (XXIIᵉ siècle-XVIIᵉ siècle avant notre ère), connu pour ses conduites immorales.

[7] Selon *Liji Lijing* 禮記 (*Mémoire sur mes rites*, chap. VII, *Liyun* 禮運 Évolution des rites, les sept émotions sont : *xi nu ai ju ai wu yu* 喜怒哀 懼愛惡欲 (*allégresse, colère, affliction, crainte, amour, haine, désir*).

En serait-ce une causalité pour cette inspiration cosmique ?
Ou cela tiendrait à la nature de la langue parlée de la haute
antiquité de Chine ? Une question à approfondir. Ou
serait-ce une question de rythme en quatre syllabes, profondément naturel pour une langue qui est une langue monosyllabique ? Notons qu'il y a un lien avec l'idée de prière
uniquement quand il est question de s'adresser au Ciel : là il
y a forcément une recherche plus systématique d'une forme
plus respectueuse. Il y a une recherche de solennité.

Selon Léon Vandermeersch, au départ, les chansons
des paysans ont un rapport avec le temps qui fait que les
inventeurs du « wenyan » s'intéressent au temps qu'il va
faire. Ils ont trouvé que dans les chansons paysannes, il y
avait beaucoup d'airs, parce que les paysans vivent avec
le temps, ils sont capables dans leurs chansons de prévoir
l'arrivée de la saison. Les devins en ont besoin pour leur
divination. Ils ont voulu noter cela comme une garantie
de leur propre divination qui s'exprime dans une langue
savante. Mais dans cette langue, on a gardé ce qui est considéré être comme une sorte de science infuse des paysans
qui chantent ; puis petit à petit on en est sorti et au lieu de
regarder dans les chansons le temps qui va faire, on a utilisé
les chansons pour raconter la politique suivie, le contente-
ment, la satisfaction ou non pour la bonne gouvernance[8].

Pour revivre la situation de ces époques anciennes, Liu
Xie appelle les œuvres qui constituent un champ littéraire

---

[8] Cf. Léon Vandermeersch, *La littérature chinoise, une littérature chinoise
hors norme*, Paris, Gallimard, 2022.

précieux, et dont les auteurs étaient remarquables dans différentes époques sous différents aspects.

Les premières œuvres mentionnées sont la poésie de cour et la poésie liturgique avec leur perfection formelle dont les quatre premiers chapitres constituent les six genres littéraires fondamentaux (*Liuyi* 六義) *feng ya song fu bi xing* 風頌賦比興 (chant folklorique, chant de cour, chant liturgique, prose rimée, allusion, comparaison). Confucius s'inspire des odes du temps des Shang et de l'époque des Zhou pour s'entretenir sur le rite avec ses deux disciples Zixia et Zigong.

À l'époque des Printemps et Automnes, la poésie devint un langage lyrique et diplomatique. Les poètes chantaient en termes d'anciens poèmes, en propos de banquets honorifiques. À travers les poèmes anciens cités, il suffisait d'un vers cité pour que le diplomate du pays voisin entende le message sans besoin d'explication. Au pays de Chu, on exprimait ses plaintes par allégorie à travers les *Chuci*. À l'époque de l'empereur Qinshihuang, bien qu'il fît détruire les recueils canoniques, il fit quand même composer des poèmes dédiés aux immortels.

Des temps anciens jusqu'à la dynastie des Han de l'Ouest (XXIIᵉ siècle avant notre ère-202 avant notre ère), onze noms ont été rappelés par Liu Xie comme références pour la poésie :

Getianshi 葛天氏	XXVIIIᵉ siècle avant notre ère ?
Huangdi 黃帝	XXVIᵉ siècle avant notre ère ?
Tang Yao 唐堯	XXIIIᵉ siècle avant notre ère ?
Yu Shun 虞舜	XXIIᵉ siècle avant notre ère ?

Da Yu 大禹	XXIe siècle avant notre ère ?
Tai Kang 太康	XXe siècle avant notre ère ?
Laozi 老子	571 ?- 471 ? avant notre ère
Zi Gong 子貢	520-456 avant notre ère
Zi Xia 子夏	507-400 avant notre ère
Zhuangzi 莊子	369 ?-286 ? avant notre ère
Qing Shihuang Ying Zheng 秦始皇嬴政	259-210 avant notre ère

À l'arrivée des Han, les poètes s'inspirent des vers anciens en quadrisyllabes pour leurs écrits, dont le premier appelé par Liu Xie, Wei Meng 韋孟 (?- ?) ; ce fut un poète des Han occidentaux (202 avant notre ère-8 après notre ère), précepteur du Roi Yuan de Chu (l'un des fiefs des Han). Il composa ses écrits de remontrance sous forme de quatrains, ce qui rejoint la lignée des Zhou. Lui succède l'empereur Wu (qui régna de 140 à 87 avant notre ère), passionné de littérature, et qui composa des strophes rimées sur l'Esplanade de Boliang. En effet, à l'Ère de Yuanfeng (108 avant notre ère), l'empereur Wu rassembla sur l'Esplanade de Boliang ses ministres, dont les plus doués, pour composer des vers heptasyllabiques qui obtinrent des places d'honneur. Ils composèrent des pièces rimées à partir d'un premier vers dicté par l'empereur.

Ces pièces sont donc à l'origine de l'heptasyllabe, appelé depuis « boliang ». Elles ont été conservées dans le *Guwenyuan* 古文苑 (Le jardin des écrits anciens) (volume VIII). Mais selon Gu Yanwu 顧炎武, un célèbre lettré de l'époque Qing, ces poèmes auraient été composés postérieurement. (Voir *Rizhilu* 日知錄, volume XXI).

En tout, quinze noms ont répondu à l'appel de Liu Xie pour représenter l'époque des Han :

Wei Meng 韋孟	228-156 avant notre ère
Mei Cheng 枚乘	210 ?-138 ? avant notre ère
Yan Ji 嚴忌	188-105 avant notre ère
Yan Zhu 嚴助	?-122 avant notre ère
Sima Xiangru 司馬相如	179-118 avant notre ère
Han Wudi Liu Che 漢武帝劉徹	156-87 avant notre ère
Li Ling 李陵	134-74 avant notre ère
Han Chengdi Liu Ao 漢成帝劉驁	51-7 avant notre ère
Ban Jieyu 班婕妤	48 avant notre ère-2
Fu Yi 傅毅	?-90
Zhang Heng 張衡	78-139
Xu Gan 徐幹	170-217
Wang Can 王粲	177-217
Ying Yang 應瑒	?-217
Liu Zhen 劉楨	179-217

En écrivant des compositions libres de règles, Yan Ji[9] et Sima Xiangru sont les plus audacieux dans la transgression de la forme quadrisyllabique. Suivant ce nouveau mode encouragé par l'empereur Cheng (qui régna de 32 à 7 avant notre ère), plus de trois cents proses et chants furent classifiés et registrés, ce qui couvrit quasiment la totalité des écrits du genre « ya » (de cour) et des écrits du genre « ge » (chants populaires). C'est la raison pour laquelle Liu Xie reprit le doute des historiens chinois de son époque à l'égard de

---

[9] Yan Ji 嚴忌, lettré des Han Antérieurs.

l'authenticité des écrits de Li Ling[10] et de Ban Jieyu[11]. Mais Liu Xie démontre que ce genre pentasyllabique date des temps anciens. Le chant du même genre que les poèmes pentasyllabiques *Canglang* était répandu déjà à l'époque de Confucius, ainsi que Le *Xiayu*[12] de Shi. Les poèmes nouveaux à l'époque des Han tels les *Anciens poèmes*[13] attribués à Mei Cheng[14], les *Bambous solitaires* de Fu Yi[15], l'*Ode des plaintes* de Zhang Heng[16] représentent authentiquement les créations du premier ordre de la poésie pentasyllabique.

7.2. Le retour du genre pentasyllabe et sa nouvelle forme

Vers le IIe siècle, la poésie chinoise se trouve dans une période de transition. D'une part, l'influence du *Canon des*

---

[10] Li Ling 李陵, général des Han Antérieurs ; ses poèmes pentasyllabiques notés dans le *Wenxuan* 文選 (Anthologie littéraire), semblent trop fleurissants par rapport à l'écriture de l'époque.

[11] Ban Jieshu 班婕妤, la concubine Ban de l'empereur de Chengdi des Han Antérieurs. Le poème pentasyllabique « Yuangexing » 怨歌行 (Chanson de plainte) lui fut attribuée.

[12] *Xiayu* 暇豫, un air chanté composé par Shi par lequel celui-ci essaya de persuader le ministre d'apporter un soutien à la concubine Liji 驪姬, favorite du duc Xian du Jin 晉獻公. Ce chant est composé de quatre vers dont trois pentasyllabiques (voir *Guoyu* 國語, chap. Jinyu 晉語).

[13] *Anciens poèmes* (*Gushi* 古詩), vers pentasyllabiques anonymes des Han.

[14] Mei Cheng 枚 乘, lettré des Han de l'Ouest.

[15] Fu Yi 傅毅, lettré des Han Orientaux (des Han de l'Est) auquel on attribua le poème *Bambous solitaires* (*Ranran gushengzhu* 冉冉孤生竹).

[16] Zhang Heng 張衡, lettré des Han. L'*Ode des plaintes* (*Yuanshi* 怨詩) est quadrisyllabique.

odes qui visait à assurer les cultes rituels, la transformation des mœurs et le dialogue avec le cosmos garde encore sa place dans l'écriture administrative et rituelle, d'autre part, un quasi abandon de la forme quadrisyllabique dans la poésie de la dynastie des Han opère avec le genre quadrisyllabique qui devient le rythme dominant dans la poésie classique.

Trois siècles plus tard, avec un regard rétrospectif, Liu Xie retrace l'évolution de cette nouvelle forme. Les premiers poètes de ce nouveau genre appelés dans sa critique, sont Yan Ji[17] et Sima Xiangru. Selon lui, ces deux lettrés sont les plus audacieux dans la transgression de la forme quadrisyllabique, en écrivant des compositions libres de règles. Suivant ce nouveau mode encouragé par l'empereur Cheng (qui régna de 32 à 7 avant notre ère), plus de trois cents proses et chants furent classifiés et registrés, ce qui couvrit quasiment la totalité des écrits du genre « ya » (de cour) et des écrits du genre « ge » (chants populaires). Liu Xie démontre que ce genre pentasyllabique date des temps anciens.

Cette tendance pentasyllabique est renforcée par les lettrés de l'époque suivante dont six ont été définis par Liu Xie comme poètes exemplaires dans l'évolution de la poésie à l'époque des Wei (220-265) :

Wei Wendi Cao Pi 魏文帝曹丕	187-226
Ying Qu 應璩	190-252
Cao Zhi 曹植	192-232
He Yan 何晏	?-249
Ruan Ji 阮籍	210-263
Ji Kang 稽康	224 ? – 263

---

[17] Yan Ji 嚴忌, lettré des Han Antérieurs.

Les lettrés de l'ère Jian'an (196-219) donnèrent à la poésie pentasyllabique un grand essor, notamment avec les écrits de l'empereur Wen et de son frère Si, prince de Chen ; la vision profonde et lointaine de Ji Kang[18] et Ruan Ji[19], les compositions de Wang Can, Xu Gan, Ying Yang et Liu Zhen[20] sur les paysages au clair de lune[21], étangs et jardins, récits de copieux banquets, soupirs d'émotions exaltantes, tout entra comme sujet dans cette forme nouvellement à la mode. Dans leur écriture descriptive, qui a fait suite à l'ère de Zhengshi[22], ils ne cherchaient pas à tout prix l'expression ou la narration trop raffinées, mais la clarté et la concision de l'esprit taoïste du poète He Yan[23] et ses disciples, ainsi que la souplesse du langage et les idées justes de Ying Qu[24].

---

[18] Ji Kang 嵇康 (223-262), poète taoïste, l'un des « sept sages de la Forêt de bambous », philosophe de l'École des mystères (*Xuanxue* 玄學).

[19] Ruan Ji 阮籍 (210-263), penseur et poète taoïste, l'un des « sept sages de la Forêt de bambous ».

[20] Wang Can 王粲 (177-217), Xu Gan 徐幹 (170-217), Ying Yang 應瑒 (?-217) et Liu Zhen 劉楨 (?-217), forment le fameux cercle de « Sept lettrés de l'ère Jian'an » (196-220) avec trois autres poètes Kong Rong 孔融 (153-208), Chen Lin 陳琳 (?-217), Ruan Yu 阮瑀 (165-212). Ils étaient tous très militants pour les vers pentasyllabiques.

[21] L'expression « vent et lune » (*Fengyue* 風月, *paysage de clair de lune*) est un mot porteur d'allusion à des histoires d'amour.

[22] Zhengshi 正始 (240-249), l'ère du règne de Qiwang 齊王 (Roi Qi) des Wei (220-265).

[23] He Yan 何晏 (?-249), lettré représentant le monde taoïste à l'ère de Zhengshi.

[24] Ying Qu 應璩 (190-252).

Mais Liu Xie manifeste son attitude critique à l'égard des écrivains de la dynastie des Jin (266-420), dont douze ont été mentionnés :

Zhang Hua 張華	232-300
Zhang Kang 張亢	IIIᵉ siècle
Zhang Xie 張協	IIIᵉ siècle
Zhang Zai 張載	IIIᵉ siècle
Pan Yue 潘岳	247-300
Zuo Si 左思	250-305
Pan Ni 潘尼	250 ?-311 ?
Lu Ji 陸機	261-303
Lu Yun 陸雲	262-303
Guo Pu 郭璞	276-324
Sun Chuo 孫綽	314-371
Yuan Hong 袁宏	328-376

Pour Liu Xie, ces écrivains, Zhang[25], Pan[26], Zuo[27] et Lu[28] pratiquaient une écriture légère et fleurie, moyennant

---

[25] Il s'agit de Zhang Zai 張載, Zhang Xie 張協, Zhang Kang 張亢, trois frères lettrés talentueux des Jin, parmi eux, Zhang Zai fut connu par son langage poétique très chargé et Zhang Xie par ses poèmes de paysage et lyriques.

[26] Pan Yue 潘岳 (247-300), lettré-fonctionnaire des Jin occidentaux, connu par son écriture fleurissante. Pan Ni 潘尼 (vers 250-vers 311), poète des Jin occidentaux, connu par son langage poétique très chargé.

[27] Lu Ji 陸機 (261-303), lettré des Jin occidentaux, auteur du *Wenfu* 文賦, un ouvrage important de la critique littéraire chinoise ; son écriture poétique est fine, profonde et fleurissante. Lu Yun 陸雲, jeune frère talentueux de Lu Ji, lettré.

[28] Zuo Si, lettré des Jin occidentaux, aimait la vie solitaire. Il a mis dix ans pour écrire *Sandoufu* 三都賦 (Poèmes sur trois capitales). L'ouvrage

spécifiquement les contrepoints sémantiques, avec des embellissements de la mélodie. Parmi eux, Guo Pu 郭璞 (276-324) est le seul poète admiré par Liu Xie pour ses poèmes sur l'immortalité.

Cet esprit poétique de l'immortalité devint une tendance dominante dans l'époque qui suivit. À partir du début des Song (des dynasties du Sud, 420-479), Zhuangzi et Laozi se retirèrent du devant de la scène, tandis que *montagnes* et *eaux* dominaient l'écriture poétique. Les poètes se lancèrent à la recherche de la beauté de contrepoints sémantiques, de l'étrangeté phrastique, de l'extrême expression de leurs sentiments dans la description des choses.

Ainsi, face aux cinq périodes de l'histoire littéraire, Liu Xie prête une grande attention à l'époque des Han. L'absence de l'époque où vit Liu Xie est significative, aucun lettré contemporain n'est mentionné dans sa critique. Cette tendance de placer les temps anciens en premier lieu tout en négligeant les temps contemporains domine sa critique littéraire.

7.3. Forme pentasyllabique et traduction hypertextuelle poétisée du texte sacré

La poésie chinoise de langue « wenyan » a toujours privilégié le quadrisyllabe, jusqu'au début des Han du Ier siècle. Le *Canon des odes* en est source, était pris comme modèle unique dans une langue monosyllabique, le mètre

─────────────────────

fut si apprécié et lu par les lecteurs que le prix du papier flamba dans la capitale Luoyang.

2–2 court dans le milieu littéraire. Mais ce n'est pas pour autant que les vers en pentasyllabique y étaient absents. Liu Xie démontre que le genre pentasyllabique date des temps anciens, citant les poèmes anciens déjà répandus à l'époque de Confucius et devenus à la mode à l'époque des Han avec les *Anciens poèmes*[29] attribués à Mei Cheng 枚 乘 (210 ?-138 ? avant notre ère). Il s'agit des *Inspiration septuple*, des *Bambous solitaires* de Fu Yi, et de l'*Ode des plaintes* de Zhang Heng.

À l'époque des Han, certains poètes soucieux de créer à leurs écrits une expression plus vivante et un effet asymétrique ont remis au goût du jour le pentasyllabique, dont le mètre est 2-3, ou 3-2. Cette tendance nouvelle vers le mètre pentasyllabique opère avec la traduction d'un genre poétique « *gāthā* » du texte sacré bouddhiste en Chine du Ier au Ve siècle, d'où la naissance d'une nouvelle forme de la poésie classique chinoise : vers réguliers pentasyllabiques en un ou deux quatrains.

Notons comme exemple le cas des *gāthās* traduits de l'*Aggaññasutta* en version chinoise. Le soutra fut traduit en 413 par le moine indien Buddhayaśas (Fotuoyeshe 佛陀耶 舍) et le moine chinois Zhu Fonian 竺佛念. La *gāthā* est un genre de poésie dans le texte sacré bouddhiste. Elle est représentée par des poèmes courts, souvent sous la forme de quatrain de huit syllabes. Ce genre pali de quatrain de huit syllabes est modulé systématiquement dans la langue d'arrivée en un quatrain du pentasyllabe. Cette forme de

---

[29] *Anciens poèmes* (*Gushi* 古詩), vers pentasyllabiques anonymes des Han.

quatrain au mètre de 2-3 est apparue tout d'abord dans la traduction en chinois des « *gāthās* » des soutras longs bouddhistes achevée en 413, comme par exemple dans cet extrait de l'*Aggaññasutta* :

24.『生中剎利勝，	2-3
能捨種姓去 ；	2-3
明行成就者，	2-3
世間最第一。』	2-3

Traduction en français :

24. « Parmi les êtres, sont les meilleurs les Khattiyas
Qui, renonçant, ont pu quitter leur lignée ;
Ceux qui réussissent le Savoir et la Conduite,
Sont les meilleurs du monde. »

Examinons maintenant le même passage du texte de départ :

32. *'Khattiyo seṭṭho janetasmiṃ,*
ye gottapaṭisārino ;
Vijjācaraṇasampanno,
so seṭṭho devamānuse.[30]

Traduction en français :

32. Le Khattiya est supérieur
Parmi les gens qui se remémorent leur lignage du passé
Mais celui qui possède le Savoir et la Conduite

---

[30] *Dīghanikāya*, Edited by T.W. Rhys Davids and J. Estlin Carpenter, III, London, Pali Text Society, 1982, p. 97.

Est le meilleur parmi tous les dieux et les humains[31].

Remarquons que la traduction du quatrain à huit syllabes avec trente-deux mots ci-dessus donne dans un texte d'arrivée un quatrain à pentasyllabes avec vingt caractères. La modulation a fait changer le rythme du vers de départ de l'octosyllabe vers le pentasyllabe classique dans la langue cible tout en gardant la forme du quatrain originel. Par-là est né un nouveau genre poétique nommé « wujue » 五絕 (quatrain pentasyllabique).

Il nous reste à examiner la mise en place du vers pentasyllabe dans la traduction du texte sacré sur le plan du récit, une modulation particulière hypertextuellement poétisée, une dimension essentielle de la littérature. Notons comme par exemple 2 dans le cas des *gāthās* du *Mahāpadāna-Sutta* en version chinoise. Le soutra fut traduit en 413 par le moine indien Buddhayaśas (Fotuoyeshe 佛陀耶舍) et le moine chinois Zhu Fonian 竺佛念.

La version chinoise du *Mahāpadāna-Sutta* contient cent six passages, dont cinquante-deux sont en poème-*gāthā*, tandis que le texte de départ est un récit en forme narrative avec seulement cinq poèmes en *gāthā*. Ces cinquante-deux poèmes sont pour la plupart non rimés (sauf neuf dont 15e, 29e, 35e, 37e, 43e, 49e, 51e, 89e, 95e *gāthās*) et attribués de façon alternative par numéros impairs. Ces vers en *gāthā* se caractérisent par un lien d'engendrement

---

[31] *Dīgha-nikāya*, trad. par Môhan Wijayaratna, Paris, Éditions LIS, Collection à l'Institut des études indiennes, Collège de France, BUD. PAL., 2007, volume III, p. 788.

poétique à partir de l'original du récit. Le traducteur a reproduit un texte nouveau en vers pentasyllabique à partir du récit du texte de départ. Cette modulation du genre est un mode d'hypertextualité où la frontière entre la traduction et la transformation reste assez floue. Elle se veut en voie de la poétisation du texte de départ, nullement par souci comme impossibilité et trahison.

Parmi les cinquante-deux *gāthās* du texte d'arrivée, quarante-neuf sont pentasyllabiques, trois (101ᵉ, 103ᵉ, 105ᵉ) seulement en quadrisyllabes. On constate qu'il y a un mouvement de « déformation » poétique profond qu'il faudrait analyser comme tel. Lisons la *gāthā* 5 du texte d'arrivée :

5.「過九十一劫，有毗婆尸佛；	5 + 5 syllabes
次三十一劫，有佛名尸棄；	5 + 5 syllabes
既於彼劫中，毗舍如來出.	5 + 5 syllabes
今此賢劫中，無數那維歲；	5 + 5 syllabes
有四大仙人，愍眾生故出：	5 + 5 syllabes
拘樓孫、那含、迦葉、釋迦文.	5 + 5 syllabes

Traduction en français :

5. Il y a quatre-vingt-onze kappas,
   Naquit le Bouddha Vipassī.
   Il y a trente et une ères cosmiques,
   Naquit le Bouddha Sikhī.
   Dans la même ère cosmique,
   Naquit l'Ainsi-Venu Vessabhū.
   Dans l'actuel kappa,
   Qui durera d'innombrables nahutas[32],

---

[32] Nahuta (pali), unité de temps bouddhique qui équivaut à cent milliards d'années du monde humain.

Quatre Grands Sages[33],
Apparurent et prirent en pitié tous les êtres vivants :
Kakusandha, Konāgamana, Kassapa, et Sākyamuni.

La *gāthā* 5 en chinois est un poème pentasyllabique à douze vers qui n'existe pourtant en pali qu'un passage sous forme de récit. Lisons le texte source (1.4) :

1.4. *Ito so bhikkhave, eka-navuto kappo yaṃ Vipassī Bhagavā arahaṃ sammā-sambuddho loke udapādi.*

Ito so bhikkhave, eka-tiṃso kappo yaṃ Sikhī Bhagavā arahaṃ sammā-sambuddho loke udapādi.

Tasmiṃ yeva kho bhikkhave, eka-tiṃse kappe Vessabhū Bhagavā arahaṃ sammā-sambuddho loke udapādi

Imasmiṃ yeva kho bhikkhave, bhadda-kappe Kakusandho Bhagavā arahaṃ sammā-sambuddho loke udapādi.

Imasmiṃ yeva kho bhikkhave, bhadda-kappe Koṇāgamano Bhagavā arahaṃ sammā-sambuddho loke udapādi.

Imasmiṃ yeva kho bhikkhave, bhadda-kappe Kassapo Bhagavā arahaṃ sammā-sambuddho loke udapādi.

Imasmiṃ yeva kho bhikkhave, bhadda-kappe ahaṃ etarahi arahaṃ sammā-sambuddho loke uppanno[34].

Traduction en français du passage :

1.4 *Le Bienheureux dit : « Ô bhikkhus, le Bienheureux Vipassī, Arahant, Éveillé parfait, était né dans le monde il y a déjà quatre-vingt-onze ères cosmiques. Ô bhikkhus, le Bienheureux Sikhī, Arahant, Éveillé parfait, est né il y a trente et un kappas. Un Bouddha appelé Vessabhū, Arahant, Éveillé parfait, est né dans le monde il y a aussi trente et un kappas. Ô bhikkhus, dans la même heureuse ère cosmique*[35], *le Bienheureux Kakusandha, Arahant, Éveillé parfait, est né dans le monde. Ô bhikkhus, dans*

---

[33] En pali : *medhāvino janā*, les hommes de sagesse.

[34] *Dīghanikāya*, edited by T.W. Rhys Davids and J. Estlin Carpenter, vol. III, London, Pali Text Society, 1982, p. 2.

[35] L'heureux kappa : bhadda-kappa (en pali), la présente ère cosmique.

la même heureuse ère cosmique, le Bienheureux Konāgamana, Arahant, Éveillé parfait, est né dans le monde. Ô bhikkhus, dans la même heureuse ère cosmique, le Bienheureux Kassapa, Arahant, Éveillé parfait, est né dans le monde. C'est dans cette même heureuse ère cosmique que moi, Arahant, Éveillé parfait, est né dans le monde. »

Remarquons que la modulation hypertextuelle a changé radicalement la structure du récit du texte de départ dont la forme narrative en prose s'est transformée en vers pentasyllabiques, un genre très fréquent à l'époque dans la poésie chinoise classique.

Cette tendance va même être à l'extrême au niveau du nombre des vers en soixante-douze sentences. La traduction par la modulation a fait changer la forme du texte par une modification structurale sans toucher le plan sémantique ou la perspective, comme par exemple dans cet extrait de l'*Aggaññasutta*.

À partir du Ve siècle, grâce à la traduction du texte sacré bouddhiste, une alliance très particulière est produite entre la *gāthā* et la poésie pentasyllabique. Versification et critique, deux piliers de la poétique chinoise prennent forme, à la même époque de la traduction du texte sacré bouddhiste en Chine.

Remarquons qu'il y a trois aspects particuliers dans la traduction de ce texte sacré, dont le premier est la transformation de l'oralité du récit pali en « wenyan », une tentation de « littéraliser » le texte d'origine oral. Le deuxième aspect est marqué par la transformation du récit en poésie, une tentation de poétiser le texte d'origine narrative. Le troisième point marquant est d'emprunter le genre pentasyllabique et de l'insérer le plus possible dans la traduction du texte sacré. Ce troisième aspect est assez significatif dans l'évolution de la poésie chinoise. On assiste à un tournant radical sur le plan de la forme poétique. Aux vers massivement quadrisyllabiques du *Canon des odes*, se substituent les vers pentasyllabiques, et cela provient de la traduction du texte sacré bouddhiste autour du IVᵉ siècle. Cette tendance va même être à l'extrême au niveau du nombre de vers en soixante-douze sentences.

Peu à peu le poète recourt à une procédure innovante propre à cette nouvelle écriture pentasyllabique en quatrain sur un mètre donné. Elle est devenue plus usuelle que celle des vers pentasyllabiques traditionnels à longueur représenté par le *Kongque dongnan fei* 孔雀東南飛 (*Phoenix vole vers le sud-est*) vers la fin de la dynastie des Han du IIIᵉ siècle. Cette évolution du quadrisyllabe au quatrain pentasyllabique est significative dans la modernisation de la poésie chinoise lorsque le texte sacré bouddhiste fut introduit en Chine. La traduction des *gāthā* a ouvert un nouveau chemin à la poésie : la transcendance gnoséologique.

Nous avons consacré des pages à l'examen de la logique de Liu Xie, le premier critique dans l'histoire littéraire à avoir réfléchi diachroniquement et horizontalement sur l'ampleur de la qualité poétique et sur son évolution. Notre analyse n'entend pas réduire l'œuvre de Liu Xie en certaines formules suivant les règles établies de la critique littéraire, mais veut exploiter, fût-ce une mince possibilité, les strates du champ de la pensée de Liu Xie. C'est un monde d'une profondeur infinie. Une évidence s'en dégage : au lieu d'être axé sur la littéralité des choses, Liu Xie est plus concentré sur le caractère de l'idée, plus spontanément sur l'esprit et sur la lettre, ainsi la philologie et la philosophie sont mises sur le même niveau. La force de Liu Xie réside dans le fait d'avoir voulu appliquer la pensée bouddhique à l'analyse de la littérature chinoise ; avant lui, il n'y avait pas de métaphysique, car c'est le bouddhisme qui l'a apporté.

Notons ici, sur un des facteurs de la fonction de la poésie, que dans la Chine ancienne, il y a une tradition assurée par deux secrétaires d'État qui notent ce que fait le roi, celui de gauche note ce qui est dit, les paroles, et celui de droite note ce qui est fait, les actes. Il y a cette différence entre l'effet des faits d'une part, et les paroles d'autre part. Cela vient du fait que dans le « wenyan », on considère que le discours est quelque chose à part de ce qui est raconté sur le plan des faits. D'où l'importance primordiale de ces odes sur la poésie chinoise.

Il y a un mot à sauver, c'est la poésie. Telle est la question qui s'est posée à Liu Xie et c'était par-là qu'il pensait prendre les odes anciennes et revenir à des événements littéraires des époques antérieures comme source primaire de la poésie. Sa préoccupation est plus portée vers l'esprit poétique qui œuvre à la genèse qu'à la structure formelle, celle des sons et des rythmes. Pour ce faire, il choisit la méthode de rechercher des aspects qu'il retenait essentiels dans la poésie ancienne.

Liu Xie a retracé l'évolution de la forme poétique en indiquant que les vers pentasyllabiques sont montés sur le devant de la scène poétique depuis l'époque des Han, sans parler pourtant de l'influence du texte sacré sur cette forme devenue nouvellement dominante.

La critique portant sur la poésie et ses fonctions fait partie des six éléments essentiels que Liu Xie démontre dans les six premiers chapitres pour préparer le déploiement de sa poétique sur les formes littéraires dans son œuvre à partir du septième chapitre[36].

---

[36] Selon Wang Yuanhua, les cinq premiers chapitres du *Wenxin diaolong* représentent l'axe du livre, cf. Wang Yuanhua 王元化, *Wenxin diaolong jiangshu* 文心雕龍講疏, Shanghai 上海, Shanghai guji chubanshe 上海古籍出版社, 1992, p. 188-194.

VIII
LA MUSICALITÉ
DU GENRE POÉTIQUE *YUEFU*

———

L a poésie étant l'âme, la musique, le corps de la vertu, toutes les deux constituent la trame de l'éducation traditionnelle dont le genre poétique *Yuefu* 樂府 fait partie. Ce sont des poèmes chantés, accompagnés de musique. La concordance entre la « bonne » poésie et la « bonne » musique était la préoccupation principale des maîtres de musique afin d'accomplir la mission céleste d'instruire le peuple à l'aide des rites et de la musique harmonieuse et appropriée (*Zhonghe* 中和之響). Liu Xie reste fidèle à cette définition traditionnelle de la musique visant l'éducation morale. Poésie et musique, inséparables à l'origine, doivent l'une et l'autre être *Ya* répondant aux normes de la vie bonne, et éveiller à cette vie l'esprit du peuple.

Le « *yuefu* », avant d'être un genre poétique sous les Han (206 av. J.-C.-220 de notre ère), était une appellation du « Bureau de la musique » sous les Zhou (1046-256 avant notre ère) jusqu'à l'époque des Qin (221-207 avant notre ère). La fonction de cette institution impériale était de collectionner les chants populaires et de les transcrire en « wenyan », écriture officielle, au service de la Cour : sacrifices, tournées d'inspection, cérémonies, banquets. Cette institution est devenue administrativement impériale à l'époque de l'empereur Wu des Han 漢武帝 (140-87 avant notre ère). Le « Bureau de la musique » était chargé de former les musiciens à composer la musique et à recueillir dans les royaumes du Yan 燕, du Zhao 趙, du Qin 秦, du Qi 齊, du Chu 楚, du Wu 吳 et du Zhou 周, les airs, les chansons populaires et les poèmes, et les mettre en musique, pour les exécuter dans les moments importants de la vie de Cour. Dans cet esprit, ces chansons sont devenues peu à peu un genre littéraire.

Dans le *Traité des tuyaux sonores et du calendrier* 律歷 志 (*Lülizhi*) qui forme le chapitre 21 de l'*Histoire des Han* (*Hanshu*), tous les aspects de la vie sont examinés en une étonnante classification qui les met en corrélation étroite avec la gamme musicale et le calendrier. Ainsi les douze notes de la gamme sont considérées comme homologues aux douze lunaisons, les douze divisions de l'année qui correspondent aussi aux douze lignes des deux premiers hexagrammes (l'hexagramme du ciel et l'hexagramme de terre). Le souffle (qi 氣) considéré comme le producteur du son, était représenté comme circulant entre le ciel et la terre, à travers tout l'univers. Pour détecter ce souffle cosmique, des tuyaux sonores de différentes longueurs étaient à moitié enterrés dans le sol. Les souffles célestes qui pénétraient dans tel ou tel de ces tuyaux sonores à telle ou telle époque de l'année, rendaient audibles les sons célestes accordés à la saison. Par-là, les spécialistes étaient à l'écoute du calendrier. La musique se déployait ainsi dans toute la dimension de la grande nature, en soulevant une émotion cosmique, et par elle était explorée la gamme complète des sentiments.

Pour Liu Xie, le *Yuefu* représente un genre du poème chanté.

8.1. La musique : source canonique et fonction morale

Liu Xie retrace l'évolution du *Yuefu*, en insistant sur l'origine de la musique et sa fonction qui déterminaient l'orientation du Bureau. La fonction rituelle de la musique respectée par les dynasties après les Zhou est, pour Liu Xie, un critère important pour qualifier les poèmes chantés de « bons » dans la lignée traditionnelle ou de « mauvais » en déviation.

Liu Xie mit toute espérance du changement de la poésie au retour du passé. Revenir au passé pour lui, c'est le chemin royal par lequel évolution ou innovation littéraires s'entreprennent et se réalisent. Cette perspective vers le passé pour légitimer le présent (présentisme) est un principe dominant de son œuvre. De ce fait, il déploie son argumentation au sujet du poème chanté, en s'appuyant sur les ancêtres, citant ou faisant allusion aux textes canoniques, dont le « Traité sur la musique » Yueji 樂記 (in *Liji* 禮記, chapitre Yueji 樂記) en premier.

L'origine de la musique le préoccupe, logiquement en particulier pour définir et justifier le *Yuefu*. Il explique que le *yue* 樂 est la prolongation mélodique des cinq tons (*wusheng* 五聲) de la gamme pentatonique : *Gong* 宮, *Shang* 商, *Jue* 角, *Zi* 徵, *Yü* 羽, auxquels s'accordent les douze tubes musicaux (*shi'erlü* 十二律), qui sont répartis en deux séries : les six tubes *yang* 六陽律 (*Huangzhong* 黃鐘, *Taicu* 太簇, *Guxi* 姑洗, *Ruibin* 蕤賓, *Yize* 夷則, *Wuyi* 亡射) et les six tubes *yin* 六陰律 (*Dalü* 大呂, *Jiazhong* 夾鐘, *Zhonglü* 中呂, *Linzhong* 林鐘, *Nanlü* 南呂, *Yingzhong* 應鐘).

Selon le *Canon des rites*, il y avait quatre institutions administratives dans les temps anciens pour unir les esprits et établir l'ordre : celle du système des rites était pour diriger les volontés (*Li yi dao qizhi* 禮以道其志), celle du système des lois pour établir l'unité d'action *(Zheng yi yi qixing* 政以一其行), celle du système des châtiments pour empêcher la violation des lois (*Xing yi fang qijian* 刑以防其姦), et celle du système de la musique, quant à elle, servait à unir les voix (*yue yi he qisheng* 樂以和其聲[1]). Ces institutions fondamentales représentaient quatre fonctions principales pour la gouvernance de l'État. (*Liji*/Yueji)

Ainsi on accordait à la musique une fonction régulatrice de la vertu, elle influençait massivement les cœurs humains dans le bon ou le mauvais sens, révélant les six sentiments des êtres humains :

---

[1] *Liji*, chapitre « Yueji » 樂記, voir *Mémoires sur les Bienséances et les Cérémonies*, trad. par S. Couvreur, tome II, Paris, Cathasia, 1950, p. 47.

樂者，音之所由生也。　　其本在人心之感於物也。是故其哀
心感者，其聲噍以殺。其樂心感者，其聲嘽以緩。其喜心感
者，其聲發以散。其怒心感者，其聲粗以属。其敬心感者，
其聲直以廉。其愛心感者，其聲和以柔。　（禮記－.樂記）

La musique se compose d'un ensemble de modulations.
Elle a pour base les sentiments qui naissent dans le cœur de
l'homme sous l'influence des objets extérieurs. Ainsi lorsque
le cœur est sous le poids du chagrin, le son est faible et s'éteint
bientôt. Lorsque le cœur est sous l'impression du bonheur,
le son a de l'ampleur et se prolonge. Lorsque le cœur éprouve
une joie (subite et passagère), le son part soudain et se répand
au loin. Lorsque le cœur est ému de colère, la voix s'enfle et le
ton est acerbe. Lorsque le cœur est pénétré de respect, le son
est franc et distinct. Lorsque le cœur éprouve un sentiment
d'affection, le son est doux et moelleux[2].

Ces six sentiments (de chagrin, bonheur, joie, colère,
respect, affection) naissent sous l'influence du monde extérieur. Aussi les Anciens donnaient une attention spéciale
à tout ce qui pouvait agir sur les cœurs. Comme sources
légitimes de la musique pure et « juste » (convenable à
la vertu), Liu Xie mentionne les airs musicaux des temps
légendaires, les neuf[3] mélodies au ciel central[4] remontent

---

[2] In *Mémoires sur les Bienséances et les Cérémonies*, trad. par S. Couvreur,
tome II, Paris, Cathasia, 1950, p. 46-47.

[3] Le nombre « neuf » désigne ici « nombreux ».

[4] Les neuf mélodies au ciel central : selon *Shiji* (*Mémoires historiques*) de
Sima Qian (chapitre *Zhaoshijia* 趙世家, Famille des Zhao), Zhao Jianzi
趙簡子, le Grand Ministre des Jin, raconta son rêve à ses suivants, disant
qu'il eut voyagé avec cent dieux au ciel central, lieu de résidence de Dieu,
et entendu de nombreux chants merveilleux.

au Seigneur d'En Haut, les huit airs de Getianshi 葛天
氏 de l'époque de la Haute Antiquité, le *Xianchi* 咸池[5],
la musique de Huangdi, ainsi que celle de Diku 帝嚳, le
Wuying 五英[6].

Selon *Lüshi chunqiu* 呂氏春秋 (Printemps et
Automnes de Maître Lü), ouvrage encyclopédique composé par des lettrés de l'entourage de Lü Buwei 呂不韋
(?-235 avant notre ère), la musique basée sur les huit airs
de Getianshi était composée de huit chants joués par trois
personnes dansant et tenant la queue du bœuf (*Lüshi chunqiu*, chapitre *Zhongxiaji/Guyue* 仲夏紀·古樂). Ces huit
chants sont : *Zaimin* 載民 (Représenter le peuple), *Xuanniao* 玄鳥 (L'oiseau noir), *Suicaomu* 遂草木 (Suivre
herbes et bois), *Fenwugu* 奮五穀 (Déployer les cinq
céréales), *Jingtianchang* 敬天常 (Révérer l'éternel Ciel),
Dadigong 達帝功 (Étendre les exploits des empereurs),
Yidide 依地德 (Suivre sur la vertu de la Terre) et *Zong
qinshou zhiji* 總禽獸之極 (Rassembler les animaux).
Ces huit airs musicaux, ainsi que la musique du *Bassin
entier* et celle du *Cinq fleurs* datent de l'époque légendaire.

Liu Xie ne se contente pas d'énumérer les airs
légendaires pour insister sur les origines de la musique ;
puisque les empreintes des temps anciens ont fourni à la
rhétorique chinoise une couleur légitime, il insiste sur
l'évolution des airs musicaux très anciens, en citant *Houren*

---

[5] *Xianchi* 咸池, la musique de l'empereur légendaire Huangdi 黃帝, le
titre signifie littéralement « Bassin entier ».
[6] *Wuying* 五英, la musique de l'empereur légendaire Diku 帝嚳, le titre
signifie littéralement « Cinq fleurs ».

候人 (Attendre l'homme), chant d'une jeune fille de Tushan (au sud de la Chine, en province de l'Anhui) qui avait attendu en vain le Grand Yü (Dayu 大禹) des Xia lorsqu'il faisait le tour du pays, puisque ces airs marquent le commencement de la musique du Sud.

Liu Xie cite ainsi *Feiyan* 飛燕 (Hirondelle survolant) qui fait allusion à une histoire légendaire des temps anciens. Deux jeunes filles de la tribu Yousong 有娀 voyaient un jour une hirondelle survoler le ciel. L'oiseau fut envoyé, en effet, par le Seigneur d'en haut, curieux de leur beauté. Les deux filles tentèrent de le saisir avec un panier. Lorsqu'elles enlevèrent le panier, l'hirondelle s'envola vers le nord, leur laissant deux œufs. Les deux filles se mirent alors à chanter pour exprimer leur regret : « Hirondelle, hirondelle, elle s'en va ». (Voir *Lüshi chunqiu*, chapitre Jixiaji/Yinchu 季夏 紀·音初). Ce fut le commencement de la musique du Nord.

Le *Chant de la hache blessante* (*Pofu zhige* 破斧之歌) de Kongjia 孔甲, le Seigneur des Xia, sur sa tristesse devant le destin de son enfant adopté (Voir *Lüshi chunqiu*, chapitre Jixiaji/Yinchu), et la nostalgie de Zhengjia 整甲 de l'ancienne cité qu'il devait quitter pour s'installer à l'Ouest du Fleuve. (Voir *Lüshi chunqiu*, chapitre Jixiaji/Yinchu). Liu Xie justifie ainsi les origines musicales du *Yuefu* en mentionnant ces airs poétiques aux temps légendaires et aux époques des Xia et Shang.

Reste à voir quels seraient les lettrés appelés par Liu Xiu comme références importantes pour l'origine de la poésie chantée. Des temps anciens jusqu'à l'avant de la dynastie des Han (XXIIe siècle avant notre ère-220), dix noms ont été rappelés :

Getianshi 葛天氏	XXVIIIe siècle avant notre ère ?
Huangdi 黃帝	XXVIe siècle avant notre ère ?
Qi Bo 岐伯	XXVIe siècle avant notre ère ?
You Song (Jian Di) 有娀 （簡狄）	XXIIIe siècle avant notre ère ?
Kui 夔	XXIIe siècle avant notre ère ?
Tushanshi 涂山氏	XXIe siècle avant notre ère ?
Kong Jia 孔甲	XVIIe siècle avant notre ère ?
Hedanjia 河亶甲	XVe siècle avant notre ère ?
Shi Kuang 師曠	VIe siècle avant notre ère ?
Ji Zha 季札	VIe siècle avant notre ère ?

Ces noms représentent l'époque des premiers chants notés aussi dans *Lüshi chunqiu* 呂氏春秋 (Printemps et Automnes de Maître Lü, chapitre Jixiaji/Yinchu 季夏紀. 音初).

8.2. *Yuefu* à double sens : révélation et instruction

La musique avec la vertu (fondements de la politique), ayant une influence l'une sur l'autre, fut un important facteur non seulement pour pressentir, prévoir et juger l'avenir d'un système politique, mais également pour instruire le peuple en compagnie des rites.

Selon Confucius, dans les temps de paix, les airs poétiques respirent le calme et la joie. Lorsque le gouvernement est injuste, ils annoncent le mécontentement et l'indignation. Quand un État laisse le peuple se plonger dans les plaisirs, les airs sont marqués de la mélodie légère, faible, et fleurissante. Cette notion sur la musicalité morale fut notée dans le *Canon de la musique* et fut constamment reprise par Liu Xie comme référence de base dans son essai sur *Yuefu* « Bureau de la musique ». À l'arrivée des Han (202 avant notre ère-220 après notre ère), les poètes qui ont répondu à l'appel de Liu Xie sont au nombre de quatorze :

Han Gaozu Liu Bang 漢高祖劉邦	256-195 avant notre ère
Zhishi 制氏	IIᵉ siècle avant notre ère
Shusun Tong 叔孫通	IIᵉ siècle avant notre ère
Han Wendi Liu Heng 漢文帝劉恆	203-157 avant notre ère
Hejian Xianwang Liu De 河間獻王劉德	?-130 avant notre ère
Sima Xiangru 司馬相如	179-118 avant notre ère
Zhu Maichen 朱買臣	?-115 avant notre ère
Ji An 汲黯	?-112 avant notre ère
Han Wudi Liu Che 漢武帝劉徹	156-87 avant notre ère
Li Yannian 李延年	IIᵉ siècle avant notre ère
Han Xuandi Liu Xun 漢宣帝劉詢	91-48 avant notre ère
Liu Xiang 劉向	77-6 avant notre ère
Han Yuandi Liu Shi 漢元帝劉奭	75-33 avant notre ère
Han Chengdi Liu'ao 漢成帝劉驁	51-7 avant notre ère

L'existence des airs de quatre orientations prouve que la musique et les sons n'évoluent pas de la même façon. Le *Yuefu* « Bureau de la musique » de la dynastie des Han au IIIᵉ siècle avant notre ère, avait pour fonction de charger les officiers de poésie d'aller recueillir les airs populaires chantés dans les quatre coins du royaume. De là les officiers de musique composèrent une mélodie aux poèmes réunis. Si l'empire impérial portait une si grande attention à la musique, c'est qu'elle était considérée comme une révélation de l'état d'âme de l'être humain et qu'elle avait une forte influence dans le bon ou le mauvais sens.

Les sentiments vibrent sur les cordes en soie des instruments et sur les flûtes en bambou, tandis que l'esprit varie avec les cloches et les pierres musicales. Ainsi le maître Shikuang 師曠, fonctionnaire de la musique du royaume des Jin de l'époque des Printemps-Automnes. Écoutant les chants des Chu, le royaume ennemi au Sud des Jin, Shikuang disait que les Chu n'allaient pas gagner s'ils attaquaient les Jin, car leur musique semblait peu puissante (Voir *Zuozhuan*/Xianggong 18 左傳. 襄公十八年). Pouvant prédire la grandeur et la décadence à travers l'air, Ji Zha 季扎, le prince du royaume Wu qui fut envoyé en mission au royaume Lu. Il écouta les airs musicaux des différents royaumes et prédit la prospérité du royaume Qi, car la musique du Qi était forte, rythmique et pleine d'énergie ; il prévit la décadence du royaume Zheng. (Voir *Zuozhuan*/Xianggong 29 左傳.襄公二十九年), car la musique du Zheng était fleurissante, fine et faible. Liu Xie trouve qu'il est merveilleux d'observer la prospérité et le déclin à travers la plus fine nuance des chants.

La deuxième fonction de la musique est d'instruire le peuple. La musique étant l'expression du cœur et propre à l'art de l'esprit, elle pénètre au plus profond de l'être humain, le façonne et taille sa pensée. De là Liu Xie approuve la grande prudence des princes par rapport à la musique, ils tenaient à ce que tout le peuple fût instruit par la bonne musique. Qu'elle soit « bonne », c'est dans ce sens que la musique doit répondre aux exigences de la morale, convenable à la formation de l'esprit, régulatrice pour aider les gens à garder la bonne conduite dans leur vie présente. C'est la raison pour laquelle les princes et les empereurs voulaient absolument empêcher une musique lascive ou débordée, ils appliquèrent strictement, dans l'éducation des fils des familles nobles, l'éducation de la musique chantant les neuf vertus 九德, les exploits des neuf catégories (*jiu xu* 九序) du Grand Yu (neuf grandes méthodes pour gouverner le pays). Les neuf vertus sont basées sur l'eau, le feu, le métal, le bois, la terre et les grains de céréales, elles exigent l'entraînement de la morale, les mœurs morales, l'acquisition des objets nécessaires et la protection des êtres vivants. Elles doivent être célébrées par des chants. (*Shangshu*, chapitre III Dayumo 大禹謨, « Conseils du Grand Yu »).

Selon Wang Yinglin 王應麟 (1223-1296), parmi les douze tubes musicaux, les *Huangzhong* 黃鐘, *Linzhong* 林鐘 et *Taicu* 太簇 représentent respectivement les commencements du ciel, de la terre et de l'homme ; les tubes *Guxian* 姑洗, *Ruibin* 蕤賓, *Nanlü* 南呂, *Yingzhong* 應

鐘, commencements des quatre saisons (Voir *Yuhai* 玉
海 La mer de jade, l'Annexe : *Xiaoxue ganzhu* 小學紺珠,
chapitre *Lüli* 律曆). La musique exprime également les
affections, touche les sept commencements (*Qishi* 七 始),
ceux du ciel, de la terre, de l'homme et des quatre saisons.
Elle porte une force inexplicable de transformer les êtres
humains, d'influencer sur l'esprit et les mœurs des quatre
coins du territoire, d'émouvoir ainsi le Ciel et la terre et des
quatre saisons.

Pour Liu Xie, la musique *Ya* est affaiblie depuis longtemps, la musique de débauche et légère est par contre à la
mode. Ce déclin de la musique élégante en haute tenue dû
à plusieurs facteurs destructifs dont le *Canon de la musique*
brûlé sous les Qin et l'arrivée de la musique légère et déca-
dente. Grâce aux efforts des empereurs des Han, cette
musique *Ya* fut héritée et restaurée, les rythmes notés par
le maître de musique et les règles cérémoniales furent fixées
par Shu Suntong 叔孫通. Il en fixa les règles pour les cérémonies au temple des ancêtres. La « Danse de la vertu mar-
tiale » fut alors à la mode à l'époque de l'empereur Gaozu
高祖 (206-195 avant notre ère) et la « Danse des quatre
saisons » fut promue aux temps de l'empereur Xiaowen 孝
文 (179-157 avant notre ère). Ces deux danses s'inspirent
de la musique *Shao* 韶 de l'empereur légendaire Shun 舜 et
de la musique de l'époque du Grand Yu 大禹.

Liu Xie indique le contexte historique de la naissance
du *Yuefu*. C'était l'empereur Wu (140-87 avant notre ère),
par souci de renforcer les cérémonies rituelles au Ciel, à
la Terre et aux ancêtres, qui créa le Bureau de la musique,

suivant l'exemple du *Shijing*, de collectionner les airs populaires. Li Yannian 李延年 (?-vers 90 avant notre ère), poète et musicien, commandant en chef pour la concorde de la musique (*Xielü duwei* 協律都尉, Iᵉʳ siècle avant notre ère), fut chargé par l'empereur de coordonner les airs collectionnés pour composer une musique impériale comme par exemple celle des dix-neuf chants du sacrifice offert au Ciel et aux ancêtres (*Jiaosige* 郊祀歌). Il accorda les tubes musicaux par une mélodie lente, Zhu Maichen 朱買臣 (?-115 avant notre ère), haut fonctionnaire-lettré sous les Han occidentaux et Sima Xiangru 司馬相如 composèrent également de la musique au style du *Sao*.

Tous les airs qui sont aux yeux de Liu Xie fleurissants et peu sérieux doivent être condamnés. Ce fut le cas de *La fine fleur d'osmanthus* (*Guihua* 桂華), poème chanté en vers de quatre caractères, noté dans le *Hanshu* 漢書 (Histoire des Han, chapitre Liyuezhi/Anshi fangzhong ge 禮樂志・安世房中歌), et les *Oies sauvages rouges* (*Chiyan* 赤雁), chant composé par l'empereur Wu lors de son voyage à l'Océan Est (voir *Hanshu*, chapitre Jiaosige/Xiangzaiyu shiba 郊祀歌・象載瑜十八).

Liu Xie regrette que la musique *Ya* « morale et bonne » (le *Chant de cerf* par exemple) ne fut pas appréciée aux temps des Han. La preuve : le Prince Xian 獻王, présenta des airs *Ya* et classiques à l'empereur Wu, mais celui-ci ne les apprécia point. Il y eut un bon cheval saisi par l'empereur Wu au bord de l'eau de Dunhuang 燉煌. Tout

---

[7] *Luming* 鹿鳴 (Chant de cerf), un des poèmes *Xiaoya* 小雅 du *Livre des odes*, ici, l'auteur fait allusion à l'esprit du *Livre des odes*.

ravi de ce précieux cadeau du ciel, l'empereur composa un chant intitulé *Taiyi zhige* 太一之歌 (Chant de la Grande Unité), une fois qu'il l'eut obtenu, il fut le sujet des remontrances du ministre Ji'an 汲黯. Au temps de l'empereur Yuan 元 (48-33 avant notre ère) et de l'empereur Cheng 成 (32-7 avant notre ère) la musique « voluptueuse » fut développée. Sous les Han orientaux, la musique liturgique pour le sacrifice offert au Ciel (*Jiao* 郊) et aux ancêtres *Miao* 廟, maintenaient pourtant le continu des chants *Ya*, dont les paroles étaient élégantes et correctes, mais la mélodie n'est plus celle des temps légendaires représentée par deux grands maîtres de la musique Kui 夔 et Shikuang 師曠.

Liu Xie pleure les anciens temps. L'« Aller au Nord » (*Beishang* 北上) et le *Kuhanxing* 苦寒行 (Voyage de souffrance et de froid) de Taizu Cao Cao 太祖曹操 (155-220), le « Vent d'automne » (*Qiufeng* 秋風) et le « Chant d'Hirondelle » (*Yangexing* 燕歌行) de Gaozu Cao Pi 高祖曹丕 (187-226) sont pour Liu Xie trop sentimentaux (ivresse, plainte) donc trop personnels. Cette expression contrarie Liu Xie, malgré leur qualité poétique. D'après lui, leurs écrits ne sont que dans la lignée de l'air du Zheng 鄭, dont la décadence du royaume fut traduite par sa musique languissante et lascive par des chants qui portaient à la licence et à la débauche. Cao Cao et Cao Pi ne sont pas assez « solides » et « harmonieux » pour rester dans la tradition de la musique Shao et Xia de la Haute Antiquité. Pour Liu Xie, trop de subjectivité du *je* en fut la cause principale.

8.3. La sobriété du langage et la musique

La musique devait, comme le comportement, se contraindre. Confucius prônait la gamme construite par quintes dont l'altération des tons devait rester très faible, et devait avoir pour résultat d'obtenir des rapports mélodiques extrêmement simples.

Les débats persistaient dans les cours impériales et princières sur les mélodies, les tonalités appropriées aux circonstances, les hauteurs de sons standards pour les cloches, les chants accordés à telle ou telle saison. La critique catégorique portant sur l'expression des sentiments débordés révèle l'attitude de Liu Xie sur la musique « morale ». Aimer la musique sans s'y amuser, ce qui fit la musique des Jin estimée, tandis que le pays Zheng fut destiné à disparaître du fait que « les jeunes se livrent à des jeux[8] », à la décadence.

Le langage de la musique révèle l'état d'esprit du peuple. Liu Xie cite des réussites sur le plan moral de la création musicale : un groupe de musiciens sous la dynastie des Wei (220-265) et celle des Jin (265-420), tels Du Kui 杜夔, musicien très admiré par Cao Cao, qui composa des airs *Ya* pour le pays, accordant les tubes musicaux[9], Fu Xuan, philosophe et lettré, grand connaisseur de la musique, qui composa pour l'empereur Wu des Jin des chants *Ya* du sacri-

---

[8] Voir *Shijing*, chapitre Zhengfeng/Zhenwei 鄭風·溱洧.
[9] Les six tubes sonores de la série Yang et les six autres de la série Yin, plus les douze demi-tons.

fice offert au Ciel, à la Terre et aux ancêtres, Zhang Hua, lettré des Jin occidentaux qui composa des airs pour la cour du palais, Xun Xu 荀勖 (?-289), maître de musique des Jin occidentaux, qui modifia la mesure des cloches suspendues pour créer une mélodie triste et un rythme pressé (Voir *Jinshu* 晉書, *L'histoire des Jin*, chapitre *Lülizhi* 律曆志). Liu Xie approuve les efforts de Xun Xu, mentionnant tout de même la moquerie de Ruan Xian 阮咸 vis-à-vis d'une telle modification de la mesure des instruments musicaux de ce dernier.

La merveille de la musique harmonieuse est engendrée en accord merveilleux de l'extérieur avec l'intérieur. Si la poésie est l'âme de la musique, le son alors en est le corps. Encore une fois, Liu Xie rejoint la pensée de ses ancêtres notée dans « Xueji » (Traité sur l'étude) des *Mémoires sur les Bienséances et les Cérémonies*. La musique se formant en son, les maîtres aveugles de musique accordaient avec grande attention les instruments musicaux. De même, l'âme de la musique étant dans la poésie, les sages ne se permettent point de négliger l'écriture.

D'où l'importance de la musique « sérieuse ». Voilà un mal enchaîné : les chants d'amour prennent un ton léger et sinueux, les poèmes de plaintes vont vers la décadence, le langage de la musique devient superflu. Liu Xie critiqua l'enchantement des gens devant l'étrangeté et la nouveauté, l'enchantement étant à l'encontre de la musique morale. L'attitude de Liu Xie face aux poèmes choisis par le Bureau de la poésie est sévère.

La raison de cette attitude sévère face aux poèmes chantés ne peut s'exprimer qu'en résumant l'exclusion du style populaire et le lyrisme de la poésie par Liu Xie. Une telle position sévère et moraliste représente un infléchissement de la poétique de Liu Xie qui a proposé à la littérature l'équivalence des deux éléments, celui de la sobriété du langage et celui de la musique.

Dans la dernière partie du chapitre 7, Liu Xie explique la sobriété du langage et la musique de la poésie, rappelant, à l'arrivée du Royaume de Wei (220-265), sept lettrés comme exemples :

Cao Cao 曹操	155-220
Du Kui 杜夔	IIIe siècle
Miao Xi 繆襲	186-245
Wei Wendi Cao Pi 魏文帝曹丕	187-226
Cao Zhi 曹植	192-232
Zuo Yannian 左延年	IIIe siècle
Wei Mingdi Cao Rui 魏明帝曹叡	204 ?-239

La poésie étant sobre, la musique doit l'être également. La poésie et la musique s'entreprennent l'une avec l'autre, d'où la difficulté d'habiller le langage foisonnant par la musique sobre. Les efforts du maître de musique Li Yannian 李延年 sur les anciens chants furent admirés par Chen Si 陳思 (Cao Zhi 曹植).

Dans l'accordance de la musique et de la poésie, il existe deux cas extrêmes. Dans le premier cas, il y avait la mise en œuvre musicale en chant et en instrument des poèmes des deux empereurs Gaozu 高祖 (*Dafeng* 大風, Grand vent) et Wudi 武帝[10] (*Laichi*, 來遲 Venir si en retard[11]). Dans l'autre cas, il y avait l'absence de la musique, comme par exemple certains poèmes de deux lettrés Cao Zhi et de Lu Ji, aucun mis en chant ni en instrument musical, malgré la perfection de leur écriture poétique. Au demeurant, ils n'avaient pas pensé à les mettre en musique. Ces poèmes ne sont pas à la hauteur des écrits des Anciens.

Les « Tambours frappants à la Porte Jaune » (*Huangmen guchui* 黃門鼓吹), chants militaires composés par Qibo 岐伯 à l'époque de l'empereur Jaune pour encourager les soldats et faire peur aux ennemis, ainsi que les chants militaires et funèbres des Han, malgré l'usage des services militaires ou funéraires, furent tous classés en *Yuefu* exemplaires. Les chants militaires et funéraires modifiés par Miu Xi 繆襲 des Wei et Wei Zhao 韋昭 des Wu, deux lettrés à l'époque des Trois Royaumes Combattants, méritent également d'être classés.

Liu Xie veut suivre l'exemple de Liu Xiang 劉向 (Zizhen 子政, 77-6 avant notre ère), lettré érudit des Han, qui cataloguait les textes canoniques, les ouvrages classiques et littéraires en plaçant la poésie et les poèmes chantés en deux catégories différentes[12]. Son traité sur *Yuefu* vise à définir leur place et leurs frontières. Et pour cela, il appelle quatre lettrés proches des deux dynasties des Jin (266-420) :

---

[10] Voir *Shiji* 史記, chapitre Gaozu benji 高祖本紀.
[11] Voir *Hanshu*, chapitre Waiqizhuan 外戚傳.
[12] Voir Huang Kan, *Wenxin diaolong zhaji*, Notes sur *Wenxin diaolong*, Shanghai, Huadong shifan daxue, 1996, p. 53-74.

Fu Xuan 傅玄	217- 278
Xun Xu 荀勖	?-289
Ruan Xian 阮咸	IIIᵉ siècle
Zhang Hua 張華	232-300

Au demeurant, la musique basée sur les huit timbres musicaux (*jin* 金, métal, *shi* 石, pierre, *tu* 土, terre cuite, *ge* 革, peaux, *si* 絲, cordes de soie, *mu* 木, bois, *pao* 匏 calebasse et *zhu* 竹, bambou[13]) s'étendait en écriture poétique sur laquelle s'enracinent les mots. Les chants populaires et la musique parcourent le monde populaire (« champs sauvages » selon Liu Xie) et les palais. Liu Xie regrette que la musique sérieuse et ancienne soit difficile à perpétuer à l'époque contemporaine, et que la musique légère se propage sans vraie difficulté.

La musique n'est pas faite seulement pour se laisser admirer, elle est le meilleur support pour la connaissance des rites considérés comme étant la trame de la société ancienne. La poésie éveille l'homme, les rites lui donnent sa raison d'être et la musique l'aide à atteindre l'accomplissement de son « moi » (voir *Liyun*, « Taibo » 8). Selon Confucius, la poésie rend les gens honnêtes, sans tomber dans la niaiserie ; les *Annales de la Chine* aident les gens à s'instruire sans tomber dans la vantardise ; le *Canon des mutations* façonne l'esprit fin et paisible sans tomber dans la fourberie ; les rites permettent aux gens de se comporter avec modération, d'être respectueux sans être cérémonieux,

---

[13] Voir *Zhouli*/Chunguan/Dashi 大師.

et les *Printemps-Automnes* enseignent aux gens à bien juger sans être excessifs[14].

Trente-cinq noms sont cités par Liu Xie dans le chapitre 7 portant sur les poèmes chantants. Quant au chapitre 6 portant sur la poésie canonique, les lettrés et les personnages historiques cités sont au nombre de quarante-quatre.

	Chapitre 7 sur « *yuefu* »	Chapitre 6 sur la poésie
Avant la dynastie des Han de l'Ouest (XXIIe siècle avant notre ère-202 avant notre ère)	10	11
Deux dynasties des Han (202 avant notre ère-220)	14	15
Royaume de Wei (220-265)	7	6
Deux dynasties des Jin (266-420)	4	12
Dynastie des Song (420-479)	0	0

Remarquons que les deux chapitres sur la poésie canonique et les poèmes du genre *yuefu* vont presque dans le même sens, qui est d'offrir une place primordiale aux époques anciennes (dix contre onze pour l'antiquité et quatorze contre quinze pour les Han), puis à celle des Wei (sept contre six). Les temps anciens et plus, éloignés de l'époque

---

[14] *Liji*, chapitre « Jingjie ».

contemporaine de Liu Xie, sont plus consultés comme références pour la poésie et pour les poèmes chantés.

La différence se trouve à l'époque des Jin du IIIe au Ve siècle. Autant elle représente une importante référence pour la poésie canonique avec douze lettrés cités, autant elle est « mineure » pour les poèmes du genre *yuefu* avec seulement quatre lettrés cités. Pour Liu Xie, l'époque des Jin est une belle époque pour la poésie mais beaucoup moins pour les poèmes du *yuefu*. Encore une fois, l'absence de l'époque contemporaine de Liu Xiu dans ces deux chapitres est marquante.

Parmi les noms mentionnés, nous remarquons que huit personnes ont été citées respectivement dans les deux chapitres pour les deux genres poétiques : il y en a deux (Getianshi, l'empereur Jaune) pour les temps avant l'époque des Han, trois (Sima Xiangru, l'empereur Wu et l'empereur Cheng) pour les Han, deux (l'empereur Wen des Wei, Cao Zhi) pour les Wei et un seul lettré (Zhang Hua) pour les Jin. Ces huit noms mentionnés représentent 11 % de l'ensemble de la palette de lettrés cités.

Sur le plan de l'écriture, vingt-cinq œuvres ont été citées comme références pour la poésie du genre *yuefu* dont neuf datent de l'époque ancienne d'avant la dynastie des Han de l'Ouest (XVIe siècle avant notre ère-202 avant notre ère) :

Shangshu 尚書	XVIe siècle avant notre ère
Liji/Mingtangwei 禮記	XVIe siècle avant notre ère ? (commenté par Dai Sheng)

Zhouyi 周易	XIe-VIIIe siècles avant notre ère
Yili 儀禮	XIe siècle avant notre ère
Shijing 詩經	XIe-VIIIe siècles avant notre ère
Zuozhuan 左傳	VIIIe siècle avant notre ère ?
Zhuangzi 莊子	IVe siècle avant notre ère ?
Chuci 楚辭	IIIe siècle avant notre ère
Lüshi Chunqiu 呂氏春秋	IIIe siècle avant notre ère

Parmi ces écrits canoniques, deux sont du genre littéraire (*Shijing, Chuci*), un texte est philosophique-littéraire (*Zhuangzi*), les huit autres sont du genre historique.

Ont été également citées par Liu Xie neuf œuvres de l'époque suivante, celle des deux dynasties des Han (202 avant notre ère-220) :

Huainanzi 淮南子	IIe siècle avant notre ère
Shiji 史記	Ier siècle avant notre ère
Dongxiaofu 洞簫賦	Ier siècle avant notre ère
Fayan 法言	Ier siècle avant notre ère
Guchui naoge 鼓吹鐃歌	Ier siècle avant notre ère
Hanshu 漢書	Ier siècle après notre ère
Liangdu fu xu 兩都賦序	Ier siècle après notre ère
Dongguan hanji 東觀漢記	IIe siècle après notre ère
Duduan 獨斷	IIe siècle après notre ère

Parmi ces neuf textes, quatre (*Shiji, Hanshu, Dongguan hanji, Duduan*) sont du genre historiographique, deux (*Huainanzi, Fayan*) sont des essais philosophiques, et trois, des poèmes (*Dongxiaofu, Guchui naoge, Liangdu fu xu*).

Ces ouvrages des époques anciennes pris grandement en compte comme exemplaires dans la critique de Liu Xie sur les poèmes chantés sont contrastés par un petit nombre de textes cités du Royaume de Wei (220-265) (quatre œuvres citées) :

Kuhanxing 苦寒行	IIIe siècle après notre ère
Yangexing 燕歌行	IIIe siècle après notre ère
Faxun 法訓	IIIe siècle après notre ère
Sanguo zhi 三國志	IIIe siècle après notre ère

On compte un seul texte cité pour les Jin (266-420) *Qifeng* 七諷, et deux textes de l'époque des Song (420-479) :

Houhanshu 後漢書	Ve siècle après notre ère
Shishuo xinyu 世說新語	Ve siècle après notre ère

La présence décroissante des œuvres littéraires citées confirme la même tendance que celle des noms cités, que les plus anciens sont plus marquants que les contemporains, et que les essais historiques et philosophiques l'emportent sur les poèmes cités.

Ces anciennes odes et ces anciens hymnes utilisés dans les différents royaumes combattants furent repris et réformés au début des Han au IIIe siècle avant notre ère. L'organisation du « Bureau de la musique » de cour fut restructurée, avec la mission de la collection des chants populaires, dans tout l'empire pour porter des références à une bonne gouvernance impériale. Les poèmes de cinq syllabes au style plus frais devenaient à la mode en prenant le pas sur les anciens vers de quatre syllabes. Deux traditions du « *yuefu* » étaient ainsi formées, celle des chants populaires comme modèle ancien, dont le *Gushi shijiushou* 古詩十九首 (*Dix-neuf poèmes anciens*), et celle des vers récitatifs comme nouveau genre de poésie[15], dont le *Kongque dongnan fei* 孔雀東南飛 (*Phoenix vole vers le Sud-Est*). Cette double fonction du *Yuefu* est dès lors possible aussi bien par son écriture que par sa musicalité visant à la révélation du lyrisme et à l'instruction de l'esprit.

Ainsi, Liu Xie exprime son idée sur le langage et la musicalité poétique pour créer une nouveauté du sens, qu'il faut sculpter et peindre des mots originaux, en fondant et modelant les canons, en combinant les façons dont les maîtres maîtrisent l'histoire, en creusant les modulations de l'affectivité, en éclairant soigneusement les spécificités de l'écriture.

---

[15] Voir Chu Binjie 褚斌杰, « Yuefu shiti 樂府詩體 », in *Zhongguo da baike quanshu* 中國大百科全書, *Zhongguo wenxue* 中國文學, Pékin/Shanghai, Zhongguo da baike quanshu chubanshe 中國大百科全書出版社, 1986, Vol. 2, p. 1214 ; Kao, Yu-Kung « The Nineteen Old Poems and the Aesthetics of Self-Refection », in *The Power of Culture – Studies in chinese Cultural History*, Peterson, J. Willard, Andrew H. Plaks, Ying-shih Yü (éds.), Hong Kong, The Chinese University Press, 1994, p. 80-102.

IX

LE « FU » (RÉCITATIF VERSIFIÉ), NAISSANCE D'UN LANGAGE FLEURISSANT

—

La littérature chinoise a deux sources, divinatoire et poétique, dont la poésie donne naissance au « fu », récitatifs versifiés. Le terme « *fu* » étymologiquement signifiait « présenter », « réciter » sous la dynastie Zhou (vers 1046-221 av. J.-C.), il est l'un des six procédés littéraires traditionnellement assignés au *Canon des odes*, qui sont six formes rhétoriques de la signifiance (*yi* 義) en poésie, que distingue le *Maoshi*, chap. *Daxu* 毛詩·大序 (*Commentaire des Mao sur Le Canon des odes*, « Grande préface ») : *feng fu ya song bi xing* 風賦雅頌比興 (air chanté, narration, raffinement, psalmodie, comparaison, allégorie).

Le terme « fu » 賦 étymologiquement signifiait « présenter », « réciter », et par extension « réprimander indirectement » (*feng* 諷) sous la dynastie Zhou (vers 1046-221 av. J.-C.). Il est l'un des six procédés littéraires traditionnellement assignés au *Canon des odes*. À l'origine, le « fu » était un des six procédés littéraires du *Canon des odes*. Il prit forme dans le *Lisao* de Qu Yuan, et devint l'intitulé d'un dialogue écrit en vers avec les Écrits en Fu (*Fupian* 賦篇) de Xunzi et le *Vent* (*Fengpian* 風篇) de Song Yu.

Ainsi le *fu* avait son nom dans *Le Canon des Odes*, comme une approche littéraire avant d'être un genre spécifique, dans laquelle les poètes citaient à haute voix leurs écrits. Ces poèmes ne furent pas composés de musique, cela les faisait distinguer des poèmes chantés avec la musique. Les poèmes *fu*, avant les *Éloges de Chu* étaient des vers courts rimés. C'est de là que le *fu* devint un genre littéraire indépendant de la poésie *shi*, dont la forme était allongée. D'origine de l'époque du *Canon*, le *fu* prenait forme, dès lors, d'une approche littéraire qui aide à étendre l'expression écrite des sentiments et de l'intention humaine. Il prend essor dans Les *Éloges de Chu* qui ont joué un rôle décisif pour que le *fu* se distingue de la poésie.

9.1. Le *fu* comme source dans les six manières des odes

Liu Xie introduit le *fu* comme source dans les six manières des odes, qui remonte dans les temps anciens où les écrits sur les « faits » et les « gestes » des seigneurs et des ministres en textes poétiques, tandis que les observations critiques des maîtres étaient composées en genre narratif (le cas du *Guoyu* 國語, *Discours des principautés*).

À partir des *Éloges de Chu*, le *fu* devint un genre littéraire indépendant de la poésie *shi*, dont la forme était allongée. Ainsi sont appelés les sept personnages des temps anciens (XIe siècle avant notre ère-202 avant notre ère) comme les précurseurs de ce genre littéraire :

Shaogong Ji Shi 邵（召）公 姬奭	XIe siècle avant notre ère
Zheng Zhuanggong Ji Wusheng 鄭莊公	757-701 avant notre ère
Shi Wei 士蔿	716 ?-660 ? avant notre ère
Min Mafu 閔馬父	VIe siècle avant notre ère
Qu Yuan 屈原	340 ?-278 avant notre ère
Xun Kuang 荀況	313-238 avant notre ère
Song Yu 宋玉	298-222 avant notre ère

À l'origine, le *Dasui* du duc Zhuang[1] de Zheng et le *Huqiu* de Shi Wei[2], composés sobrement en rimes réduites,

---

[1] Le duc Zhuang de Zheng 鄭莊公 avait juré que, tant qu'il ne serait pas descendu en terre jusqu'aux sources jaunes (décédé), jamais il ne reverrait sa mère qui avait soutenu son fils cadet dans une attaque contre son fils aîné (le duc Zhuang). Mais il se repentit de sa résolution et suivit le conseil de Kaoshu de Ying, gardien des frontières de la principauté de Zheng, et fit creuser dans la terre un tunnel symbolique pour revoir sa mère. Selon Liu Xie, sa joie est exprimée dans les deux vers par lesquels débute la pièce évoquée ici : « Dans le grand tunnel, la joie est immense » (*Dasui zhizhong, qi le ye rongrong* 大隧之中，其樂也融融). Sa Mère en sortant du tunnel chanta : « Hors du grand tunnel, explose la joie. » (*Dasui zhiwai, qi le ye xiexie* 大隧之外，其樂也泄泄). (Voir *Zuozhuan*, chap. *Yingong yuannian* 左傳．隱公元年). Ces vers sont rimés. Liu Xie y voit les premiers de la forme du *fu*.

[2] Shi Wei 士蔿 fut ministre du Jin (Voir *Zuozhuan*, chap. *Xigong* 僖公五年), le duc Xi 僖公 lui ordonna de fortifier les remparts des deux

représentent le tout premier pas vers le genre « fu ». Mais il a fallu attendre le chant élégiaque de Qu Yuan pour que le *fu* commence à se développer au plan de sa forme littéraire. Et les deux plus récents sont Xun Kuang qui eut composé ses poèmes *Rite* et *Sagesse* dans le genre du *fu*, et Song Yu, *Vent* et *pêche*.

L'auteur Liu Xiang du *Yiwenzhi* 藝文志 (Le traité bibliographique) du *Hanshu* 漢書 (*Mémoires des Han*) classa les poèmes *fu* en quatre catégories : les poèmes de Qu Yuan, les poèmes de la remontrance, ceux de Xunzi basés sur le dialogue entre le maître et l'invité et les récits versifiés rimés du style fleurissant et descriptif[3].

---

villes où vivaient ses deux fils. Shi Wei prévoyant que les deux fils, dans leurs villes fortifiées, se révolteraient, exécuta le travail avec peu de soin. Le Prince fit réprimander Shi Wei qui l'avertit indirectement du danger. Sorti du Palais, Shi Wei poussa un soupir :
Les manteaux de peau de renards ont le poil épais et emmêlé,
Un État à trois ducs,
Auquel obéis-je ?
Huqiu mengrong/Yiguo sangong/Wu shui shicong
(狐裘蒙茸，一國三公，吾誰適從)
Ce soupir est un court poème rimé, de la forme d'un *fu* de trois phrases de quatre caractères versifiés.
[3] L'influant critique du début du xxᵉ siècle Zhang Taiyan 章太炎 (Zhang Binglin 章炳麟, 1869-1935), dans son ouvrage *Guogu lunheng* 國故論衡 (chap. *Bianshi* 辨詩) poursuit le classement réalisé par l'*Histoire des Han*, identifie quatre catégories par les styles particuliers des poètes classiques. Les poèmes de Qu Yuan représentent la tendance lyrique du *fu*, ceux de Sun Qing 孫卿 (Xunzi 荀子) représentent la tendance réaliste basée sur la description du monde extérieur, ceux de Lu Jia étaient les compositions rhétoriques, et les poèmes divers étaient au style humoristique et métaphorique. Voir Zhan Ying 詹瑛, *Wenxin*

Selon la *Grande préface des Mao* au *Canon des odes*, le *fu* fait partie des formes poétiques mais se distingue de la poésie, bien que la poésie et le *fu* « s'apparentent l'un à l'autre comme branches entées sur le tronc » (Liu Xie, chapitre VIII). Le *fu* n'était pas chanté mais déclamé, ainsi noté par Liu Xiang 劉向 (77-6 avant notre ère), l'auteur du *Bielu* 別錄 (Bibliographie des ouvrages littéraires) achevé par son fils Liu Xin 劉歆 (?-23 avant notre ère) sous le titre *Qilue* 七略 (*Sept catégories des œuvres littéraires et commentaires*). Dans cet ouvrage, Liu Xiang classa les poèmes non chantés mais à lire à haute voix en « fu » (*buge er song* 不歌而誦).

9.2. Le *fu* lyrique, fleurissant et descriptif

Liu Xie concrétise ce classement en citant pour chaque catégorie des poèmes exemplaires, appelant les poètes du début de la dynastie des Han.

Les premiers écrits incluant systématiquement « fu » dans le titre datent de l'époque des Han qui fournit au « fu » la plus grande importance dans l'expression poétique. Ce nouveau genre littéraire dominant de l'époque était représenté par quatre courants, dont le lyrisme avec le *Fu du hibou* (*Funiao fu* 鵩鳥賦) de Jia Yi 賈誼 (201-169), le premier lettré composant les récitatifs versifiés dans la lignée des élégies de Chu ; le sensualisme avec le *Qifa* 七發 (*Inspiration septuple*) de Mei Sheng qui apporte à ce

diaolong yizheng 文心雕龍義證, Shanghai, Shanghai guji chubanshe, 1989, vol. 1, p. 279, note 5.

nouveau genre poétique un système de rimes intérieures ; le récit descriptif en vers avec le *Shanglinfu* 上林賦 (*Fu sur les Bois Supérieurs*) de Sima Xiangru 司馬相如 (179 env.- 117) qui créa une écriture fleurissante, lyrique et descriptive par une description hyperbolique de la magnificence de la nature, du parc impérial et des scènes de chasses royales ; et l'ésotérisme philosophique avec le *Nanjiaofu* 南郊賦 (*Récitatif versifié sur le Faubourg du sud*) et le *Youxianshi* 遊仙詩 (*Poèmes sur les immortels*) de Guo Pu. Le souci esthétique précède celui du contenu. Dès lors, le « fu » devient une forme de prose rimée souvent traduite en français par « récitatifs versifiés », marquée de sa manière exhaustive, de sa longueur de ligne variable, de son art allitératif et paralléliste.

Le *Tuyuan fu* 菟園賦 (*Fu sur le Jardin Tuyuan*) de Mei Cheng comme une composition modifiée du *fu* lyrique dans la lignée de Qu Yuan avec une fine description sur le paysage qui inaugura un nouveau style du *fu* des Han. Wang Bao 王褒, lettré sous les Han occidentaux, dont les *fu* sont classés dans la lignée lyrique de Qu Yuan. Il en existe un seul intitulé *Dongxiaofu* 洞簫賦 (*Fu* sur flûte droite de Bambou, voir *Wenxuan* 文選, Œuvres choisies, chap. 17). Le prince de l'empereur Xuan adorait ses écrits *Ganxuan fu* et *Dongxiao fu*, ordonna aux concubines de la Cour et leur suite de les retenir par cœur. (Voir *Hanshu*, chap. *Wang Bao zhuan* 王褒傳). Le *Beizhengfu* 北征賦 (*Fu* sur le voyage au Nord) de Ban Biao, et le *Dongzhengfu* 東征賦 (*Fu* sur le voyage à l'Est) de Ban Zhao sont dans la tradition de la remontrance.

Le *Fu sur les Bois Supérieurs* de Sima Xiangru est entré dans la tradition du dialogue entre le maître et les trois personnes : Zixu (*Le Sage Vide*), Wuyou Xiansheng (Monsieur le Néant) et Wangshigong (Monsieur Personne), ainsi que le *Youtongfu* 幽通賦 (*Fu* sur *la correspondance obscure*) de Ban Gu.

Zhang Heng va plus loin ouvrant une voie nouvelle du *fu* par un ton personnel, une plus grande simplicité et des descriptions de manière moins exhaustive avec ses poèmes tels *Sixuanfu* 思玄賦 (*Fu* de la pensée sur l'obscurité), l'*Erjingfu* 二京賦 (*Fu sur deux capitales*[4]). Ces écrits en *fu* décrivent les capitales[5], les palais[6], ensemble ils incarnent la cité et marquent les grandes lignes de la nature rurale, et font en sorte de chanter la grandeur du pays. Le *Lulingguangdianfu* 魯靈光殿賦 (*Fu sur le Palais des lumières divines du Lu*) de 王延壽, le *Jingfudianfu* 景福殿賦 (*Fu sur le Palais du paysage de bonheur*) de He Yan 何晏, le *Liangdu fu* 兩都賦 (*Fu sur deux capitales*) de Ban Gu, et le *Ganquanfu* 甘泉賦 de Yang Xiong sont pris dans la tradition de la remontrance. Mais pour Liu Xie, ce ne sont que des jolies pièces poétiques dans cette lignée des récits versifiés rimés du style fleurissant et descriptif.

---

[4] Les deux capitales de la dynastie Han : Luoyang et Chang'an.

[5] On peut citer le *Liangdu fu* 兩都賦 (*Fu* des deux capitales) de Ban Gu, *Erjingfu* 二京賦 (*Fu* des deux capitales) de Zhang Heng.

[6] On peut citer le *Lu lingguangdianfu* 魯靈光殿賦 (*Fu du Palais des lumières divines du Lu*) de Wang Yanshou 王延壽 (140-165), *Jingfudianfu* 景福殿賦 (*Fu du Palais du paysage de bonheur*) de He Yan 何晏.

Quant aux vers du *Ganquanfu* 甘泉賦 (*Fu de la Fontaine Douce*), du *Changyangfu* 長楊賦 (*Fu sur les Grands peupliers*) et du *Yuliefu* 羽獵賦 (*Fu sur la chasse d'oiseaux*) de Yang Xiong, ces vers décrivent, avec une étonnante finesse, les nuances des timbres du son en les faisant correspondre aux changements de la grande nature, aux parcs impériaux, aux chasses, aux voyages.

En tout, seize lettrés de l'époque des Han (202 avant notre ère-220) :

Lu Jia 陆贾	240-170 avant notre ère
Mei Cheng 枚乘	210 ?-138 ? avant notre ère
Jia Yi 賈誼	200-168 avant notre ère
Sima Xiangru 司馬相如	179-118 avant notre ère
Dongfang Shuo 東方朔	161-93 avant notre ère
Mei Gao 枚臯	153- ? avant notre ère
Han Xuandi Liu Xun 漢宣帝劉詢	91-48 avant notre ère
Wang Bao 王襃	90-51 avant notre ère
Liu Xiang 劉向	77-6 avant notre ère
Yang Xiong 揚雄	53 avant notre ère-18
Ban Gu 班固	32-92
Han Chengdi Liu'ao 漢成帝劉驁	51-7 avant notre ère
Zhang Heng 張衡	78-139
Wang Yanshou 王延壽	124-148
Xu Gan 徐幹	170-217
Wang Can 王粲	177-217

Pour Liu Xie, les six lettrés au premier rang du *fu* des époques Wei et Jin (266-420) ont marqué respectivement l'écriture vigoureuse de Wang Can, la vaste érudition de Xu Gan, l'ingéniosité de Guo Pu, l'élégance sophistiquée et l'exubérance de Yuan Hong. Grâce à leurs écrits, le genre « fu » devient une grande forme littéraire, par l'exaltation de la sensibilité, l'expression des sentiments claire et élégante, la saisie de choses de toutes sortes, la beauté des mots, l'élégance du sens. Et le *wen* y garde sa substance.

Chenggong Sui 成公綏	231-273
Pan Yue 潘岳	247-300
Zuo Si 左思	250-305
Lu Ji 陸機	261-303
Guo Pu 郭璞	276-324
Yuan Hong 袁宏	328-376

Confucéen fidèle au « wen », Liu Xiu rejette le style luxuriant qui fait perdre la valeur des idées, afin d'éviter que des textes en « fu » ne soient que pattes de mouche[7]. L'accent excessif sur un langage fleurissant et le style foisonnant du « fu » a suscité des avis divergents. Yang Xiong était le critique le plus sévère, passionné du « fu » dans sa jeunesse, mais négatif radical de ce genre littéraire sous forme du « grand fu » dont la longueur et le lexique somptueux avec des mots rares et étranges ont trahi sa fonction morale de réprimander. Selon Liu Xie, qui partage l'avis

---

[7] Yang Xiong était féru de *fu* dans sa jeunesse, dans son *Fayan* 法言 (*Apophtegmes*).

de Yang Xiong, la beauté esthétique du grand « fu » de la dynastie des Han, la rhétorique étendue entre beau discours et sublime imagination et le vocabulaire complexe ne valent rien si l'écriture est vide de sens profond et moral.

L'absence des écrivains de l'époque des Song (420-479) révèle encore l'attachement de Liu Xie aux temps anciens. Cette tendance est confirmée par les trente-six œuvres comme références exemplaires citées, dont quatorze datent du XVIᵉ siècle au IIIᵉ siècle avant notre ère :

1.	*Shangshu*/Yugong 尚書·禹貢	XVIᵉ siècle avant notre ère
2.	*Liji* 禮記 (Zhongyong中庸, Tianguan/Xuguan 天官·序官)	XVIᵉ siècle avant notre ère
3.	*Zhouyi*/Kungua 周易·坤	XIᵉ-VIIIᵉ siècles avant notre ère
4.	*Yili*/Gongshidafuli 儀禮·公食大夫禮	XIᵉ siècle avant notre ère
5.	*Zuozhuan* 左傳 de Zuo Qiuming 左丘明	VIIIᵉ siècle avant notre ère
6.	*Shijing* (Shangsong/Na 商頌·那 Xaioya/Liaoxiao 小雅·蓼蕭)	XIᵉ-VIIIᵉ siècles avant notre ère
7.	*Maoshi xu*/daxu 毛詩序·大序 de Zixia 子夏	Vᵉ siècle avant notre ère
8.	*Lunyu* 論語 (Zihan子罕, Zhongyong, 中庸)	Vᵉ siècle avant notre ère
9.	*Guoyu* 國語 (Zhouyu 周語, Luyu xia魯語下)	Vᵉ siècle avant notre ère
10.	*Mengzi* 孟子 (Gaozi shang 告子上)	IVᵉ siècle avant notre ère
11.	*Fupian* 賦篇 de Xunzi 荀子	IIIᵉ siècle avant J.-C.

12.	*Fengfu* 風賦 de Song Yu 宋玉	IIIe siècle avant J.-C.
13.	*Diao fu* 釣賦 de Song Yu 宋玉	IIIe siècle avant J.-C.
14.	*Zhanguoce/Qince* 戰國策·秦策	IIIe siècle avant J.-C.

Parmi ces quatorze œuvres citées, la majorité sont des écrits spéculatifs ou historiques, trois textes seulement sont du genre poétique du « fu ».

Pour l'époque des Han (202 avant notre ère-220), on décompte autant de textes cités :

Funiao fu 鵩鳥賦 (Jia Yi 賈誼)	IIe siècle avant notre ère
Liangwang Tuyuanfu 梁王菟園賦 (Mei Cheng 枚乘)	IIe siècle avant notre ère
Shanglinfu 上林賦 (Sima Xiangru 司馬相如)	IIe siècle avant notre ère
Shiji 史記 (Sima Xiangru zhuan司馬相如傳) (Sima Qian司馬遷)	Ier siècle avant notre ère
Dongxiaofu 洞簫賦 (Wang Bao 王褒)	Ier siècle avant notre ère
Fayan 法言 (Wuzi 吾子) (Yang Xiong 揚雄)	Ier siècle avant notre ère
Ganquanfu 甘泉賦 (Yang Xiong 揚雄)	Ier siècle avant notre ère
Xinlun 新論 (Huan Tan 桓譚)	Ier siècle
Hanshu 漢書 (Yiwenzhi 藝文志) (Ban Gu 班固)	Ier siècle
Dabinxi 答賓戲 (Ban Gu 班固)	Ier siècle
Liangdufu 兩都賦 (Ban Gu 班固)	Ier siècle

Erjingfu 二京賦
(Zhang Heng 張衡)   IIe siècle

Lingguangdianfu 靈光殿賦
(Wang Yanshou 張衡)   IIe siècle

Hanji houxu 漢紀後序
(Xun Yue 荀悅)   IIe siècle

Parmi ces quatorze textes cités, neuf sont du genre poétique, trois font partie des écrits historiographiques, deux relèvent du domaine philosophique. Un changement radical est évident par rapport au premier groupe de textes dont trois seulement sont du genre littéraire. Cela montre que l'époque des Han du IIIe siècle avant notre ère au IIIe siècle après notre ère préoccupe l'esprit de Liu Xie dans sa critique sur le genre du « fu ».

L'époque des Wei (220-265) a un seul texte cité. Il s'agit d'un essai de la critique littéraire au IIIe siècle intitulé *Dianlun* 典論 (Lunwen 論文) de l'empereur Cao Pi 曹丕.

L'époque suivante, celle des Jin (266-420) est marquée par quatre œuvres littéraires dont trois du genre « fu », un essai poétique :

Sandufu xu 三都賦序
(Huangfu Mi 皇甫謐)   IIIe siècle

Shudufu 蜀都賦
(Zuo Si 左思)   IIIe siècle

Wenfu 文賦
(Lu Ji 陸機)   IIIe siècle

Jin Yang qiu 晉陽秋
(Sun Sheng 孫盛)   IVe siècle

Toutes quatre étant du genre « fu », cela révèle la place importante de l'époque des Jin, après l'époque des Han, dans l'histoire du « fu » selon Liu Xie.

L'absence des écrivains cités de l'époque des Song (420-479) est contrariée par trois textes mentionnés de la même époque :

Sanguo Mingchen xuzan 三國名臣序贊 (Yuan Hong 袁宏)	IVe siècle
Houhanshu 後漢書 (Wenyuan zhuan文苑傳, Yuxu zhuan虞诩傳) (Fan Ye 范曄)	Ve siècle
Song Jaiosige 宋郊祀歌 (Yan Yannian 顏延年)	Ve siècle

En tout, trente-six œuvres ont été citées par Liu Xie dans sa critique sur le genre « fu ». Dans les quarante-neuf chapitres, il ne reconnaît aucune fonction fondamentale à l'expression individuelle inspirée du plaisir. Sa réflexion est portée primordialement aux aspects canoniques des anciens textes, essentiellement aux six approches poétiques. Le poète doit exceller dans la matière de ces six arts.

Liu Xie pense de manière ancienne, voulant tout le temps revenir en arrière, constituant l'unique critique littéraire développée de son époque, non l'histoire littéraire. C'est le cas du chapitre huit portant sur le genre poétique « fu », en indiquant la définition et l'origine. Il défend une tradition du sublime, une littérature noble, morale, canonique qui offre l'exemple de vertu à suivre. Les textes canoniques comptent sur sa conscience poétique qui veut le retour à l'origine. La définition et son origine représentant deux grands soucis dans sa spéculation, le genre littéraire *fu* est ainsi doté d'une analyse philologique au commencement du chapitre.

X
LA POÉTIQUE
ET LA COULEUR DES CHOSES

————

Qu'est-ce qui rend possible une écriture littéraire ? Celui qui exprime son inspiration du « soi » (l'émotion intérieure) ou ce qui l'inspire (le monde extérieur) ? Cela suscite en effet la question de relation entre celui qui écrit et de ce qui est écrit. Pour Liu Xie, écrire, c'est de ne laisser rien en dehors de soi mais tout étant à portée de la diffusion cosmique, dite « la couleur des choses ». Il ne s'agit pas de saisir l'impression vécue dans la fugitivité d'un instant, mais de devenir son œuvre en soi et hors de soi entièrement en s'unifiant avec le monde phénoménal des choses. Écrire et s'unir, ces deux expériences ont la possibilité de « s'entremêler ».

Liu Xie déploie sa réflexion dans le chapitre 46 intitulé de « la couleur des choses » (*Wuse* 物色). Le « wuse » ayant fait couler beaucoup d'encre au fil du temps jusqu'à nos jours nécessite une explication philologique plus

adéquate par rapport aux temps de Liu Xie, c'est-à-dire au
Vᵉ siècle. Le premier caractère « wu », étymologiquement
est un morpho-phonogramme composé du radical du bœuf
牛 et de la phonétique 勿, pour signifier *bœuf à poil bigarré*.
Citons un vers du *Canon des odes* :

三十維物，
爾牲則具。(*Shijing/Xiaoya/Wuyang* 詩經・小雅・無羊)
Vous avez trente (brebis et bœufs) de chaque couleur,
Les victimes ne vous manquent pas[1].

Et par extension, ce caractère signifie « les choses » du
monde phénoménal. Lisons encore un vers du même canon :

天生烝民，
有物有則。(*Shijing/Daya/Wuyang* 詩經・大雅・烝民)
Tout homme reçoit du ciel avec l'existence les parties constitutives de son être
Qui doit régir ses actions[2].

Dans le *Canon des rites des Zhou* (*Zhouli* 周禮), il est
noté ainsi sur la fonction du Ministre du Printemps :

以五雲之物，辨吉凶。(*Zhouli*/Chunggong/Baozhangshi 《周禮.
春官.保章氏》)
Par les cinq couleurs du nuage, il (astronome du Ministère du Printemps)
entreprit les procédés de divination pour voir ce qui est faste ou néfaste.

Ici, le « wu » désigne l'existence des choses indiquant
plus précisément l'apparaître de la nature. Ce terme peut

---

[1] In *Cheu King*, Trad. de S. Couvreur, Taibei 台北, Guangqi 光啟, 2004,
p. 225.
[2] *Ibid.*, p. 399.

s'utiliser comme le verbe pour dire « observer », « examiner », comme par exemple dans *La chronique de la principauté de Lu* (*Zuozhuan* 左傳) :

度厚薄，仞溝洫，物土方，議遠邇。(*Zuozhuan*/Zhaogong sanshiernian 《左傳・昭公三十二年》)

Il détermina la profondeur des fonçés et des canaux, examina la quantité de terre, mesura les distances.

Le caractère concerné est muni de deux fonctions grammaticales, celle de l'adjectif et celle du verbe. Liu Xie le prend comme étant un nom dans le sens de l' « apparaître » pour exprimer le lien entre l'être humain et le monde phénoménal[3].

Quant au caractère « se », étymologiquement, cela signifie la couleur de plumage des animaux. Ainsi est noté dans le *Canon des rites* (*Liji* 禮記) :

是月也，乃命宰祝循行犧牲，視全具，按芻豢，瞻肥脊，察物色，必比類。(*Liji*/*Yueling* 禮記·月令)

En ce mois, le grand sacrificateur et le grand interprète des hommes et des esprits ont ordre de visiter et de classer les animaux destinés aux sacrifices, de voir s'ils sont entiers, et parfaits ; d'examiner s'ils sont bien nourris, les uns de foin, les autres de grain ; de considérer s'ils sont gras ou maigres, de regarder le pelage et de les classer (d'après la couleur du poil[4]).

---

[3] Cf. Wang Yuanhua 王元化, *Wenxin diaolong jiangshu* 文心雕龍講疏, Shanghai 上海, Shanghai guji chubanshe 上海古籍出版社, 1992, p. 93-98.

[4] Trad. de S. Couvreur, in *Mémoires sur les bienséances et les cérémonies*, Paris, Youfeng, 2015, p. 380.

Et par extension, il signifie *teint, couleur, contenance*. Lisons un passage du *Canon des documents* :

以五彩彰施於五色, 作服。(*Shangshu*/Yiji 尚書·益稷)

Je désire voir les cinq couleurs briller sur les vêtements officiels.

Au fil du temps, la connotation de la « couleur » s'étend au sens figuré désignant « forme extérieure », « corporéité » et jusqu'au sens de l'« apparence » et de « la forme » dans la traduction d'un terme bouddhiste, le « rūpa[5] ».

物色盡而情有餘者，曉會通也。若乃山林皋壤，實文思之奧府，略語則闕，詳說則繁。

La couleur des choses s'épuise, mais le mouvement émotif est sans fin, qui y atteint à pénétrer la corrélativité. Montagnes, bois, bords de l'eau et plaines représentent des sources sans fond de la spéculation littéraire, trop peu de mots pèchent par défaut, trop de mots, par redondance. (46.4)

De là, Liu Xie déploie sa réflexion, à partir du sens propre du terme de « la couleur des choses », indiquant que l'influence de l'ordre naturel en fonction fondamentale du *yin* et *yang* est profonde sur les dix mille choses et l'homme. Chaque saison a ses choses, chaque chose a ses aspects ; l'émotion varie en fonction des choses, le langage trouve expression dans les émotions.

---

[5] Selon le bouddhisme, le monde est composé de trois sphères, sphère du « désir » (*kāma-dhātu*), sphère de la « forme » (rūpa-dhātu) et sphère du « sans forme » (arūpya-dhatu).

10.1. Inspiration et expression : affection entre homme et nature

Entrant dans la nature, le poète communique avec dix mille choses, l'un et l'autre, s'inspirent mutuellement, si bien qu'« une feuille peut faire jaillir l'émotion, un chant d'un insecte peut toucher le cœur » (46.1). Les émotions donnent ainsi sa raison d'être à l'expression du langage. Des changements de la nature aux mouvements du cœur, de l'émotion du cœur à la rencontre de la nature, toute couleur des choses est humanisée, et ce par le langage.

La création littéraire du poète chinois s'entreprend lors d'une double rencontre émotive avec la nature. La première est l'inspiration de la nature à l'émotion (*chujing shengqing* 觸景生情), dont l'émotion est provoquée par la nature (46.2) ; la seconde, la description du paysage suit l'émotion qui l'humanise (*yuanqing xiejing* 緣情寫景) dont le paysage est un appui pour l'émotion. (46.3) Mais au fond, ce n'est pas ce qu'énonce dans sa *Poétique* d'imiter la nature (mimêsis), ni de copier le réel. L'écriture se déploie dans l'horizon d'une double rencontre naturelle et émotionnelle.

Dans le premier cas, la rencontre avec la nature, les « poètes du *Canon des odes* s'inspirent des choses (*ganwu* 感物) et n'ont de cesse de les associer entre elles » (*lianlei* 聯類, corrélation, association allusive des mêmes catégories des choses) :

情往似贈，
興來如答。
L'émotion va comme proposition,
L'inspiration vient comme réponse. (46.)

Attachés à la couleur des choses, les poètes canoniques des odes en décrivaient les souffles et en figurent les aspects de la nature, le ton de l'écriture résonne de cette sonorité naturelle. Ce qui donne une corrélativité entre l'inspiration et la nature, entre l'être et l'Écriture :

Inspiration

Être   Corrélation   Écriture

Nature
(Couleur des choses)

Cette rencontre entre l'être et la nature constitue des argumentatifs de Liu Xie sur l'enchaînement le sens de l'écriture poétique. Systématismes, rationalisation, clarification du langage descriptif ne sont que dans le second degré.

Depuis le *Canon des odes*, l'art allusif a connu sa première évolution avec l'œuvre de Qu Yuan, *Rencontrer le chagrin* (*Lisao* 離騷), les descriptions sur les choses se sont développées, soit par des mots dont le sens est renouvelé comme « *cuoe* » 嵯峨 (46.2) pour figurer la grandeur et la raideur des montagnes, ou comme « *weirui* » 葳蕤 (46.2) pour les plantes luxuriantes. Mais cet art a connu des excès chez des poètes de récitatifs versifiés par un langage sophistiqué en phrases abondantes sans mesure.

La deuxième rencontre avec la nature est de suivre l'émotion qui humanise le paysage comme appui, non pas un déclencheur pour l'émotion du premier type de la rencontre entre le poète et la nature. Liu Xie cite encore comme bon exemple à suivre le *Canon des odes* dont les poètes décrivent la couleur des choses de façon concise suivant les changements saisonniers, si bien que toutes couleurs sont abondamment décrites mais jamais d'excès :

目既往遷，
心亦吐納。

Le regard va et vient,
Le cœur respire. (46.5)

Cet art de l'association allusive dans la description de la couleur des choses, l'inspiration s'est effectuée en tri-impressif dans l'écriture littéraire ancienne. La première passe par l'impressif à un seul caractère. Liu Xie cite deux cas tirés du *Canon des Odes*, celui du soleil « brille largement[6] », et celui des étoiles « étincellent de loin[7] ».

---

[6] Liu Xie fait allusion à un vers du *Canon des odes* :
謂予不信，
有如皦日。
(*Shijing/Wangfeng/Dache* 詩經·王風·大車)
Si tu doutes de ma sincérité,
Je prendrai à témoin le soleil qui nous éclaire.
(Trad. de Couvreur, Taibei 台北, Guangqi 光啟, 2004, p. 84.)

[7] Liu Xie fait allusion à un vers du *Canon des odes* :
嘒彼小星，
三五在東。
(*Shijing/Zhaonan/Xiaoxing* 詩經·召南·小星)
Ces petites étoiles paraissent à peine,
On en voit de trois à cinq à l'Orient.
(Trad. de Couvreur, Taibei 台北, Guangqi 光啟, 2004, p. 25.)

L'impressif à deux syllabes (deux mêmes caractères graphiques) en est évocateur. Liu Xie en cite huit
exemples tirés du *Canon des odes*. Le premier est l'impressif
« *shaoshao* » (vive brillance) qui décrit la fraîcheur des
fleurs du pêcher :

桃之夭夭，
灼灼其華。(*Shijing/Zhounan/Taoyao* 詩經·周南·桃夭)
Le pêcher est jeune et beau,
Ses fleurs sont brillantes[8].

Le second exemple est l'impressif « *yiyi* » (souplesse)
qui rend parfaitement la vue des saules. Liu Xie fait allusion
à un vers du *Canon des odes* :

昔我往矣，
楊柳依依。(*Shijing/Xiaoya/Caiwei* 詩經·小雅·采薇)
À notre départ,
Les saules étaient brillants de verdure[9].

Le troisième exemple est l'impressif « *gaogao* »
(lumière) qui décrit les aurores des levers de soleil. Liu Xie
fait allusion à un vers du *Canon des odes* :

其雨其雨，
杲杲出日。
Shijing/Weifeng /Boxi 詩經·衛風 ·伯兮
Oh ! la pluie ! Que la pluie tombe !
Le soleil apparaît brillamment[10].

---

[8] Trad. de Couvreur, Taibei 台北, Guangqi 光啟, 2004, p. 10.
[9] *Ibid.*, p. 186.
[10] *Ibid.*, p. 74.

Le quatrième exemple est l'impressif « *biaobiao* » (abondamment) qui figure les aspects de la pluie et de la neige. Liu Xie fait allusion à un vers du *Canon des odes* :

雨雪瀌瀌，
見晛曰消。(*Shijing/Xiaoya/Jiaogong* 詩經·小雅·角弓)
Une neige abondante est tombée, jiejie
Au premier rayon du soleil, elle se fond[11].

Le cinquième exemple est l'impressif « *jiejie* » (symphoniquement) qui fait écho aux chants d'oiseau. Liu Xie fait allusion à un vers du *Canon des odes* :

黃鳥於飛，
集於灌木，
其鳴喈喈。(*Shijing/Zhounan/Getan* 詩經·周南·葛覃)
Les oiseaux jaunes volaient çà et là,
Et se réunissaient sur les massifs d'arbres,
Leur voix chante de concert retentissaient au loin[12].

Le sixième exemple est l'impressif « *yaoyao* » (crissant) qui imite le crissement rythmé des insectes. Liu Xie fait allusion à un vers du *Canon des odes* :

喓喓草蟲，
趯趯阜螽。(*Shijing/Zhaonan/Caochong* 詩經·召南·草蟲)
La sauterelle des prés crie,
La sauterelle des coteaux sautille[13].

---

[11] *Ibid.*, p. 304.
[12] *Ibid.*, p. 6-7.
[13] *Ibid.*, p. 18.

Le septième exemple est le soleil « brille largement ». Liu Xie fait allusion à un vers du *Canon des odes* :

謂予不信，
有如皦日。(*Shijing/Wangfeng/Dache* 詩經·王風·大車)
Si tu doutes de ma sincérité,
Je prendrai à témoin le soleil qui nous éclaire[14].

Le huitième et le dernier exemple est l'étincelle lointaine des étoiles. Liu Xie fait allusion à un vers du *Canon des odes* :

嘒彼小星，
三五在東。(*Shijing/Zhaonan/Xiaoxing* 詩經·召南·小星)
Ces petites étoiles paraissent à peine,
On en voit de trois à cinq à l'Orient[15].

Ces huit exemples représentent l'art ancien de l'écriture pour faire éclater la nature des choses passant par un moyen de l'impressif redoublé par la même graphie.

L'impressif toujours à deux syllabes mais avec deux différents caractères graphiques, représente un autre aspect de l'association allusive. Liu Xie prend le « *cenci* » (inégalement) comme exemple du *Canon des odes*. Ici, Liu Xie fait allusion à un poème du *Canon des odes* dont les deux vers :

參差荇菜，
左右流之。(*Shijing/Zhounan/Guanju* 詩經·周南·關雎)
La plante aquatique *hing* tantôt grande tantôt petite,
A besoin d'être cherchée partout à droite et à gauche dans le sens du courant[16].

---

[14] *Ibid.*, p. 84.
[15] *Ibid.*, p. 25.
[16] *Ibid.*, p. 5.

Un autre impressif à deux syllabes qu'il a cité comme exemple est le « *woruo* » (onctueux). Liu Xie cite deux vers d'un poème du *Canon des odes* dont les deux vers :

桑之未落，
其葉沃若。(*Shijing/Weifeng /Mang* 詩經·衛風·氓)
Les feuilles du mûrier paraissent onctueuses,
Jusqu'à l'époque où elles commencent à tomber[17].

Ces deux impressifs à deux syllabes sont éloquents pour vivifier l'émotion par image.

Si ces deux rencontres, de la nature à l'émotion ou de l'émotion à la nature tracent principalement les sources littéraires du poète, et que le monde des choses a ses figures propres à chacun, l'homme est libre avec son esprit. Liu Xie insiste sur cette liberté naturelle de l'homme qui rend la spéculation humaine « sans contrainte, parfois elle atteint d'emblée le point ultime, parfois plus elle creuse profond plus elle s'en écarte. » (46.4) Ce qui est essentiel pour un écrivain, c'est de rester détaché de la nature manifestée en quatre saisons en récurrence, s'unissant sans se laisser être emporté par la nature, et s'inspirant de la nature riche en couleur et s'exprimant dans un langage sobre, clair, naturel sans luxuriance. Car la couleur des choses reste authentique aux changements de la nature, et l'esprit émotif de l'homme est infiniment changeable. Ainsi se crée une corrélativité entre l'émotion et l'inspiration, entre la nature et l'homme.

Mais dans les temps qui se succèdent, des cas d'excès ne sont plus rares, puisque les écrivains ont mis l'accent sur

---

[17] *Ibid.*, p. 68-69.

« l'imitation de la forme, sur l'observation des paysages et sur l'attention aux herbes et aux plantes ». (46.4) L'écriture littéraire évolue dans une richesse langagière mettant l'accent sur la description des choses. Celle-ci s'extrêmise dans le sublime, le langage calque exactement la nature qui soutient l'expression de l'émotion du poète.

10.2. Les Anciens : l'horizon d'attente de Liu Xie

Pour traiter du thème de « la couleur des choses », Liu Xie a cité des œuvres anciennes en mentionnant des lettrés comme références importantes. En tout, huit œuvres canoniques dont vingt-neuf textes ont été cités. (Voir le tableau 1)

Tableau 1
Œuvres citées dans le chapitre 46 du *Wenxin diaolong*[18]

Titres des ouvrages cités	Date d'apparition (siècle)
Shijing 詩經	XIᵉ-VIIIᵉ siècles avant notre ère
Zhounan/Taoyao·周南·桃夭	
Weifeng/Boxi 衛風 伯兮	
Xiaoya/jiaogong 小雅·角弓	
Zhounan/Getan 周南·葛覃	
Zhaonan/Caochong 召南·草蟲	
Xiaoya/Shangshangzehua 小雅·裳裳者華	
Xiaoya/Caiwei 小雅·采薇	
Weifeng/Boxi 衛風·伯兮	

---

[18] Le tableau est effectué par Yang Jing 楊竟.

Xiaoya/Jiaogong 小雅·角弓

Zhounan/Getan 周南·葛覃

Wangfeng/Dache 王風·大車

Zhaonan/Xiaoxing 召南·小星

Zhounan/Guanju 周南·關雎

Weifeng/Mang 衛風·氓

Binfeng/Qiyue 豳風·七月

Liezi/Huangdi 列子·黃帝   Vᵉ siècle avant notre ère

Mengzi/Wanzhang Shang 孟子·萬章上   IVᵉ siècle avant notre ère

Chuci/Lisao 楚辭·離騷   IIIᵉ siècle avant notre ère

   Jiuge/Shaomingsi 九歌·少司命

   Zhaohun 招魂

   Jiuzhang 九章

   Jiubian 九辯

   Zhaoyinshi 招隱士

   Qijian/Chufang 七諫·初放

Liji/Quli Shang 禮記·曲禮上   Iᵉʳ siècle avant notre ère

DadaiLiji 大戴禮記   Iᵉʳ siècle avant notre ère

   Xiaxiaozheng 夏小正

Fayan   Iᵉʳ siècle

   Wuzipian 吾子篇

Xijing Fu 西京賦   IIᵉ siècle

Parmi ces œuvres citées, le *Canon des odes* a fourni seize poèmes, les *Élégies de Chu*, neuf poèmes, le *Canon des rites* deux textes, avec trois autres textes philosophiques et un récitatif versifié. Les odes sont dominantes. Les temps anciens du XIᵉ au VIIIᵉ siècles avant notre ère représentés par le *Canon des odes* pèsent lourd dans la spéculation de Liu Xie. Leur succèdent les deux siècles (IIIe et IIe siècles avant notre ère) représentés aussi exclusivement par les six poèmes des *Élégies de Chu*. Le siècle le plus récent est au IIe après notre ère, trois siècles avant l'époque de Liu Xie (Ve siècle) avec un seul poème cité. Les époques anciennes sont impérativement présentes dans sa réflexion. Un point contrasté à signaler : aucune référence contemporaine n'y est présente.

Cette tendance pro-ancestrale trouve son écho dans la liste des noms de personnes citées. Onze lettrés de la liste sont tous datés des temps anciens (du Ve avant notre ère au IIe siècles) pour une durée historique de sept cents ans, dont les plus récents datent du Ier au IIe siècles. (Voir le tableau 2)

Tableau 2
Noms cités dans le chapitre 46

Lie Yukou 列御寇	450-375 avant notre ère
Meng Ke 孟軻	372-289 avant notre ère
Qu Yuan 屈原	340-278 avant notre ère
Song Yu 宋玉	298-222 avant notre ère
Sima Xiangru 司馬相如	179-118 avant notre ère
Huainan Xiaoshan 淮南小山	IIe siècle avant J.-C.
Dongfang Shuo 東方朔	161-93 avant notre ère
Dai De 戴德	Ier siècle avant J.-C.
Dai Sheng 戴聖	Ier siècle avant J.-C.
Yang Xiong 揚雄	53 avant notre ère-18
Zhang Heng 張衡	78-139

Parmi les onze lettrés (tous auteurs des œuvres) cités dans ce chapitre comme références littéraires, seul Zhang Heng représente l'époque après notre ère (ier siècle). Les dix autres lettrés datent des époques d'avant notre ère. Les temps anciens sont dominants indiscutablement comme références exemplaires dans ce traité de la « couleur des choses ». Cette tendance correspond à celle des œuvres citées.

Notons que les œuvres et les noms des personnages cités ont fourni conjointement la place dominante aux époques et aux textes anciens. Deux pics des œuvres citées sont représentés respectivement par l'époque du XIe au VIIIe siècles et l'époque du IIIe au IIe siècles avant notre ère, alors que les auteurs cités se trouvent massivement entre le Ve siècle avant notre ère et le IIe siècle après notre ère, dont deux pics respectivement du IIIe au IIe siècles et du Ier siècle avant notre ère. Mais les textes de l'époque de Liu Xie ne sont pas cités. Ils ne pèsent pas dans sa spéculation sur la couleur des choses par le « wen ».

Il est significatif que le « talent » ait nourri tant d'encre coulée sur sa notion et sa finitude dans le « wen » à qui Liu Xie a donné une place majeure. Si les trois premiers chapitres[19] du *Wenxin diaolong* sont structurés sur la pensée de Xunzi 荀子 (316-235 avant notre ère[20]) sur le principe de remonter au *Dao*, de suivre les Saints et de se ressourcer dans les canons, le chapitre 46 complète cette triade par une

---

[19] « Remonter au *dao* originel » (*Yuandao* 原道), « Appeler les saints » (*Zhengsheng* 徵聖), « Faire sa religion des canons » (*Zongjing* 宗經).
[20] Penseur confucianiste à la fin de la période des Royaumes combattants au IIIe siècle.

nouvelle dimension, taoïste, qui est basée sur la corrélation de l'homme avec la nature. Liu Xie insiste sur les deux sources de l'émotion littéraire prenant exemple sur la poésie de Qu Yuan. L'unification du soi se fait avec la nature par refus de la *mimésis*, en vivant le dehors et le dedans, perçant le plan des apparences, voilà le concept du « shanshui » (montagnes et eaux), tendance philosophique et artistique des époques des Wei et des Jin (220-420), est ainsi intégré dans la spéculation de Liu Xie.

XI

LE TALENT LITTÉRAIRE :
INTUITION, INSPIRATION
ET ÉVOCATION

———

L iu Xie traite du talent littéraire en citant comme références exemplaires quatre-vingt-dix-huit lettrés connus dans l'histoire de la littérature des cinq périodes. La première (l'époque de Yu le Grand, celle de l'empereur légendaire de Shun, celle des Xia, des Shang et des Zhou, XXIIe siècle avant notre ère-IIIe siècle avant notre ère) avait vingt et un écrivains. La deuxième période (dynastie des Han occidentaux et orientaux, IIIe siècle avant notre ère-IIIe siècle après notre ère), trente-trois écrivains sont mentionnés. La troisième période (dynastie des Wei, IIe-IIIe siècles après notre ère) est représentée par dix-huit lettrés de la dynastie des Wei. La quatrième période (dynastie des Jin occidentaux et orientaux, IIIe-Ve siècles) est marquée par vingt-six écrivains de la dynastie des Jin occidentaux et orientaux. Et pourtant, la cinquième époque contemporaine de Liu Xie (Song, 420-479 et Qi, 479-502, Dynasties du Sud, 420-589) n'a aucun nom d'écrivain cité.

11.1. Panthéon éternel de la littérature

La première période couvrant les cinq dynasties est marquée par des événements liés aux circonstances historiques. Les œuvres citées comme exemples datent de l'époque de l'empereur Shun et de celle des Xia. Sur le plan politique, ils traduisent les six vertus de Gao Yao 皋陶 (2220-2113 avant notre ère), ministre de l'empereur Shun[1]. Liu Xie cite surtout l'œuvre de la musique de Kui[2], l'éloge de Bo Yi[3], et la poésie *Chants filiaux* composée par cinq princes[4]. Pour lui, ce sont des chefs-d'œuvre exemplaires de douceur et d'élégance tant pour la formulation que pour le sens.

Puis, à partir des époques suivantes, celles des Shang et des Zhou, le sens et la forme esthétique représentent deux éléments essentiels pour la littérature, grâce aux écrits de

---

[1] Selon le *Canon des documents*, Gao Yao avait expliqué à l'empereur que la bonne gouvernance nécessitait neuf vertus (aisance et gravité, condescendance et fermeté, simplicité et décence, talent de gouverner et circonspection, docilité et force, rectitude et douceur, indulgence et discernement, inflexibilité et sincérité, courage et justice), que six suffisaient pour devenir un bon souverain. Voir le *Canon des documents/ Gao Yao mo*, Trad. de Couvreur, *Les Annales de la Chine*, Paris, Youfeng, 1999, p. 46.

[2] Kui, ministre de la musique de l'empereur Shun. Voir le *Canon des documents* (*Shangshu*, chap. « Shundian » 舜典).

[3] Voir le *Canon des documents* (*Shangshu*, chap. « Dayumo » 大禹谟).

[4] Cinq fils du roi Qi 啟 des Xia (2084-2006 avant notre ère) qui est le fils de Yu le Grand.

Zhong Hui[5], ceux de Yi Yin[6], de Jifu[7] et des poètes en odes et éloges.

Au Panthéon de la littérature éternelle, Liu Xie cite vingt et une personnes. (Voir Tableau 1)

Tableau 1
Noms cités (XXIIᵉ siècle avant J.-C.-202 avant J.-C.)

N°	Noms des personnes	Années de naissance et de mort
1	Gao Yao 皋陶	XXIIᵉ siècle avant J.-C.
2	Kui 夔	XXIᵉ siècle avant J.-C.
3	Bo Yi 伯益	XXIᵉ siècle avant J.-C.
4	Xia Qi Wu Zi 夏启五子	XXIᵉ siècle avant J.-C.
5	Yi Yin 伊尹	XVIIᵉ-XVIᵉ siècles avant J.-C.
6	Zhong Hui 仲虺	XVIIᵉ-XVIᵉ siècles avant J.-C.
7	Yin Jifu 尹吉甫	852 ?-775 ? avant notre ère
8	Zhao Cui 趙衰	?-622 avant notre ère
9	Sui Hui 隨會	660-583 avant notre ère
10	Wei Ao 蔿敖	630-593 avant notre ère
11	Zi Chan 子產	584 ?-522 avant notre ère
12	Gongsun Hui 公孫揮	VIᵉ siècle avant J.-C.

---

[5] Zhong Hui 仲虺 (?-?), ministre de Shang, connu pour la façon directe qu'il avait de donner son avis. Voir Shangshu, chap. « Zhong Hui zhigao 仲虺之誥 ».

[6] Yi Yin 伊尹 (1649-1549 avant notre ère ?), ministre des Shang. Voir *Shangshu*, chap. « Yi Yin 伊尹 ».

[7] Yin Jifu 尹吉甫 (852 ?-775 ? avant notre ère), ministre du roi Xuan des Zhou 周宣王 (r. 827-782 avant notre ère). Voir *Shijing* 詩經/*Daya* 大雅/*Chengmin* 烝民.

13	You Ji (Zi Taishu) 遊吉（子太叔）	?-507 avant notre ère
14	Su Qing 蘇秦	?-284 avant notre ère
15	Yue Yi 樂毅	IVᵉ-IIIᵉ siècles avant notre ère
16	Qu Yuan 屈原	340-278 avant notre ère
17	Fan Ju 範雎	?-255 avant notre ère
18	Xun Zi 荀子	313-238 avant notre ère
19	Song Yu 宋玉	298-222 avant notre ère
20	Han Fei 韓非	280-233 avant notre ère
21	Li Si 李斯	280-208 avant notre ère

Cette première période couvrant les époques de Yu le Grand, de l'empereur légendaire de Shun, des Xia, des Shang et des Zhou, fournit un style naturel et canonique aux écrits des générations suivantes. À côté des personnages mentionnés, dix-neuf œuvres sont citées comme références littéraires. (Voir Tableau 2)

Tableau 2. Ouvrages cités. Époque d'avant la dynastie des Han de l'Ouest (XXIIᵉ siècle avant J.-C.-202 avant J.-C.[8])

| 1 | *Shangshu/Wuzizhige* 尚書•五子之歌
Shangshu/Zhonghuizhigao 尚書•仲虺之誥
Shangshu/Yixun 尚書•伊訓
Shangshu/Gaoyaomo 尚書•皋陶謨
Shangshu/Shundian 尚書•舜典
Shangshu/Dayumo 尚書•大禹謨
Shangshu/Yinzheng 尚書•胤征
Shangshu/Feishi 尚書•費誓
Shangshu/Yu Gong 尚書•禹貢 | XVIᵉ siècle
avant notre ère |

---

[8] Le tableau est établi par Yang Jing.

2 *Zhouyi/Yi* 周易·頤
  Zhouyi/Qian 周易·乾
  XIᵉ-VIIIᵉ siècles
  avant notre ère

3 *Shijing/Xiaoya/Siyue* 詩經·小雅·四月
  Shijing/Lusong/Bigong 詩經·魯頌·閟宮
  Shijing/Daya/Zhengminxu 詩經·大雅·烝民序
  Shijing/Weifeng/Shuoren 詩經·衛風·碩人
  Shijing/Xiaoya/Changdi 詩經·小雅·常棣
  Shijing/Qifeng/Zaiqu 詩經·齊風·載驅
  XIᵉ-VIIIᵉ siècles
  avant notre ère

4 *Guanzi/Xingshijie* 管子·形勢解 (Guan Zhong 管仲)
  VIIᵉ siècle
  avant notre ère

5 *Laozi* 老子 (Laozi 老子)
  Vᵉ siècle
  avant notre ère

6 *Lunyu/Taibo* 論語·泰伯
  Lunyu/Zilu 論語·子路
  Lunyu/Yongye 論語·雍也
  Vᵉ siècle
  avant notre ère

7 *Zihuazi/Yanzi* 子華子·晏子 (Zihuazi 子華子)
  Vᵉ siècle
  avant notre ère

8 *Xianshu Bao Yanwang* 獻書報燕王 (Yue Yi 樂毅)
  IVᵉ siècle
  avant notre ère

9 *Shang Qinzhaowang shu* 上秦昭王書 (Fan Ju 範雎)
  IVᵉ siècle
  avant notre ère

10 *Chici/Lisao* 楚辭·離騷 (Qu Yuan 屈原)
   IIIᵉ siècle
   avant notre ère

11 *Bao Yanhuiwang shu* 報燕惠王書 (Yue Yi 樂毅)
   IIIᵉ siècle
   avant notre ère

12 *Gongyangzhuan/Mingong Ernian* 公羊傳·閔公二年
   (Gongyang Gao 公羊高)
   IIIᵉ siècle
   avant notre ère

13 *Zhuangzi/Xiaoyaoyou* 莊子·逍遙遊
   Zhuangzi/Shanmu 莊子·山木
   Zhuangzi/Xuwugui 莊子·徐無鬼
   (Zhuang Zhou 莊周)
   IIIᵉ siècle
   avant notre ère

14 *Mengzi/Gongsunchou shang* 孟子·公孫丑上
   (Meng Ke 孟軻)
   IIIᵉ siècle
   avant notre ère

15	*Xunzi/Fupian* 荀子·賦篇 *Xunzi/Yibing* 荀子·議兵 *Xunzi/Lilun* 荀子·禮論 (Xun Kuang 荀況)	IIIe siècle avant notre ère
16	*Hanfeizi/Shuonan* 韓非子·說難 (Han Fei 韓非)	IIIe siècle avant notre ère
17	*Lüshi chunqiu/Lisulan* 呂氏春秋·離俗覽 (Lü Buwei 呂不韋)	IIIe siècle avant notre ère
18	*Jianzhuke shu* 諫逐客書 (Li Si 李斯)	IIIe siècle avant notre ère

Les dix-huit œuvres dont quarante-six pièces citées datant du XVIe au IIIe siècle avant notre ère, sont considérées par Liu Xie comme de bonnes références littéraires, dont deux œuvres littéraires, dix-sept essais ou textes canoniques.

11.2. Une littérature éloquente, diplomatique politique

La deuxième période de la dynastie des Han occidentaux et orientaux fut marquée par une littérature qualifiée d'éloquente par Liu Xie, à travers la rhétorique (Guoqiao[9]), du discours diplomatique (Zhao Cui[10]), politique du com-

---

[9] Guoqiao 國僑, nommé aussi Gongsun Qiao dont le second nom est connu dans l'histoire : Zi Chan 子產 (?-522 avant notre ère), lettré de la principauté de Zheng à l'époque des Printemps et Automnes. Voir *Zuozhuan* 左傳, chap. « Xianggong » 襄公.

[10] Zhao Cui 趙衰 (?-622 avant notre ère), lettré des Jin à l'époque des Printemps et Automnes. Voir *Zuozhuan* 左傳, chap. « Xigong » 僖公.

mentaire des codes rituels (Wei Ao[11] et Sui Hui[12]), ou tout simplement de la beauté littéraire (Zitaishu[13] et Gongsun Hui[14]). La beauté littéraire commence à apparaître en compagnie du contenu. Le style littéraire naturel devient fleuri.

Ce style littéraire fleuri commence déjà dans les temps anciens. À l'époque des Royaumes Combattants qui privilégiait l'art militaire, nombre de lettrés furent à l'honneur grâce à leur rhétorique littéraire. Liu Xie cite comme grands écrivains de cette époque, Qu Yuan[15] et Song Yu[16] pour leurs remarquables élégies de Chu, Yue Yi[17] pour son raisonnement, Fan Ju[18]pour son langage plein de sous-entendus

---

[11] Wei Ao 蔿敖, ministre de la principauté de Chu à l'époque des Printemps et Automnes. Voir *Zuozhuan* 左傳, chap. « Xuangong » 宣公.

[12] Sui Hui 隨會 (660-583 avant notre ère), nommé également Shi Hui 士會, lettré des Jin à l'époque des Printemps et Automnes. Voir *Zuozhuan* 左傳, chap. « Xuangong » 宣公.

[13] Zitaishu, autre nom de You Ji (Zi Taishu) 遊吉 (?-507 avant notre ère), ministre de la principauté de Zheng à l'époque des Printemps et Automnes. Voir *Zuozhuan* 左傳, chap. « Xianggong » 襄公.

[14] Gongsun Hui 公孫揮, lettré de la principauté de Zheng à l'époque des Printemps et Automnes. Voir *Zuozhuan* 左傳, chap. « Xianggong » 襄公.

[15] Qu Yuan 屈原 (340-278 avant notre ère), poète de la principauté de Chu.

[16] Song Yu 宋玉 (298-222 avant notre ère), poète de la principauté de Chu.

[17] Yue Yi 樂毅 (IIIᵉ siècle), général de la principauté de Yan à l'époque des Printemps et Automnes. Il répondit au roi de la principauté de Yan qu'il ne pouvait pas terminer son exil et retourner au pays. Voir *Zhangguoce/Yance* 戰國策. 燕策 (*Stratagèmes des Royaumes Combattants/Stratagèmes des Yan*).

[18] Fan Ju 範雎 (?-255 avant notre ère), homme politique de la principauté de Qin. Voir *Zhangguoce/Qince* 戰國策. 秦策, *Stratagèmes des Royaumes Combattants/Stratagèmes des Qin*

mais bien ciblé, Su Qin[19], pour l'expression de ses idées dans un langage fort et persuasif, Li Si[20] pour son style élégant et émouvant, Xun Kuang[21], pour ses récitatifs versifiés. Le naturel et un littéraire brillant se réunissent pour former le style de l'écriture de cette première période.

Si la première période avait vingt et un écrivains mentionnés, celle qui lui a suivi, avait une trentaine d'écrivains et leurs œuvres mentionnées par Liu Xie qui commence par Lu Jia[22] le premier à faire éclater son talent exceptionnel dans la composition des récitatifs versifiés *Printemps précoce*[23] et *Nouvelles paroles*. Puis, Jia Yi talentueux avec ses idées exprimées de façon pertinente et dans un langage clair. Mei Cheng[24] et Zou Yang[25] sont appréciés par Liu Xie pour leurs écrits d'un pinceau « riche et brillant », Dong

---

[19] Su Qin 蘇秦 (?-284 avant notre ère), stratège de l'époque des Royaumes Combattants. Voir *Shiji/Su Qin liezhuan* 史記/蘇秦列傳 (*Mémoires historiques/Biographie de Su Qin*)

[20] Li Si 李斯 (280-208 avant notre ère), ministre de l'empereur fondateur des Qin. Voir *Shiji/Su Qin liezhuan* 史記/李斯列傳 (*Mémoires historiques/Biographie de Li Si*)

[21] Xun Kuang ou Xunzi 荀子 (313-238 avant notre ère), penseur, ses cinq textes étaient les premiers écrits sous forme des récitatifs versifiés. Voir *Xunzi* 荀子, chap. « Fupian » 賦篇.

[22] Lu Jia 陆贾 (240-170 avant notre ère), ministre, lettré des Han occidentaux.

[23] *Récitatif versifié du printemps précoce* (Mengchunfu 孟春賦).

[24] Il s'agit de l'œuvre Qifa 七發 (*Inspiration septuple*) de Mei Cheng 枚乘.

[25] Zou Yang 鄒陽 (206-129 avant notre ère), lettré des Han occidentaux.

Zhongshu[26] et Sima Qian[27] pour leur langage riche dans la lignée des anciennes odes, sans oublier Sima Xiangru, maître fondateur du récitatif versifié[28] qui, malgré la faiblesse de sa pensée, ne tient pas la hauteur de son riche langage. Les autres écrivains appréciés par Liu Xin sont Wang Bao[29] pour son écriture en finesse et délicatesse, Yang Xiong pour son langage diaboliquement beau, par ses mots recherchés. Ce groupe d'écrivains fournit un style exemplaire d'une clarté de l'esprit dans un langage solide.

Liu Xie indique que la littérature a connu une évolution du style. Avant Sima Xiangru et Wang Bao, la majorité des lettrés avaient « sur-employé » leur talent sans profondeur. Ce style superficiel était renforcé, à partir de Yang Xiong et de Liu Xiang, par des citations. Huan Tan[30] et Song Hong[31] avaient des écrits sans beauté littéraire. Quant à un groupe d'écrivains cités, Liu Xie est mitigé par

---

[26] Dong Zhongshu 董仲舒 (179-104 avant notre ère), grand lettré confucéen des Han occidentaux. Ici, Liu Xie évoque son poème 士不遇賦 (Lettré au destin de rester méconnu).

[27] Sima Qian 司馬遷 (145-86 ? avant notre ère), l'auteur du *Shiji* 史記 (*Mémoires historiques*). *Shibuyufu Beishibuyufu* 悲士不遇賦 (Tristesse du lettré destiné à la méconnaissance).

[28] Voir *Hanshu*/Xuzhuan 漢書·叙傳 (Mémoires historiques des Han).

[29] Wang Bao 王褒 (90-51 avant notre ère), lettré des Han occidentaux.

[30] Huan Tan 桓譚 (23 avant notre ère-56), lettré des Han orientaux. Voir Wang Chong 王充, *Lun Heng* 論衡 (*Discussions critiques*, chap. « Yiwen » 佚文).

[31] Song Hong Song Hong (?-40), ministre des Han orientaux. Voir *Houhanshu* 後漢書, chap. « Song Hong zhuan » 宋弘傳 (*Mémoires historiques des Han postérieurs*).

rapport à leur qualité littéraire malgré leur talent. Ils sont pères et fils comme Ban Gu[32] et Ban Biao[33], Liu Xiang[34] et Liu Xin[35], Fu Yi et Cui Yin[36], Cui Yuan et Cui Shi[37], et ceux qui ont le même talent que Du Du[38], Jia Kui[39], Li You[40],

---

[32] Ban Gu (32-92), lettré des Han orientaux.

[33] Ban Biao 班彪 (3-54), lettré des Han orientaux.

[34] Liu Xiang 劉向 (77-6 avant notre ère), lettré des Han occidentaux.

[35] Liu Xin 劉歆 (50 avant notre ère-23), lettré des Han occidentaux.

[36] Cui Yin 崔駰 (?-92), lettré des Han orientaux. Voir *Houhanshu* 後漢書, chap. « Cui Yin zhuan » 崔駰傳 (*Mémoires historiques des Han postérieurs*).

[37] Cui Shi 崔寔 (103 ?-170 ?), lettré des Han orientaux, petit-fils de Cui Yin. Voir *Houhanshu* 後漢書, chap. « Cui Yin zhuan » 崔駰傳 (*Mémoires historiques des Han postérieurs*).

[38] Du Du 杜篤 (?-78), lettré des Han orientaux. Voir *Houhanshu* 後漢書, chap. « Wenyuan zhuan » 文苑傳 (*Mémoires historiques des Han postérieurs*).

[39] Jia Kui 賈逵 (30-101), lettré des Han orientaux. Voir *Houhanshu* 後漢書, chap. « Jia Kui zhuan » 賈逵傳 (*Mémoires historiques des Han postérieurs*).

[40] Li You 李尤 (44-126), lettré des Han orientaux. Voir *Houhanshu* 後漢書, chap. « Wenyuan zhuan » 文苑傳 (*Mémoires historiques des Han postérieurs*).

Ma Rong[41], Wang Yi[42], Wang Yanshou[43], Zhang Heng, Cai Yong, Liu Xiang, Zhao Yi, Kong Rong, Mi Heng[44], Pan Xu.

À cette grande époque littéraire, un autre groupe d'écrivains était très apprécié par Liu Xie, pour leur description des choses, la beauté littéraire et la puissance d'imagination et d'esprit. Parmi eux, le lettré Jingtong[45] qui était doué pour la prose et les récitatifs versifiés ; Ma Rong, grand lettré confucianiste, qui a atteint un équilibre entre l'éclat de la forme et le contenu ; Wang Yi, érudit, Wang Yanshou[46] d'un talent élégant et original ; Zhang Heng érudit et clairvoyant, Cai Yong[47] d'une élégante finesse ; Liu Xiang direct mais et modéré ; Zhao Yi[48] dont les écrits

---

[41] Ma Rong 馬融 (79-166), lettré des Han orientaux. Voir *Houhanshu* 後漢書, chap. « MA Rong zhuan » 馬融傳 (*Mémoires historiques des Han postérieurs*).

[42] Wang Yi 王逸 (?-?), lettré des Han orientaux. Voir *Houhanshu* 後漢書, chap. « Wenyuan zhuan » 文苑傳 (*Mémoires historiques des Han postérieurs*).

[43] Wang Yanshou 王延壽 (124-148), fils de Wang Yi, lettré des Han orientaux.

[44] Mi Heng 禰衡 (173-198), lettré des Han orientaux.

[45] Second nom de Feng Yan 馮衍 (6 ?-76 ?), lettré des Han orientaux. *Houhanshu* 後漢書, chap. « Feng Yan zhuan » 馮衍傳 (*Mémoires historiques des Han postérieurs*).

[46] Wang Yanshou 王延壽 (124-148), fils de Wang Yi, lettré des Han orientaux.

[47] Cai Yong 蔡邕 (133-192), lettré des Han orientaux. Voir *Houhanshu* 後漢書, chap. « Cai Yong zhuan » 蔡邕傳 (*Mémoires historiques des Han postérieurs*).

[48] Zhao Yi 趙壹 (122-196), lettré des Han orientaux. Voir *Houhanshu* 後漢書, chap. « Zhao Yi zhuan » 趙壹傳 (*Mémoires historiques des Han postérieurs*).

sont riches de sens dans une forme relâchée ; Kong Rong[49] fort dans la prose, Pan Xu[50] guidé par les textes canoniques ; Wang Lang[51] pour sa beauté en écriture épigraphique. En tout trente-trois noms sont cités comme références littéraires. (Voir le tableau suivant)

Tableau 3 : Noms cités
Les deux dynasties des Han (206 avant J.-C.-220)

N°	Noms des personnes	Années de naissance et de mort
1	Lu Jia 陆贾	240-170 avant notre ère
2	Jia Yi 賈誼	200-168 avant notre ère
3	Mei Cheng 枚乘	210 ?-138 ? avant notre ère
4	Zou Yang 鄒陽	206-129 avant notre ère
5	Dong Zhongshu 董仲舒	179-104 avant notre ère
6	Sima Qian 司馬遷	145-86 ? avant notre ère
7	Sima Xiangru 司馬相如	179-118 avant notre ère
8	Yang Xiong 揚雄	53-18 avant notre ère
9	Wang Bao 王襃	90-51 avant notre ère
10	Huan Tan 桓譚	56-23 avant notre ère
11	Song Hong 宋弘	?-40

---

[49] Kong Rong 孔融 (153-208), lettré des Han orientaux. Voir *Houhanshu* 後漢書, chap. « Kong Rong zhuan » 孔融傳 (*Mémoires historiques des Han postérieurs*).

[50] Pan Xu 潘勗 (?-215), lettré des Han orientaux.

[51] Wang Lang 王朗 (?-228), lettré des Wei. Voir *Sanguozhi* 三國志, *Weishu* 魏書 (Histoires des trois Royaumes Combattants, Volume des Wei).

12	Feng Yan 馮衍	Iᵉʳ siècle avant J.-C.-Iᵉʳ siècle
13	Ban Biao 班彪	3-54
14	Ban Gu 班固	32-92
15	Liu Xiang 劉向	77-6 avant notre ère
16	Liu Xin 劉歆	50 avant notre ère-23
17	Fu Yi 傅毅	?-90
18	Cui Yin 崔駰	?-92
19	Cui Yuan 崔瑗	77-142
20	Cui Shi 崔寔	103 ?-170 ?
21	Du Du 杜篤	?-78
22	Jia Kui 賈逵	30-101
23	Li You 李尤	44-126
24	Ma Rong 馬融	79-166
25	Wang Yi 王逸	Iᵉʳ-IIᵉ siècle
26	Wang Yanshou 王延壽	124-148
27	Zhang Heng 張衡	78-139
28	Cai Yong 蔡邕	133-192
29	Zhao Yi 趙壹	122-196
30	Kong Rong 孔融	153-208
31	Mi Heng 禰衡	173-198
32	Pan Xu 潘勖	?-215
33	Wang Lang 王朗	?-228

Ces trente-trois lettrés cités par Liu Xie sont considérés comme les représentants de la belle époque de la littérature (dynastie des Han occidentaux, 202 avant notre ère-8 après notre ère, et celle des Han orientaux 25-220). Par rapport à l'époque précédente marquée par le style canoniquement naturel et éloquent, la littérature des deux dynasties des Han a connu une variation en genres d'écriture, qui avaient de nombreuses fonctions distinctives (récitatifs versifiés, prose, essais allégoriques, écrits administratifs ou politiques). Vingt-cinq œuvres dont seize chapitres ont été cités comme références littéraires dans ce chapitre :

Tableau 4 : Œuvres citées (dynastie des Han)[52]

Les deux dynasties des Han (206 avant J.-C.-220)

1 *Mengchunfu* 孟春賦 (Lu Jia 陸賈)

2 *Hanshi waizhuan* 韓詩外傳 (Han Ying 韓嬰)

3 *Xinyu* 新語 (Lu Jia 陸賈)

4 *Qifa* 七發 (Mei Cheng 枚乘)

5 *Zixufu* 子虛賦 (Sima Xiangru 司馬相如)

6 *Shangshu Wuwang* 上書吳王 (Zou Yang 鄒陽)

7 *Huainanzi*/Shuoshanxun 淮南子·說山訓 (Liu An 劉安)

8 *Chuci*/Qijian/Chufang 楚辭·七諫·初放 (Dongfang Shuo 東方朔)

9 *Shibuyufu* 士不遇賦 (Dong Zhongshu 董仲舒)

10 *Beishibuyufu* 悲士不遇賦 (Sima Qian 司馬遷)

11 *Shiji*/Xia benji 史記·夏本紀
    Shiji/Kongzi shijia 史記·孔子世家
    Shiji/Sima Xiangru liezhuan 史記·司馬相如列傳
    (Sima Qian 司馬遷)

12 *Xinxu* 新序 (Liu Xiang 劉向)

---

[52] Le tableau est établi par Yang Jing.

13 *Yantielun/Zalun* 鹽鐵論·雜論 (Huan Kuan 桓寬)

14 *Liji*/Liyun 禮記·禮運
Liji/Quli 禮記·曲禮
Liji/Jingjie 禮記·經解
(Dai Sheng 戴聖)

15 *Chuci*/Jiutan/Jiusi 楚辭·九嘆·怨思
(Liu Xiang 劉向)

16 *Liexianzhuan*/Jiangfei ernü 列仙傳·江妃二女
(Liu Xiang 劉向)

17 *Fayan*/Junzi 法言·君子
(Yang Xiong 揚雄)

18 *Xianfu* 仙賦 (Huan Tan 桓譚)

19 *Lunheng*/Yiwen 論衡·佚文
Lunheng/Ziji 論衡·自紀
Lunheng/Benxing 論衡·本性
(Wang Chong 王充)

20 *Hanshu*/Yiwenzhi 漢書·藝文誌
Hanshu/Dong Zhongshu zhuanzan 漢書·董仲舒傳贊
Hanshu/Yang Xiong zhuanxia 漢書·揚雄傳下
Hanshu/Huang Ba zhuan 漢書·黃霸傳
Hanshu/Zhao Chongguo Xin Qingji zhuan 漢書·趙充國辛慶忌傳
Hanshu/Lu Jia zhuan 漢書·陸賈傳 (Ban Gu 班固)

21 *Xidufu* 西都賦 (Ban Gu 班固)

22 *Xianzhifu* 顯志賦 (Feng Yan 馮衍)

23 *Wangminglun* 王命論 (Ban Biao 班彪)

24 *Xijingfu* 西京賦 (Zhang Heng 張衡)

25 *Qianfulun*/Wuben 潛夫論·務本 (Wang Fu 王符)

26 *Langya Wang Fu Cai Lang bei* 瑯邪王傅蔡郎碑 (Cai Yong 蔡邕)

27 *Jiezishu* 誡子書 (Xheng Xian 鄭玄)

Les vingt-sept œuvres citées comme références littéraires datent de l'époque des Han (du Ier siècle avant notre ère au IIe siècle après notre ère), dont six sont sous la forme de mémoires historiques et essais, les dix-neuf autres, en écrits littéraires en récitatif versifié et en prose.

11.3. L'élévation de l'émotion et l'éclat de l'écriture

La troisième période datant de la dynastie des Wei (220-265) débute avec son empereur Wen des Wei[53] connu dans l'histoire pour ses exploits militaires qui cachent ses éclats littéraires. Ses poèmes du genre « yuefu » étaient qualifiés par Liu Xie de riches en fraîcheur de résonances, et son ouvrage *Dianlun*[54] (*Sur les recueils canoniques*), de précis et persuasif. Selon Liu Xie, le talent littéraire de l'empereur était altier et somptueux mais les critiques le sous-estimèrent, en le comparant avec celui de son frère Cao Zhi (曹植, 192-232) qui était vif d'esprit et très doué en belle écriture d'essais et de mémoriaux. En tout, dix-huit lettrés ont été pris comme représentants des Wei par Liu Xie.

---

[53] Wei Wendi 魏文帝 (r. 220-226), Cao Pi 曹丕, dont le second nom est Ziheng 子桓, grand frère de Cao Zhi 曹植 (192-232), prince Si de Chen, poète éminent, dont le second nom est Zijian 子建.
[54] *Dianlun* 典論 (De livres canoniques).

Tableau 5
Lettrés représentants de la troisième période
(Dynastie des Wei 220-265)

1	Wei Wendi 魏文帝	220-226
2	Cao Zhi 曹植	192-232
3	Wang Can 王粲	177-217
4	Chen Lin 陳琳	?-217
5	Ruan Yu 阮瑀	165-212
6	Xu Gan 徐幹	170-217
7	Liu Zhen 劉楨	179-217
8	Ying Yang 應瑒	177-217
9	Lu Cui 路粹	?-214
10	Yang Xiu 楊修	175-219
11	Ding Yi 丁儀	?-220
12	Handan Chun 邯鄲淳	132 ?-221
13	Liu Shao 劉卲	168-249
14	He Yan 何晏	?-249
15	Ying Ju 應璩	190-252
16	Ying Zhen 應貞	234-269
17	Ji Kang 嵇康	224 ?-263 ?
18	Ruan Ji 阮籍	210-263

Liu Xie cite aussi les lettrés de talent, tels Wang Can 王粲 (177-217), pour ses beaux écrits d'une langue presque parfaite, qualifiés de meilleurs parmi les sept sages[55], Chen Lin et Ruan Yu renommés pour leurs courriers adressés à

---

[55] Sept lettrés nommés sept sages de la forêt de bambou.

l'empereur – et leurs proclamations militaires, Xu Gan, Liu Zhen qui ont réussi à unifier l'élévation de l'émotion et l'éclat de l'écriture. D'autres écrivains cités sont Ying Chang pour sa réputation littéraire érudite, Lu Cui[56] et Yang Xiu[57], excellents dans le genre d'écriture épistolaire et mémorielle, Ding Yi[58], Handan Chun[59], Liu Shao[60], He Yan[61] pour l'éloquence de leurs récitatifs versifiés. Quant au style et la structuration, Xiulian[62] et Jifu[63] ont été mentionnés comme bonnes références ; Ji Kang est mentionné pour ses idées, Ruan Ji, pour son engagement corps et âme dans l'écriture. Le tableau suivant illustre les œuvres citées :

---

[56] Lu Cui 路粹 (?-214), lettré des Han orientaux. Voir *Sanguozhi/ Weishu* 三國志·魏書, chap. « Wang Can zhuan » 王粲傳 (*Histoires des trois Royaumes Combattants, Volume des Wei*).

[57] Yang Xiu 楊修 (175-219), lettré des Wei. Voir *Sanguozhi/Weishu* 三國志·魏書, chap. « Chensiwang zhuan » 陳思王傳. (*Histoires des trois Royaumes Combattants, Volume des Wei*).

[58] Ding Yi 丁儀 (?-220), lettré des Wei. Voir *Sanguozhi/Weishu* 三國志·魏書, chap. « Chensiwang zhuan » 陳思王傳. (*Histoires des trois Royaumes Combattants, Volume des Wei*).

[59] Handan Chun 邯鄲淳 (132 ?-221), lettré des Wei. Voir *Sanguozhi/ Weishu* 三國志·魏書, chap. « Wang Can zhuan » 王粲傳. (*Histoires des trois Royaumes Combattants, Volume des Wei*).

[60] Liu Shao 劉邵 (168-249), lettré des Wei. Voir *Sanguozhi/Weishu* 三國志·魏書, chap. « Liu Shao zhuan » 劉邵傳. (*Histoires des trois Royaumes Combattants, Volume des Wei*)

[61] He Yan 何晏 (?-249), lettré des Wei, Voir *Sanguozhi/Weishu* 三國志· 魏書, chap. « Zhuxiahou Cao zhuan » 諸夏侯曹傳. (*Histoires des trois Royaumes Combattants, Volume des Wei*).

[62] Second nom de Ying Qu 應璩 (190-252).

[63] Second nom de Ying Zhen 應貞 (234-269), lettré des Wei et des Jin. Voir *Jinshu* 晉書 (*Mémoires historiques des Jin*).

Tableau 6
Œuvres citées (dynastie des Wei 220-265)⁶⁴

1	*Zhengfu* 箏賦 (Yuan Yu 阮瑀)	IIᵉ siècle
2	*Ce Wegong jiuxi wen* 冊魏公九錫文 (Pan Xu 潘勖)	IIIᵉ siècle
3	*Dianlun/Lunwen* 典論·論文 (Cao Pi 曹丕)	IIIᵉ siècle
4	*Da Dong'ewang jian* 答東阿王箋 (Chen Lin 陳琳)	IIIᵉ siècle
5	*Youhaifu* 遊海賦 (Wang Can 王粲)	IIIᵉ siècle
6	*Xinglilun* 刑禮論 (Ding Yi 丁儀)	IIIᵉ siècle
7	*Shang Shoumingshu biao* 上受命述表 (Handan Chun 邯鄲淳)	IIIᵉ siècle
8	*Zhaodufu* 趙都賦 (Liu Shao 劉邵)	IIIᵉ siècle
9	*Jingfudianfu* 景福殿賦 (He Yan 何晏)	IIIᵉ siècle
10	*Baiyishi* 百壹詩 (Ying Qu 應璩)	IIIᵉ siècle
11	*Lindanfu* 臨丹賦 (Ying Zhen 應貞)	IIIᵉ siècle

Il y a un décalage entre les personnes nommées et les œuvres citées : dix-huit lettrés cités avec onze œuvres appelées par Liu Xie. Par rapport à la dynastie des Han

---

⁶⁴ Le tableau est établi par Yang Jing.

dont vingt-cinq œuvres avec trente-six pièces ont été citées comme références littéraires datant de l'époque, un glissement de terrain est ressenti, d'autant plus que parmi ces onze œuvres représentatives cinq sont en genre de récitatifs versifiés, six autres, en essai. La présence littéraire de cette période est moins importante non seulement par rapport à celle de l'époque précédente, mais aussi par rapport aux essais de la même époque. Il faut attendre l'époque des Jin pour que la littérature de référence regagne sa place dominante.

11.4. La beauté de l'esprit libre : le « wen »

Si les lettrés de talent de la dynastie des Wei étaient nommés par Liu Xiu pour leur beau style et leur esprit libre, les vingt-six écrivains de la dynastie suivante ont été pris en compte dans la même lignée (voir le tableau suivant). L'époque des Jin représentée par vingt-six figures littéraires est placée juste derrière l'apogée des belles lettres des Han.

Tableau 7
Lettrés cités (dynastie des Jin 266-420)[65]

1	Zhang Hua 張華	232-300
2	Zuo Si 左思	250-305
3	Pan Yue 潘岳	247-300
4	Lu Ji 陸機	261-303
5	Lu Yun 陸雲	262-303

---

[65] Le tableau est établi par Yang Jing.

6	Sun Chu 孫楚	?-293
7	Zhi Yu 摯虞	250-300
8	Fu Xuan 傅玄	217-278
9	Fu Xian 傅咸	239-294
10	Chenggong Sui 成公綏	231-273
11	Xiahou Zhan 夏侯湛	243-291
12	Cao Shu 曹攄	?-308
13	Zhang Han 張翰	IIIe siècle
14	Zhang Zai 張載	IIIe siècle
15	Zhang Xie 張協	IIIe siècle
16	Liu Kun 劉琨	270-317
17	Lu Chen 盧諶	284- 351
18	Guo Pu 郭璞	276-324
19	Yu Liang 庾亮	289-340
20	Wen Qiao 溫嶠	288-329
21	Sun Sheng 孫盛	302-374
22	Gan Bao 干寶	282 ?-351
23	Sun Chuo 孫綽	314-371
24	Yuan Hong 袁宏	328-376
25	Yin Zhongwen 殷仲文	?-407
26	Xie Hun 謝混	378-412

Parmi eux, Liu Xie apprécie particulièrement Zhang Hua[66] pour la fraîcheur de ses écrits dont le *Jiaoliaofu* 鷦鷯賦 (*Troglodyte*) qui traduit l'esprit du *Shuonan* (*La*

---

[66] Zhang Hua 張華 (232-300), homme politique et lettré des Jin occidentaux, dont l'œuvre est perdue.

persuasion)[67] de Han Feizi[68], Zuo Si pour sa profonde réflexion et son talent manifestés dans son *Sandufu* (*Récitatif versifié sur les trois capitales*[69]) et ses poèmes *Yongshi* (*Chants sur l'histoire*[70]).

Quinze œuvres ont été citées comme références exemplaires de la quatrième période. (Voir le tableau suivant)

Tableau 8
Œuvres citées (dynastie des Jin)[71]

1	*Jiaoyaofu* 鷦鷯賦 (Zhang Hua 張華)	IIIᵉ siècle
2	*Wenzhang liubie lun* 文章流別論 (Zhi Yu 摯虞)	IIIᵉ siècle
3	*Sandufu* 三都賦 (Zuo Si 左思)	IIIᵉ siècle
4	*Haifu* 海賦 (Mu Hua 木華)	IIIᵉ siècle
5	*Yousifu* 思遊賦 (Zhi Yu 摯虞)	IIIᵉ siècle
6	*Sanguo zhi*/Shu shu/Qin Mi zhuan 三國誌·蜀書·秦宓傳	IIIᵉ siècle
7	*Yongshi* 詠史 (Zuo Si 左思)	IIIᵉ siècle
8	*Xizhengfu* 西征賦 (Pan Yue 潘岳)	IIIᵉ siècle
9	*Nanjiaofu* 南郊賦 (Guo Pu 郭璞)	IIIᵉ siècle
10	*Zeng Feng Wenpi shi* 贈馮文羆詩 (Lu Ji 陸機)	IIIᵉ siècle
11	*Youxianshi* 遊仙詩 (Guo Pu 郭璞)	IIIᵉ siècle ?
12	*Nanzhou Huangong* Jiujing zuo 南州桓公九井作 (Yin Zhongwen 殷仲文)	Vᵉ siècle

---

[67] Hanfeizi • Shuonan 韓非子 • 說難.

[68] Han Fei 韓非 (280-233 avant notre ère), penseur à l'époque de la fin des Royaumes-Combattants. Voir *Shiji* 史記, chap. « Laozi, Han Fei liezhuan » 老子韓非列傳 (*Mémoires historiques*)

[69] *Sandufu* 三都賦.

[70] *Yongshi* 詠史.

[71] Le tableau est établi par Yang Jing.

13   *You Xichi* 遊西池 (Xie Hun 謝混)   Vᵉ siècle

14   *Shishuo xinyu*/Shangyu 世說新語·賞譽   Vᵉ siècle

15   *Houhanshu*/Yufuzhizan 後漢書·輿服誌贊
(4)   *Houhanshu*/Cai Yong zhuan 後漢書·蔡邕傳
      Houhanshu/Cui Yin zhuan 後漢書·崔駰傳
      Houhanshu/Lienü zhuan/Dong Si qi 後漢書·列女傳·董祀妻   Vᵉ siècle
      Houhanshu/Zhi Shou zhuan 後漢書·郅壽傳
      Houhanshu/Fangshu zhuan/Xie Yiwu 後漢書·方術傳·謝夷吾

Parmi les vingt-six lettrés cités, dix écrivains ont fourni quinze textes littéraires dont onze dans le genre de récitatifs versifiés, deux textes historiographiques, un récit et un essai de critique. Le *Xizhengfu* (*Récitatif versifié sur l'expédition à l'Ouest*[72]) de Pan Yue est apprécié par Liu Xie pour son style fluide et sa sensibilité nouvelle, sensible et rapide, dans une langue naturelle et fluide. Lu Ji a marqué l'époque par son langage et sa pensée profonde mais sans pouvoir en maîtriser la complexité. Lu Yun[73], au contraire, maîtrise la complexité par son érudition, réussit à faire l'écriture courte, et Zhi Yu[74] avec sa critique bien argumentée.

Liu Xie convoque d'autres écrivains en énumérant leurs qualités littéraires : Chenggong Sui[75] avec ses beaux

---

[72] *Xizhengfu* 西征賦.

[73] Lu Yun 陸雲 (262-303), lettré des Jin occidentaux. Voir *Jinshu* 晋書, chap. « Lu Yun zhuan » 陸雲傳. (*Histoires des Jin*).

[74] Zhi Yu 摯虞 (250-300), lettré des Jin occidentaux. Voir *Jinshu* 晋書, chap. « Zhi Yu zhuan » 摯虞傳 (*Histoires des Jin*).

[75] Chenggong Sui 成公綏 (231-273), lettré des Jin occidentaux. Voir *Jinshu* 晋書, chap. « Chenggong Sui zhuan » 成公綏傳. (*Histoires des Jin*).

vers, Xia Houzhan[76] avec ses écrits courts, Cao Shu[77] avec ses longs écrits dans un style luxuriant mais transparent, et Jiying[78] avec ses textes précis. Mengyang[79] et Jingyang[80] sont tous deux remarquablement talentueux, des frères égaux comme l'étaient politiquement les principautés de Lu et de Wei, Sun Chu[81] avec sa langue directe et fluide, Liu Kun[82] pour son style fort, Lu Chen[83] pour son argumentation brillante. Ces lettrés de talent témoignent chacun de leur style de l'époque.

Les Jin orientaux étaient connus pour leur esprit plus ouvert. Le lettré Guo Pu[84] fut ainsi classé en tête des écrivains pour la liberté de ses beaux écrits. Liu Xie cite ses œuvres, le *Jiaofu* (*Récitatif versifié sur le Faubourg du sud*) et le *Youxianshi* (*Poèmes sur les immortels*) pour leur style

---

[76] Xiahou Zhan 夏侯湛 (243-291), lettré des Jin occidentaux. Voir *Jinshu* 晋書, chap. « Xiahou Zhan zhuan » 夏侯湛傳. (*Histoires des Jin*).

[77] Cao Shu 曹攄 (?-308), lettré des Jin occidentaux.

[78] Zhang Han 張翰 (IIIᵉ siècle), lettré des Jin occidentaux. Voir *Jinshu* 晋書, chap. « Zhang Han zhuan » 張翰傳. (*Histoires des Jin*).

[79] Zhang Zai 張載 (IIIᵉ siècle), lettré des Jin occidentaux. Voir *Jinshu* 晋書, chap. « Zhang Zhai zhuan » 張載傳. (*Histoires des Jin*).

[80] Zhang Xie 張協 (iiiᵉ siècle), lettré des Jin occidentaux. Voir *Jinshu* 晋書, chap. « Zhang Xie zhuan » 張協傳. (*Histoires des Jin*).

[81] Sun Chu 孫楚 (3 ?-293), lettré des Jin occidentaux. Voir *Jinshu* 晋書, chap. « Sun Chu zhuan » 孫楚傳. (*Histoires des Jin*).

[82] Liu Kun 劉琨 (270-317), lettré des Jin occidentaux. Voir *Jinshu* 晋書, chap. « Liu Kun zhuan » 劉琨傳. (*Histoires des Jin*).

[83] Lu Chen 盧諶 (284-351), lettré des Jin occidentaux. Voir *Jinshu* 晋書, chap. « Lu Chen zhuan » 盧諶傳. (*Histoires des Jin*).

[84] Second nom de Guo Pu 郭璞 (276-324), lettré des Jin orientaux. Voir *Jinshu* 晋書, chap. « Guo Pu zhuan » 郭璞傳. (*Histoires des Jin*).

élevé. La franchise sereine de Yu Liang[85], la clarté de Wen Qiao[86], la brillance littéraire inspirée des canons de Sun Sheng[87] et Gan Bao[88] sont aussi appréciées.

Liu Xie semble peu positif devant quatre lettrés, Yuan Hong[89] jugé de trop dévier, et Sun Chuo, jugé de ne pas faire aboutir la description, Yin Zhongwen[90] et Xie Shuyuan[91] jugés d'être emportés par l'émotion. Légèreté et superficialité sont les deux ennemis de l'écriture.

Si les lettrés des époques anciennes ou précédentes font couler tant d'encre chez Liu Xie, ceux de son époque contemporaine ne l'attirent point, aucun nom n'est cité. La raison est étonnamment simple : « ils sont de notre époque, ce n'est pas la peine d'en faire l'analyse et la critique ». (47.9) Mais cela ne veut pas autant dire que Liu Xie privilégiait l'ancienneté. Parmi les quatre-vingt-dix-huit noms cités, ceux du Ier au IIIe siècle ont été classés au premier rang. L'époque contemporaine de Liu Xie du Ve siècle n'a aucun

---

[85] Yu Liang 庾亮 (289-340), lettré des Jin orientaux. Voir *Jinshu* 晉書, chap. « Yu Liang zhuan » 庾亮傳. *(Histoires des Jin).*

[86] Wen Qiao 溫嶠 (288-329), lettré des Jin orientaux. Voir *Jinshu* 晉書, chap. « Wen Qiao zhuan » 溫嶠傳. *(Histoires des Jin).*

[87] Sun Sheng 孫盛 (302-374), lettré des Jin orientaux.

[88] Gan Bao 干寶 (282 ?-351), lettré des Jin orientaux.

[89] Yuan Hong 袁宏 (328-376), lettré des Jin orientaux. Voir *Jinshu* 晉書, chap. « Yuan Hong zhuan » 袁宏傳. *(Histoires des Jin).*

[90] Yin Zhongwen 殷仲文 (?-407), lettré des Jin orientaux. Voir *Jinshu* 晉書, chap. « Yin Zhongwen zhuan » 殷仲文傳. *(Histoires des Jin).*

[91] Second nom de Xie Hun 謝混 (378-412), lettré des Jin orientaux. Ici, Liu Xie fait allusion au poème *You Xichi* 遊西池 *(Visite l'Étang Ouest)* de Xie Hun. (Voir *Wenxuan* 文選, vol. 22).

écrivain cité. Mais en l'absence des lettrés contemporains, apparaissent deux œuvres citées. Voir le tableau suivant :

Tableau 9. Œuvres cités
(la cinquième époque : Song, 420-479, Qi, 479-502,
dynasties du Sud, 420-589)

1	*Shishuo xinyu*/Shangyu 世說新語·賞譽 (Liu Yiqing 劉義慶)	Vᵉ siècle
2	*Houhanshu*/Yufuzhizan 後漢書·輿服誌贊 *Houhanshu*/Cai Yong zhuan 後漢書·蔡邕傳 *Houhanshu*/Cui Yin zhuan 後漢書•崔駰傳 *Houhanshu*/Lienü zhuan/Dong Si qi 後漢書·列女傳·董祀妻 *Houhanshu*/Zhi Shou zhuan 後漢書·郅壽傳 *Houhanshu*/Fangshu zhuan/Xie Yiwu 後漢書·方術傳·謝夷吾 (Fan Ye 範曄)	Vᵉ siècle

En somme, quatre-vingt-dix-huit écrivains ont été convoqués par Liu Xie pour traiter de la problématique du talent littéraire. Parmi eux, ceux du IIIᵉ siècle se trouvent en tête, suivis respectivement du IIIᵉ et du Iᵉʳ siècle. L'époque contemporaine de Liu Xie du Vᵉ siècle est absente. La deuxième période de la dynastie des Han se trouve en tête avec trente-trois lettrés cités, suivie de la quatrième période (dynastie des Jin occidentaux et orientaux, IIIᵉ-Vᵉ siècle) marquée par vingt-six écrivains de la dynastie des Jin occidentaux et orientaux. Si on place ces noms cités dans le cadre chronique des siècles, on voit que le IIᵉ siècle avant notre ère et le IIIᵉ siècle après notre ère, durant cinq cents ans, représentent le pic du mouvement.

La cinquième époque, celle de Liu Xie (Song, 420-479 et Qi, 479-502, la dynastie du Sud, 420-589) n'a aucun écrivain cité. Liu Xie, fidèle aux temps anciens et aux sources littéraires canoniques, s'est appuyé sur les œuvres anciennes ou moins récentes, refusant de citer ses contemporains.

Sur le plan général des œuvres citées, les soixante-douze œuvres ont été citées dans le chapitre portant sur le talent littéraire. Les écrits les plus nombreux datent de la deuxième période sous la dynastie des Han (IIIe siècle avant notre ère-IIIe siècle après notre ère) avec vingt-cinq œuvres dont trente-six pièces. Les temps anciens (l'époque du Yu le Gand, celle de l'empereur légendaire de Shun, celles des Xia, des Shang et des Zhou, XXIIe siècle avant notre ère-IIIe siècle avant notre ère) se trouvent au second rang avec dix-neuf œuvres mentionnées par Liu Xie. La troisième période sous la dynastie des Wei (220-265) au quatrième rang avec onze œuvres citées.

En général, comparant la courbe du nombre de noms cités (quatre-vingt-dix-huit personnes dont vingt-quatre du IIIe s.) et celle des textes littéraires cités (soixante-dix dont vingt et un du IIIe siècle), nous avons vu que le mouvement du nombre de personnes citées et celui du nombre d'articles cités peuvent se calquer sur le même rythme. Le premier connaît son pic sous la dynastie des Han avec trente-trois personnes citées et le second monte au sommet avec les vingt-sept œuvres représentatives citées de la même époque. Il est indiscutable que l'époque des Han est favorisée dans la critique de Liu Xie, ayant plus de talents littéraires. L'époque la plus pauvre en termes de talents et d'œuvres littéraires est la dynastie des Song (420-479) avec l'absence absolue des lettrés cités et deux œuvres seulement citées.

Cette tendance est révélatrice du champ littéraire de la critique de Liu Xie. D'un côté, il remonte pour le fondement littéraire au *Dao* originel, suivant le magistère des sages, prenant pour forme les textes canoniques et se référençant aux textes transversaux[92], avec le souci d'atteindre la quintessence du *wen* entièrement ; de l'autre côté, il cite massivement les écrivains des belles époques (de l'antiquité, des Han, des Wei et des Jin), priorisant les écrits de l'ancienneté (de l'antiquité, des Han) et des époques modernes relatives (des Wei et des Jin). L'époque de Liu Xie n'a aucun nom de personne convoquée, mais avec deux ouvrages timidement cités.

---

[92] Cf. la note sur le titre du chapitre 4.

XII

L'INTRADUISIBILITÉ DU « WEN »

———

D ans la traduction du *Wenxin diaolong*, le terme « wen » représente un champ étendu à la polysémie, particulièrement liée à l'écriture idéographique, et suscite le plus le problème du traduisible et du non traduisible. En principe, toute tentative de traduction suppose qu'il peut y avoir de l'intraduisible du fait des mots, des phrases, des expressions. Mais l'intraduisible du « wen » sort de cette catégorie linguistique qui est caractérisée par le non équivalent direct d'une langue à l'autre. Le problème du traduisible et du non traduisible du « wen » est ainsi au cœur de notre souci. Dans un cas normal, c'est-à-dire quand il s'agit de l'intraduisible langagière, on peut paraphraser ou passer par la transcription phonétique ou par la transcription phonétique-sémantique, c'est ce qui s'est passé dans la traduction du texte sacré bouddhiste en Chine du Vᵉ siècle. De ce fait, on peut transposer un énoncé d'une langue à l'autre.

Notre étude a pour objet l'analyse des grands aspects du « wen » du *Wenxin diaolong*. Le concept du « wen » n'est pas un simple vecteur d'informations. Comment traduire cette « graphie » qui est à la fois visuelle et conceptuelle en calligraphie abstraite vécue corps et âme dans une autre langue alphabétique que le conceptuel détermine ? La traduction « automatique » devient impossible. Mais serait-ce pour autant que le commentaire pourrait se substituer au traduire ? L'impossibilité est de trouver en français ou en anglais des équivalents au « wen ». Étudier les aspects difficiles de la traduction du « wen » permettrait d'aller au plus profond dans un transfert culturel entre le chinois et le français ou l'anglais. Traduire est transférer, transférer est dialoguer, dialoguer est constater et se contredire parfois, dont les aspects méritent de s'exposer en lumière analytique.

12.1. Mouvement du « wen » en français et en anglais dans le chapitre « Remonter au *dao* originel » (*Yuandao* 原道)

Il faut le re-contextualiser pour saisir le sens afin que la traduction soit pertinente. L'exemple des phrases du premier chapitre du *Wenxin diaolong* citées ci-dessous dans la traduction du « wen » de son caractère performatif au sens large, témoigne d'une possibilité relative de l'intraduisibilité des différences conceptuelles, passant par le signe linguistique, par la re-contextualisation, par l'appellation aux facteurs signifiants. Chaque détail du contexte et du

texte compte. Nous prenons comme point de départ la traduction en français et anglais du premier chapitre intitulé
« Remonter au *dao* originel ».

Prenons la phrase suivante dans deux versions, anglaise
et française :

文之為德者大矣 (1.1)

Great is the virtue of patterns![1] (Yang Guobin, p. 3)

La vertu du *wen* est immense.[2]

Les deux tournures (« wen » et « patterns ») ne sont
pas synonymes, elles ne sont pas substituables. Quand le
« wen » est traduit par « patterns », le sens profond est
flottant contextuellement. Pour éviter le glissement du sens,
la version française propose de transposer le « wen ». La
paraphrase laisse toujours échapper quelque chose. C'est le
cas de la phrase suivante en anglais :

此蓋道之文也 (1.1)

They are manifestations of Dao. (Yang Guobin, p. 3)

Tel est le *wen* du « Dao ».

Il faut éviter également dans la traduction le glissement du sens qui laisse échapper quelque chose :

言立而文明，自然之道也。(1.1)

---

[1] Traduction anglaise par Yang Guobin 楊國斌, 文心雕龍 *Dragon-Carving and the Literary Mind*, Beijing 北京, Waiyu jiaoxue yu yanjiu chubanshe 外語教學與研究出版社, 2003.

[2] La traduction française est effectuée par Jin Siyan et Léon Vandermeersch.

When speech appears, writing comes forth. This is the way of Dao. (Yang Guobin, p. 3)

Une fois la parole constituée, apparaît la lumière du *wen*, c'est le « Dao » de la nature.

Le « wen » ici est à la fois descriptif et expressif. Le traduire en « writing » fait perdre cette connotation au sens actif par le fait. Il n'est pas vraiment traduisible, sauf par des équivalents, mais c'est assez risqué. En concrétisant par un seul mot comme « patterns », le sens de l'apparaître, du visible du « wen » se perd :

傍及萬品，動植皆文 (1.2)

It can be inferred that all forms of existence have patterns, animals and plants alike. (Yang Guobin, p. 5)

À hauteur des dix mille espèces, tous les animaux et végétaux sont ornés de *wen*.

La seule approximation que nous puissions faire pour garder le sens du « wen » tel quel, c'est de proposer une transposition, en gardant la riche polysémie de l'énoncé qui sous-tend la musique dans le contexte :

故形立則章成矣，聲發則文生矣。 (1.2)

Thus with the making of forms, patterns appear; with the making of sounds, writings emerge. (Yang Guobin, p. 5)

Quand prennent corps les formes le « zhang » la composition musicale apparaît, quand se prononcent les sons naît le *wen*.

Quand le « wen » signifie la musique divine de l'univers, il est l'expression du cœur :

有心之器，其無文歟？ (1.2)

How can the feeling ad thinking human being lack splendors of art? (Yang Guobin, p. 5)

Les êtres dotés d'esprit, comment seraient-ils privés de *wen* ?

L'exemple suivant montre que le « wen » est producteur de souffle humain à travers son lien avec ceux du ciel et de la terre :

人文之元肇自太極(1.3)

Language originated in *taiji* (Yang Guobin, p. 13)

À l'origine le *wen* de l'Homme prend source du Faîte Suprême de tout ce qui est[3].

Le « wen » de l'homme signifie « pensée », « sensibilité », il est trop riche pour être traduit par « language ». La vision du monde des anciens Chinois est résumée par le « wen » :

《乾》、《坤》兩位，獨制《文言》(1.3)

Confucius wrote the "Patterns of Words". (Yang Guobin, p. 7)

Seul le statut des deux hexagrammes Qian et Kun donne lieu au Wenyan.

Le « wen », étant l'expression du ciel et de la terre ne peut pas se réduire en « patterns of words ». Il contient une connotation du « tatouage » du langage pour la mise en

---

[3] Faîte Suprême (*Taiji* 太極) : entité fondamentale, origine de toutes choses. Le terme se trouve dans le *Yijing/Xici* 易經·系辭 (*Canon des mutations*, partie « Le grand commentaire », chapitre XXXXII) : le Faîte Suprême engendre deux hémisphères primordiaux, de ces deux hémisphères primordiaux sont engendrées quatre figures, les quatre figures engendrent les huit trigrammes (*Shi gu yi you tai ji, shi sheng liang yi, liang yi sheng si xiang, si xiang sheng ba gua* 是故易有太極，是生兩儀，兩儀生四象，四象生八卦).

œuvre de la pensée. Ainsi le *Canon des mutations* le prend comme le titre du septième des « Dix commentaires » de Confucius. C'est dans ce sens que la traduction française l'a transposé au lieu de le concrétiser par un autre mot :

言之文也，天地之心哉！(1.3)

Are not word patterns the mind of heaven and earth!

Et ce *wen* du langage est l'esprit du Ciel et de la Terre !

Le « wen » se traduit par le « fruit de tablettes » qui fait allusion à l'origine de l'écriture :

丹文綠牒之華 (1.3)

...the golden words on the jade plate and the red patterns on the green bamboo slips (Yang Guobin, p. 7)

...fruit des tablettes de jade en couleur rouge, fleur des lamelles de bambou vertes[4]

鳥跡代繩，文字始炳 (1.4)

After it replaced cords, written language began to flourish. (Yang Guobin, p. 9)

Les empreintes des pattes d'oiseaux ayant succédé aux cordes nouées[5], l'idéographie vint au jour[6].

---

[4] Lamelles de bambou vertes *lüdie*, selon le *Canon des documents*, elles ont été sorties du Fleuve et confiées à Pao Xi 庖牺 par un cheval-dragon, elles portaient des inscriptions de couleur verte.

[5] Selon la légende, l'écriture aurait été inventée par un ministre de l'empereur Jaune (Huangdi 黄帝). Ce ministre, ayant étudié les empreintes des pattes d'oiseau (qui se différencient selon les espèces), s'en inspira pour créer une idéographie (dont chaque mot se différencie sémantiquement des autres).

[6] Dans le *Canon des mutations*, au chapitre du « Grand commentaire » (*Xici*), il est noté qu'en haute antiquité, on gouvernait le pays par le fait

L'exemple ci-dessus montre que la métaphore porte une connotation particulière à travers son lien avec l'origine légendaire de l'écriture graphique. Mais très vite, le « wen » est repris dans son sens étymologique en compagnie du « son de la grande nature » – « zhang » :

唐虞文章，則煥乎始盛。 (1.4)

The times of Tang and Yu marked the real flourishing of writings.

Sous Tang-Yao et Yü-Shun[7], le *wen* et la composition musicale brillèrent en commençant à fleurir.

De là se distinguent le « wen » comme le visuel et le « zhang » comme la composition sonore. L'expression du « wenzhang » portant sur ces aspects sémantiques serait trop limitée par la traduction en un seul mot « writings ». Ainsi le « wen » visuel signifie l'expression du « fond » non visible, de l'intérieur, non dans le sens « littéraire » :

逮及商周，文勝其質。 (1.4)

By the Shang and Zhou dynasties, literary grace surpassed simplicity.

Venu le temps des Shang et des Zhou, le *wen* devient méta-expression du fond (Zhi)[8].

---

de compter le nombre de nœuds à la corde ! Les sages des générations suivantes les remplacèrent par l'écriture.

[7] Tang-Yao 唐堯, Yü-Shun 虞舜, Yao et Shun sont deux empereurs légendaires dont les appellations des souverains régnant sont « Tang et Yü ».

[8] *Zhi* 質, concept littéraire en Chine classique, qui désigne ce qui est opposé à la forme, c'est-à-dire le sens, le fond. L'expression *Sheng qi zhi* 勝其質, surélévation, déplacement vers le haut du sens par rapport à la littéralité. Selon Liu Xie, il ne faut pas rester dans la sécheresse de la littéralité.

La valeur morale du terme « wen » est précieusement gardée dans l'appellation des personnages modèles dans l'histoire de la Chine, le premier est le roi Wen des Zhou, nom posthume donné par son fils. Le roi Wen avait pour vrai nom Ji Chang, fondateur de la dynastie des Zhou :

文王患憂，繇辭炳曜。 (1.4)

Furthermore, while in captivity, King Wen wrote interpretations of the lines and hexagrams

Le roi Wen dans la souffrance de l'adversité[9], démultiplia les formules trigrammatiques en composant les hexagrammes qui brillèrent[10]

Ce titre honorable du « Wen » est une inspiration du *Canon des documents anciens* :

帝乃誕敷文德。 [11]

---

[9] Si Fu Xi inventa les trigrammes, c'est le roi Wen, fondateur des Zhou qui inventa les hexagrammes lors de son incarcération par les Shang dans un cachot souterrain à Youli. À la fin des Shang (XIᵉ siècle avant notre ère), le dernier souverain, corrompu et cruel, emprisonna le Comte de l'Ouest Ji Chang, pendant sept ans, à Youli. Le prisonnier devint le premier souverain des Zhou, de nom posthume Wen, en référence à son invention des hexagrammes, préformations des idéogrammes.

[10] Le *Canon des mutations* et le *Canon des odes*, deux grands recueils de document à la dynastie des Zhou, apparus dans un même contexte social et religieux. Ils sont ici cités ensemble. Certaines phrases poétiques, certaines figures du *Canon des mutations* se retrouvent métaphoriquement dans le *Canon des odes*. Selon une longue tradition dans les chants et les poèmes du *Canon des odes* se retrouvent les oracles du *Canon des mutations*.

[11] In *Shujing*/Dayumo 書經·大禹謨 (*Canon des documents anciens*).

Alors l'empereur répandit partout des ordres et des instructions pour réformer les mœurs et faire fleurir la vertu.[12]

La connotation à triple dimension, céleste, terrestre et humaine rend le « wen » pour une part intraduisible. L'interprétation fut-ce fidèle du mot qu'on peut en donner, ne traduit en rien ce qu'il veut dire, ce qui donne raison à la transposition du « wen » en français :

觀天文以極變，察人文以成化；(1.5)

...they observed heavenly patterns to probe into the rules of change and examined writings from mortal hands to accomplish transformation.

...observèrent le « wen » du Ciel pour en sonder à fond les mutations, et examinèrent le *wen* de l'Homme pour parachever l'instruction de celui-ci.

On peut toujours traduire « wen » par « littérature » ou « patterns », mais l'écart entre la connotation du « wen » du ciel ou du « Dao » en chinois qui ouvre à une polysémie riche et la traduction anglaise qui insiste sur la forme de l'écriture ne peut être résolu, car il n'y a pas de mots équivalents pour traduire le concept du « wen » de Liu Xie. La seule possibilité commune serait alors la transposition qui peut « tourner » le problème de traduction.

故知道沿聖以垂文，聖因文而明道，(1.5)

Thus it is known the Dao perpetuates writing through the sages and the sages manifested Dao through writing.

Ce qui fait comprendre que le *Dao* s'insuffle chez le sage dans la forme du *wen*, et que le sage à travers le *wen* éclaire le *Dao*.

---

[12] In *Chou King*, trad. par Fr. S. Couvreur S. J., Hien Hien, Imprimerie de la mission catholique, 1916, p. 43.

辭之所以能鼓天下者，乃道之文也。

If the words can move the world, it is because they are manifestations of the Dao.

Ce pourquoi les mots peuvent mouvoir le dessous du Ciel, c'est qu'ils sont le *wen* du *Dao*.

天文斯觀，民胥以效。(1.6)

Divine patterns were to follow and reveled.

Observé tel quel le *wen* du Ciel, le peuple entier y prend modèle.

Nous allons retracer dans un premier temps le mouvement du « wen » dans la spéculation de Liu Xie avec les différentes occurrences dans les quinze premiers chapitres. Le « wen » dans la pensée de Liu Xie est assez mouvementé avec des hauts et des bas. Comment ce mouvement agité a-t-il été respecté dans la traduction française ? Nous avons saisi les occurrences du « wen » dans sa langue de départ :

148 occurrences du « wen » dans la spéculation de Liu Xie

Chapitre 1	20
Chapitre 2	21
Chapitre 3	13
Chapitre 4	4
Chapitre 5	5
Chapitre 6	9
Chapitre 7	5
Chapitre 8	6

Chapitre 9	8
Chapitre 10	10
Chapitre 11	10
Chapitre 12	12
Chapitre 13	6
Chapitre 14	14
Chapitre 15	5

Le tableau ci-dessus note un mouvement du « wen » dans la spéculation de Liu Xie, dans les chapitres allant du chapitre 1 au chapitre 15. Le « wen » est imposant dans les deux premiers chapitres portant respectivement sur le Dao originel (*Yuandao* 原道) et les saints exemplaires à suivre (*Zhengsheng* 徵聖) avec les occurrences générales respectivement de vingt et de vingt et une fois. Le chapitre 14 se trouve au troisième rang avec quatorze fois, le chapitre 3 le suit avec treize fois, les chapitres 10 et 11 se trouvent au cinquième rang avec dix fois, puis, aux rangs suivants sont le chapitre 6 avec neuf fois, le chapitre 9 avec huit fois, les chapitres 8 et 13 avec six fois, les chapitres 5, 7 et 15 avec cinq fois, ce qui donne un total de cent quarante-huit occurrences du « wen » dans les quinze premiers chapitres.

Ce corpus fournit un terrain de comparaison aux versions française et anglaise. Dans la version française du premier chapitre, dix-huit fois, le « wen » est traduit par la transcription phonétique, soit 90 % de l'ensemble (vingt occurrences), deux autres acceptions sont en traduction sémantique (« idéographie » et « inscription »).

Remarquons que le « wen » est transféré autrement en phonétique et en différentes acceptions dans la traduction anglaise du premier chapitre. La transposition du « wen » n'apparaît qu'une seule fois, soit 5 % de l'ensemble. À ses côtés, se trouvent successivement comme mots de traduction : « language », « literary », « manifestations », « patterns », « splendors of art » et « writing ». La langue cible anglaise a proposé sept mots, dont la place dominante est occupée par le mot « patterns » (sept fois, soit 35 % de l'ensemble) suivi du « writing » (six fois, soit 30 %).

La traduction anglaise, contrairement à celle du français qui fait le choix de garder la translittération en « wen » dans la plupart des cas, fournit une palette de différentes traductions du « wen ». Trois acceptions utilisées en version française contrastent avec les sept acceptions en vingt occurrences dont le mot « pattern » se trouve en tête également avec sept fois. Viennent ensuite « writing », utilisé six fois, « language » et « manifestation », respectivement deux fois, puis arrivent les acceptions « literary », « splendors of arts » et « wen », respectivement pour une fois. Il est étonnant que le « wen » dans la version anglaise ne soit translittéré qu'une fois contre les dix-huit fois dans la version française.

Le français a une forte utilisation d'une même traduction par la translittération phonétique du « wen » au nombre de dix-huit. L'étonnement que la liste ci-dessus mise en commun des deux précédentes listes sur la translitération du « wen » en français et en anglais suscite, c'est le « wen » retraçant à quoi ressemble un double mouvement de la traduction du « wen » à différentes acceptions, l'un illustre la tendance de mots repris massivement phonétiquement, l'autre, celle de mots sémantiquement traduits en anglais avec les mots plus variés. Les deux traductions ont marqué la tendance, dans la langue française, phonétique du « wen », alors que celle en anglais, sémantique. La translitération en langue anglaise est plus riche que celle en français. Peut-on ainsi conclure que la traduction anglaise du « wen » est plus « modérée » que le « wen » français ?

12.2. L'absence ou la présence imposante du « wen » phonétique du chapitre « Appeler les saints » (*Zhengsheng* 徵聖) traduit

Les deux mouvements se poursuivent dans la traduction du « wen » dans le chapitre 2 intitulé « Appeler les saints », là où la traduction française « wen » reste encore très phonétique (treize fois sur vingt et une fois, soit 61,91 % de l'ensemble), contre la traduction sémantique (cinq fois en « écrits », deux en « composition », une en « écriture »), tandis que la traduction anglaise maintient son mouvement par une palette riche d'acceptions.

Lisons les phrases qui contiennent le « wen » exposées en trois langues :

夫子文章，可得而聞 (2.1)
The master's works are available to us.
Les écrits de Confucius sont accessibles et connaissables.

則聖人之情，見乎文辭 (2.1)

We know they express his thoughts and feelings (in the works).

Ainsi les sentiments du Saint sont manifestes dans ses écrits et son discours.

此政化貴文之徵也 (2.1)

This shows the importance of language for government.

Ce qui témoigne de son appréciation du *wen* pour la gouvernance et l'éducation,

鄭伯入陳，以文辭為功 (2.1)

When the state of Zheng invaded the state of Chen, Zheng's minister Zi Chan displayed eloquence in convincing Jin, the overlord of state, of the justice of the invasion.

Le duc de Zheng pénétra au pays de Chen, cette action fut justifiée par le *wen* d'un discours.

宋置折俎，以多文舉禮 (2.1)

For its brilliance, Confucius' pupils recorded the diplomatic repartee at the feast the state of Song held for the guest of Jin.

Song prépara le dressoir *zu* en une cérémonie remarquée pour deux discours riches en *wen*.

此事跡貴文之徵也 (2.1)

This shows the function of language on diplomatic of occasions.

Preuve du prix dans lequel il tenait le *wen*.

言以足志，文以足言 (2.1)

Language is for expression thoughts fully, linguistic ornament for reinforcing language.

En disant que par la parole on donne corps aux idées, et par le *wen* on parachève la parole.

此修身貴文之徵也 (2.1)

This indicates the importance of language in self-cultivation.

Ce qui est le signe de l'importance portée au perfectionnement personnel et de l'appréciation du *wen*.

然則志足而言文 (2.1)
Therefore, to express thoughts in fine language
Ce sont les idées riches qui s'expriment en *wen*, et les sentiments honnêtes dont l'expression est raffinée,

秉文之金科矣 (2.1)
...are the golden rules of writing.
Telles les tablettes de jade de la rhétorique tellurique, et l'or des règles de la composition littéraire.

文成規矩，思合符契 (2.2)
His writing can serve as models, his thoughts agree with divine reason.
Son écriture a la rigueur du compas et de l'équerre[4], sa pensée et l'expression qu'il en donne sont en parfaite coïncidence, comme les deux parties du *fu* ou du *qi*.

文成規矩，思合符契 (2.2)
These are examples of elaborate composition.
Tantôt c'est par la profusion du *wen* qu'il cerne ses sentiments,

文章昭晰以象離 (2.2)
Those (refer to the previous 'writing') of lucidity, to the hexagram «fire».
La composition est claire et univoque comme l'hexagramme *li*.

徵之周孔，則文有師矣 (2.2)
Under all circumstances, people should refer to Duke Zhou and Confucius, the two great masters of writing.
À la lumière des exemples du duc Zhou et de Confucius, alors le *wen* aura trouvé ses Maîtres.

聖文之雅麗 (2.3)
The elegance and grace of the sage's writing show that they bear both flowers and fruits.
L'élégance et la beauté des écrits du Saint sont telles des fleurs tenues porteuses des fruits.

是以論文必徵於聖，窺聖必宗于經 (2.3)
Therefore, discussions of literature should follow the examples of sages.
Ainsi pour parler du *wen*, on se réfère forcément aux Saints.

聖人之文章,亦可見也。 (2.3)
These merits are evident in the works of sages.
(On peut le voir) dans les écrits des Saints.

聖文之雅麗 (2.3)
Writings are within one's reach, so why not ponder them?
Mais les écrits pourtant sont là, existant, pourquoi ne pas les méditer ?

若徵聖立言，則文其庶矣 (2.3)
To follow the examples of the sages will guarantee successful writing.
Si on consulte les saints pour établir le discours, on touche au *wen*.

精理為文，秀氣成采 (2.4)
He turns his deep thoughts into words. And taps his natural talents for artistic beauty.
Les fines veines du jade forment le *wen*.

Dans la version anglaise, l'absence du « wen » en transposition phonétique est marquante. À sa place, se trouvent successivement comme mots de traduction « writing » (sept fois sur vingt et un, soit 33,33 % de l'ensemble), « language » (quatre fois respectivement sur vingt et un, soit 19,05 % de l'ensemble), « works » (trois fois respectivement sur vingt et un, soit 14,29 % de l'ensemble), « words », « composition », « literature », « elaborately », « elaborate », « Repartee », « eloquence », et « Linguistic ornament » (chacun une fois), en tout onze acceptions.

12.3. Le « wen » sémantique étendu contre son absence phonétique dans le chapitre 3 « Faire sa religion des canons » (*Zongjing* 宗經)

Les deux mouvements contrastés connus dans les deux premiers chapitres connaîtront un changement dans le chapitre 3 « Faire sa religion des canons » où Liu Xie nomme treize fois le « wen ». La traduction française voit la puissance phonétique diminuer sensiblement par rapport aux deux chapitres précédents. Le « wen » a été translittéré dans le chapitre 3 quatre fois en phonétique sur treize apparitions (soit 30,77 %), la traduction sémantique est très étendue avec neuf acceptions dont respectivement « composition littéraire », « discours », « écrire », « écriture », « langage », « lecture », « littérature », « notés » et « texte ».

極文章之骨髓者也 (3.1)
Represents the essence of writing.
Jusqu'à la quintessence de la littérature et de la composition[13].

辭亦匠於文理 (3.1)
In language they attain great exellence.
Le langage est taillé selon les principes du *wen*.

故 《繫》 稱旨遠辭文 (3.2)
That is why « Great Appendix » claims that its meaning is deep, its language beautiful.
Ainsi le *Grand commentaire* constate que le sens est trop profond pour le langage.

---

[13] *Zhang* – composition musicale ou littéraire.

則文意曉然 (3.2)

Its meaning is clear.

Le sens de ces textes devient lumineux et signifiant.

五石六鷁，以詳略成文 (3.2)

Its description of the five meteorites and six egrets are brief.

Les événements des « cinq pierres »[14] et des « six hérons »[15], sont notés de façon convenablement sobre et plus au moins précise.

《尚書》則覽文如詭 (3.2)

The language of the *Book of documents* seems cryptic.

Tandis que le *Canon des documents*, quelque désuet qu'il apparaisse à la lecture, développe ses principes tout en clarté.

---

[14] « Cinq pierres » (*wushi*), allusion à un événement rapporté dans les *Annales des Printemps – Automnes*, une année au printemps, au premier jour du premier mois à Song tombèrent du ciel cinq météorites. (*Xigong*, l'année XVI).

[15] « Six hérons », allusion à un événement rapporté dans le même chapitre des *Annales des Printemps et Automne*, d'une façon très sobre mais évocatrice : « Le même mois, six hérons, volant à reculons, passèrent au-dessus de la capitale de Song. » Les oiseaux ne pouvant pas voler à reculons, étaient repoussés par le vent en arrière dans leur vol. Les deux événements (chute de météorites et vols à reculons de hérons) n'étaient pas de bons signes, aux yeux de Shu Xing, historiographe de la cour impériale des Zhou. De hautes personnalités n'allaient-elles pas mourir et beaucoup de troubles allaient-ils surgir. Ces événements, notés si sobrement, servent de bons exemples aux yeux des historiographes chinois. La chute des météorites est notée de façon très précise, datée de l'année et du mois et l'année, et qualifiée de conséquence non pas du renversement naturel du *yin* et du *yang* mais de la conduite des hommes. Alors que la reculade des hérons n'est datée que de l'année et du mois, car cet événement est un pur hasard. Liu Xie voulait dire ici que ce genre de style sert de bon exemple pour l'écriture. Il faut toujours être sobre mais précis là où il faut.

此聖文之殊致 (3.2)
In the works of the sages.
Là se situe la haute variété des modèles d'écriture des saints.

故文能宗經 (3.5)
To take the classics as models of composition.
Si l'on se guide sur les recueils canoniques pour écrire.

文麗而不淫 (3.5)
The language beautiful, not profuse.
Embellissement du discours sans maniérisme

五經之含文也 (3.5)
When Master Yang Xiong compared writing to carving jade, he meant that the five classics must also possess artistic beauty.
Yang Xiong[16] compare le rôle de matrice de beauté du *wen* (écriture) des cinq canons à la taille en objet d'art du jade brut.

行以文傳 (3.5)
Virtue is passed down by writing.
Et la conduite se transmet par le *wen*.

夫文以行立 (3.5)
Writing is sustained by virtue.
Le *wen* prend corps par la conduite morale.

性靈熔匠，文章奧府 (3.6)
They cultivate human nature and the soul, and embody the secrets of composition.
Ils sont les artisans fondeurs de l'âme et de la nature humaines, au plus intime de la composition littéraire.

---

[16] Cf. Paul L.-M. Serruys, *The Chinese Dialects of Han time according to fang Yen*, Berkeley, University of California Press, 1959. Anne Cheng, *Histoire de la pensée chinoise*, Paris, Seuil, 1997, p. 297-300.

Dans la version française, à part le « wen » phonétique, neuf acceptions ont été rappelées. Remarquons que la tendance dominante du « wen » phonétique reste dans la version française contre l'acception imposante en « writing » dans la version anglaise. Une palette variée de dix acceptions en anglais est contrastée par l'absence de la transcription du « wen ».

Sur le plan des occurrences de la traduction du « wen » dans la langue française du chapitre 3, le « wen » phonétique français, par rapport aux deux chapitres précédents est sensiblement réduit (quatre sur treize apparitions en phonétique, soit 30,77 %, contre sa transcription dans les deux précédents chapitres soit respectivement 90 % et 61,91 %.) Le nombre d'acceptions sémantiques est monté en puissance (neuf mots de traduction proposés), montrant une assez grande diversification, ce mouvement rejoint celui de la traduction anglaise.

La version anglaise de ce chapitre maintient presque le même rythme sémantique par rapport au chapitre 2, avec sept acceptions (« artistic » « beauty », « composition », « description », « language », « meaning », « works », « writing »).

Deux mouvements sont retracés suivant un même rythme dans la traduction entre deux langues cibles. La fréquence la plus élevée est au nombre de quatre dans les deux langues. Il s'agit de « language » pour l'anglais et de « wen » pour le français.

La translitération du « wen » du chapitre 3 dans la langue cible française ou anglaise fournit respectivement une traduction variée avec leurs importantes portées. L'étendue des acceptions (neuf en français contre sept en anglais) est marquante, ce qui n'est pas le cas dans la traduction des deux premiers chapitres où les acceptions sont plus variées dans la version anglaise que dans la version française.

L'étude portant sur les trois premiers chapitres du *Wenxin diaolong* montre que la traduction du « wen » sémantique dans la langue cible anglaise offre tout autant de richesse que celle du « wen » phonétique en langue française. Les deux langues cibles apportent une translittération du « wen » bien différente. D'un côté, dans la traduction française, l'« écriture » est présentée sous deux occurrences, et le reste est sous une palette des acceptions sémantiques (« beauté artistique », « description », « signification »). Alors que la traduction anglaise offrant tout autant de richesse que la langue française, fournit l'« écriture » avec deux occurrences, avec les autres acceptions comme « artistic » « beauty », « composition », « description », « language », « meaning », « works », « writing ».

Cette riche variété harmonieuse entre deux traductions est contrastée tout de même par l'absence du « wen » phonétique dans le corpus anglais dont le pic est marqué par le « language » contre le pic du « wen » en transposition de l'étendue française.

XIII
LA NAISSANCE
DES VERS RÉGULIERS : LE « ZAN »
DU *WENXIN DIAOLONG* À LA
LUMIÈRE DU *ŚLOKA* BOUDDHISTE

Le *Wenxin diaolong* (*L'esprit de la littérature ciseleur de dragons*) est composé du texte argumentatif en récitatifs versifiés[1] (*fu* 賦) de quatre et six syllabes et de l'éloge (*zan* 贊) en huit vers quadrisyllabiques rimés concluant chaque chapitre. Ce genre d'écrit doublé du « fu » et du « zan » est inédit à l'époque de Liu Xie. Si le « zan » existait déjà dans les temps anciens comme un genre littéraire employé par Ban Gu (32-92) pour son ouvrage *Hanshu* 漢書 (*Mémoires historiques des Han*), il n'était pas systématiquement composé du mètre quaternaire ni rimé. Il est créé comme une forme nouvelle rimée et régulière par

---

[1] Récitatifs versifiés (*fu* 賦), un genre rimé comme la poésie, classé en prosodie.

Liu Xie dans son ouvrage. Forme « nouvelle » en ce qui concerne le genre littéraire parmi les écrits chinois anciens, et sa source d'inspiration du genre poétique *Śloka*, grâce à la traduction du texte sacré bouddhiste[2]. Notre analyse porte sur la forme quadrisyllabique du « zan » et celle du genre *Śloka*, puis sur les rimes adoptées dans les éloges de Liu Xie.

13.1. La forme quadrisyllabique du genre « zan »

L'analyse du genre de huit vers aux rimes régulières peut permettre de voir comment le « zan » du *Wenxin diaolong* est inspiré du genre *Śloka* tout en restant fidèle à la poésie ancienne du « wenyan » (chinois ancien). Rao Zongyi est l'un des premiers chercheurs ayant indiqué le lien entre le *Wenxin diaolong* et la forme du chant bouddhiste. Citons sa remarque portant sur le « zan » :

至於每篇文章末尾有贊，此種格式佛教文章多見之，如王僧孺的「慧印三昧及濟方等學二經序贊即其一例(此文收入《出三藏記集》，和佛經論末附偈語相似)。劉知幾《史通・論贊》云："篇終有贊，如釋迦氏演法，義盡而宣以偈言"是也[3]。

---

[2] Voir Gao Huaping 高華平, *Zanti de yanbian jiqi suoshou fojing yingxian tantao* 贊體的演變及其所受佛經影响探討, in *Wenshizhe* 文史哲, 2008, n° 14, p. 113-121.

[3] Rao Zongyi, *Wenxin diaolong yu fojiao* 文心雕龍與佛教, in *Rao Zongyi xx° shiji xueshu wenji* 饒宗頤二十世紀學術文集, Beijing 北京, Renmin daxue chubanshe 人民大學出版社, 2009, Vol. XI, p. 762.

Chaque chapitre se termine par un « zan » quadri-syllabique comme conclusion, c'est un genre poétique assimilé aux *gāthās* bouddhistes. Dans la « Préface et éloge de Wang Sengru 王僧孺 (465-522) » sur les deux soutras le *Jñāna-mudrā-samādhi*[4] et le *Sarvavaipulyavidyāsiddha sūtra*[5] (le texte réuni dans le *Chusanzangji ji* 出三藏記集, l'éloge assimilé aux *gāthās* à la fin de chaque soutra), Liu Zhiji disait : « L'emploi du 'zan' à la fin de chaque chapitre fait référence à Shakyamuni dont la rhétorique de l'ensei-gnement de la loi se termine par un chant en *gāthā* ».

Le constat (et non l'hypothèse, à notre avis à l'encontre de certains) de Rao Zongyi appuyé sur ses études du texte sacré bouddhiste a fait couler beaucoup d'encre chez les historiens chinois contemporains.

Le « zan » est composé des vers quadrisyllabiques rimés. Cela rappelle le genre poétique du grand classique *Canon des odes* mais ces dernières ne se limitent pas en huit vers. Prenons comme exemple le premier éloge du *Wenxin diaolong* :

1.6 贊曰：
道心惟微，
神理設教。　AO
光采玄聖，
炳耀仁孝。　AO
龍圖獻體，

---

[4] Sous le titre en chinois *Huiyin sanmei* 慧印三昧, traduit par Zhi Qian 支謙 (IIIe siècle).

[5] Sous le titre en chinois *Fo shuo jizhufang dengxue jing* 佛說濟諸方等學經, traduit par Zhu Fahu 竺法護 (Dharma-rakṣa, 229-306).

龜書呈貌。　AO
天文斯觀，
民胥以傚。　AO

Traduction :

1.6 Éloge :
L'esprit du Dao est subtil,
Les raisons de la puissance de l'esprit se prêtent à l'enseignement.
Gloire éclatante aux sages anciens,
Bienveillance et piété filiale resplendissent d'éclats.
La Carte du Dragon exhibe la forme substantielle,
Les graphismes sur la Tortue en montrent la figure.
Observé tel quel le « wen » du Ciel,
Le peuple entier y prend modèle.

Les huit vers quadrisyllabiques contiennent trente-deux caractères ; les vers pairs sont rimés en « ao ». Cette forme était inconnue jusqu'à l'époque de Liu Xie. D'où vient l'inspiration de cette nouvelle forme ? Parmi les facteurs éventuels, les longues années que Liu Xie a passées dans le temple Dinglin (492-503) attirent notre attention. Il y était comme assistant de son maître Sengyou 僧祐 (445-518) pour la rédaction du *Chusanzangji ji*, le plus ancien catalogue général de textes bouddhistes chinois. Ce travail lui a donné la possibilité de se rapprocher des textes bouddhistes dont un soutra a dû l'inspirer pour la structure de son ouvrage. Il s'agit du *Mahāvaipulya buddhāvataṃsaka sūtra* (*Soutra de l'ornementation fleurie ou Soutra de la guirlande*), traduit de 418 à 420 par Buddhabhadra (佛陀跋陀罗, 359-429) au temple Daochang 道場寺 à Jiankang 建康 (aujourd'hui Nankin), géographiquement tout près du temple Dinglin où demeuraient Seng You et Liu Xie. Le soutra concerné est composé à l'origine de soixante chapitres dont trente-six mille vers en chants dits « *gāthā* ». Mais à part deux chants en huit vers pentasyllabiques, la majorité absolue des chants sont en vers longs. Si cette imposante présence du genre *gāthā* long avait pu impressionner Liu Xie, elle n'est manifestement pas décisive dans la création du nouveau genre « zan » du *Wenxin diaolong*.

Un autre élément aurait pu l'inspirer : à l'époque, la traduction du texte sacré bouddhiste avait introduit deux genres poétiques en Chine, l'un est un écrit en vers longs appelés en chinois « *ji* » 偈 (en pali : *gāthā*), l'autre est une composition courte composée de huit vers rimés en trente-deux syllabes, appelée « *lugatuo* » 卢伽陀 (en pali : *Śloka*). Cette dernière occupe une place assez marquante dans le canon *Dīghanikāya* (*Soutras longs*) traduit en chinois par deux moines Buddhayaśas (IVe-Ve siècle) et Zhu Fonian (IVe-Ve siècle) à l'ère Hongshi des Qin postérieurs (413). Les soutras du canon contiennent des chants courts dont la strophe est formée de quatre *pādas* octosyllabiques ou de huit vers quadrisyllabiques. Citons comme exemple un chant du vingt-deuxième passage du cinquième soutra des *Soutras longs*, *Aggaññasutta* (*Soutra de la genèse*) :

生中剎利勝，
能捨種姓去；
明行成就者，
世間最第一。

Traduction :

« Les meilleurs des êtres sont les khattiyas
Qui ont pu quitter leur tribu,

Et ont réussi le Savoir et la Conduite,
Ce sont les meilleurs du monde. »

Ce texte est traduit du trente-deuxième passage du même soutra en version palie :

⌈ ... ⌋

Khattiyo seṭṭho jane tasmiṃ,
ye gotta paṭisārino ;
Vijjā-caraṇa-sampanno,
so seṭṭho deva-mānuse'ti.[6] ⌈ ... ⌋

Généralement, un poème en *śloka* a ses contraintes. Il est composé de quatre *pādas* ou hémistiches en octosyllabes, dans le mètre même[7]. Selon Chézy, la forme du *śloka* est particulière :

(...) la première et la dernière syllabe du *pâcha* (qui en contient huit) y étant considérées comme isolées et indifféremment longues ou brèves, tandis que les six intermédiaires seules forment deux pieds trisyllabiques, assujettis à certaines lois que nous allons développer[8].

Cette forme de poème introduite dans l'écrit chinois grâce à la traduction du texte bouddhiste autour du IVe-Ve siècle a connu un essor dans la poésie chinoise.

Le *Śloka* a eu un bel écho dans l'écrit du genre « zan » de Liu Xiu aussi bien sur le plan de la fonction d'argument concluant que sur le plan de la versification.

---

[6] *Dīghanikāya*, III, 1982, p. 97.
[7] Voir Chézy, Antoine-Léonard, *Théorie du śloka, ou mètre héroïque sanskrit*, Paris, Éditions Dondey-Dupré, 1827, p. 2-6.
[8] Chézy, Antoine-Léonard, (1773-1832), *Théorie du śloka, ou mètre héroïque sanskrit*, Paris, *ibid.*, p. 17.

Le « zan » a systématiquement pour fonction de résumer l'argumentation déployée dans le texte. Ainsi les cinquante éloges du *Wenxin diaolong* sont composés, sous la forme de quatre vers octosyllabiques contenant trente-deux caractères pour conclure le texte de chaque chapitre.

Sur le plan du mètre des éloges, les *pādas* des vers pairs sont systématiquement rimés en un seul phonème choisi. Prenons l'éloge du onzième chapitre :

11.5 贊曰 :
銘實器表,
箴惟德軌。 UI (I)[9]
有佩於言,
無鑒於水。 UI (I)[10]
秉茲貞厲,
警乎立履。 Ü (I)[11]
義典則弘,
文約為美。 EI (I)[12]

Traduction :
11.5 Éloge :
L'épigraphie prend corps à la surface d'ustensiles,
Tandis que la remontrance représente la norme de la vertu.
Garder ces inscriptions en pendentifs personnels,
Dispense de se mirer dans l'eau[13].

---

[9] Selon le *Pingshuiyun* 平水韻 (Dictionnaire de rimes Pingshui), la graphie est classée dans la même famille de rime (quatrième catégorie) de l' « i ».
[10] *Ibid.*
[11] *Ibid.*
[12] *Ibid.*
[13] Ainsi est-il noté dans le *Canon des documents* : « Nos anciens avaient cet adage disant : "Ne pas prendre pour miroir l'eau, mais son peuple" » *Guren youyan :* « *Ren wuyu shuijian, dangyu minjian* » 人無於水監,

Gardons-les pures et aiguiseuses (de moralité),
En restant vigilants en paroles et en conduite.
C'est la bonne norme des principes de tradition qui est majestueuse,
Et la sobriété de l'écriture qui est belle.

Ce genre mixte de l'ancienne forme du mètre quaternaire des odes, combinée au genre *Śloka* annonce la
naissance d'un nouveau « zan » à son époque où le genre
dominant était la poésie classique pentasyllabique et
heptasyllabique en huit vers réguliers (*Lüshi* 律詩) par la
pratique de Zhou Yong 周顒 (?-493) et de Shen Yue 沈
約 (441-513), deux lettrés fondateurs de la première versification chinoise. La recherche récente de Sun Shangyong
confirme notre analyse[14]. Selon ce dernier, la traduction du
texte sacré bouddhiste a été marquée essentiellement par
ces trois formes, dont les mouvements selon les époques.
Les vers pentasyllabiques du texte sacré traduit en chinois
apparaissent au iie siècle de notre ère (fin des Han), ils ont
connu leur sommet à l'époque des dynasties du Sud et du
Nord (420-589) qui traverse les temps de Liu Xie, puis une
crise sous les Sui (581-619) avant de rebondir au viie siècle
sous les Tang (618-907). Le graphique suivant réalisé[15] par
le remarquable travail de Sun Shangyong est parlant :

當於民監. L'histoire doit servir de leçon, le peuple, de grand miroir aux
souverains. (Voir *Shangshu*, chap. *Jiugao*).
[14] Voir Sun Shangyong 孫尚勇, *Zhonggu hanyi fojing jisong tishi yanjiu*
中古漢譯佛經偈頌體式研究, in *Pumen xuebao* 普門學報, 2005,
n° 27, p. 15-16. Le graphique est refait par Yang Jing.
[15] *Ibid.*, p. 15.

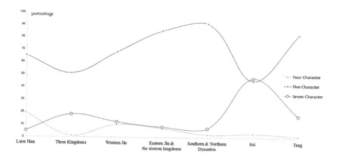

Les vers heptasyllabiques du texte sacré traduit en chinois débutent aussi au IIᵉ siècle de notre ère (fin des Han), ils ont connu leur essor bien plus tard par rapport au mètre pentasyllabique. Il faut attendre l'arrivée de l'époque des dynasties des Sui pour trouver le point ultime. Quant au mètre quaternaire qui a été largement pratiqué dans l'écriture de Liu Xie, le graphique montre bien que l'apogée se trouve au IIIᵉ siècle des Jin (220-280), ils se raréfient de l'époque de Liu Xie jusqu'au VIIᵉ siècle. L'écriture des éloges de Liu Xie représente ainsi un contre-courant, une esthétique et une poétique atypique pour l'époque.

Sa posture à contre-courant se manifeste également au niveau de la forme de l'éloge en huit vers. Le graphique suivant[16] réalisé par Sun Shangyong montre que c'était la forme en quatre vers qui était à la mode à son époque sous les dynasties du Sud et du Nord.

---

[16] *Ibid.*, p. 16. Le graphique est refait par Yang Jing.

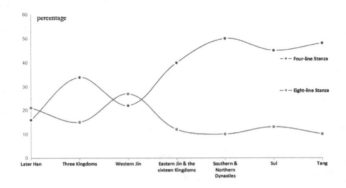

Nous avons observé que dans le *Canon des odes* dominent les vers quadrisyllabiques alors qu'une transition vers les formes pentasyllabiques ou heptasyllabiques très en vogue à l'époque[17]. Liu Xie n'a pas suivi la mode de son temps, il propose à son œuvre une forme du « zan » en mètre quaternaire en huit vers, inspirée à la fois des odes anciennes et du chant bouddhiste en établissant son propre système de rimes pauvres ou demi pauvres (l'homophonie portant sur un seul phonème ou un phonème nasal). Suite à l'étude de la forme des éloges de Liu Xie, surgit la question des rythmes poétiques.

---

[17] Cf. Yan Qiamao 颜治茂, Jing Yaling 荆亚玲, « Shilun hanyi fodian siyange wenti de xingcheng he yingxiang » 试论汉译佛典四言格文体的形成及影响, in *Zhejiangdaxue xuebao*, 2008, n° 5, p. 177-185.

13.2. L'analyse sur les rimes des éloges en « zan »

Les « zan » en quatre *pādas* octosyllabes du *Wenxin diaolong* adoptent des *rimes* pauvres. Notre analyse sur le système de ces rimes transformées en lettres romaines se fera ici en cinq temps suivant les « zan » regroupés.

13.2.1. Les rimes du « zan » éloge (du premier au dixième chapitre) : rimes pauvres tendances ouvertes

Six rimes ont été adoptées dans les dix premiers « zan » : AO, AI, U, EI, I, AN, dont la dernière apparaît le plus dans les trois éloges (sixième, neuvième et dixième). La rime est aux deuxième, quatrième, sixième et au huitième vers :

6.7 贊曰 :
民生而志，
詠歌所含。 AN
興發皇世，
風流二南。 AN
神理共契，
政序相參。 AN
英華彌縟，
萬代永耽。 AN

Traduction :

6.7 Éloge :
Les hommes vivent d'idées,
Dans lesquelles s'enracinent poésie et chant.

L'une et l'autre prennent naissance aux temps des empereurs antiques,
Et deviennent très courants en deux recueils : le « Zhounan » et le
« Zhaonan ».
Esprit et raison s'y inscrivent accordés,
La gouvernance y trouve le bon ordre.
Sa fine fleur s'épanouit en riches couleurs,
Dix mille générations s'y réfèrent sans fin.

9.6 贊曰：
容體底頌，
勳業垂讚。 AN
鏤影摛聲，
文理有爛。 AN
年積愈遠，
音徽如旦。 AN
降及品物，
炫辭作翫。 AN

Traduction :

9.6 Éloge :
S'incarnant en figure le « song »,
En travaille les mouvements en rapport avec ce qui est clamé.
Résonnent les silhouettes de l'idéographie agitée,
Luit le sens du « wen ».
À mesure que s'éloignent les années accumulées,
Aurore de sons et figures emblématiques.
En s'abaissant aux choses,
Le verbe éblouissant s'amuse.

10.9 贊曰：
毖祀欽明，
祝史惟談。 AN
立誠在肅，
修辭必甘。 AN
季代彌飾，
絢言朱藍。 AN

神之來格，
所貴無慚。 AN

Traduction :

10.9 Éloge :
Les sacrifices se font avec prudence, révérence et clairvoyance,
Les invocateurs n'y ont part que par la parole.
Comme la sincérité est basée sur la dignité,
Sa rhétorique doit être sans heurts.
Elle devient de plus en plus ornée au fil des temps,
Mais quand le même parle en rouge et bleu.
Viennent les esprits,
Surtout ne rien avoir dont se repentir !

La rime « AO » est appelée deux fois dans l'éloge du chapitre 1 et l'éloge du chapitre 2. Lisons-les :

1.6 贊曰 :
道心惟微，
神理設教。 AO
光采玄聖，
炳耀仁孝。 AO
龍圖獻體，
龜書呈貌。 AO
天文斯觀，
民胥以傚。 AO

Traduction :

1.6 Éloge :
L'esprit du Dao est subtil,
Les raisons de la puissance de l'esprit se prêtent à l'enseignement.
Gloire éclatante aux sages anciens,
Bienveillance et piété filiale resplendissent d'éclats.
La Carte du Dragon exhibe la forme substantielle,

Les graphismes sur la Tortue en montre la figure.
Observé tel quel le « wen » du Ciel,
Le peuple entier y prend modèle.

5.5 贊曰 :
不有屈原，
豈見離騷? AO
驚才風逸，
壯采煙高。 AO
山川無極，
情理實勞。 AO
金相玉式，
豔溢錙毫。 AO

Traduction :

5.5 Éloge :
Sans Qu Yuan,
Comment serait-il possible d'avoir le Lisao ?
Son étonnant talent s'envole comme le vent,
Sa grandeur d'esprit a la splendeur des nuages.
Montagnes et fleuves s'étendent à perte de vue,
Émotion et réflexion sont profondément éprouvées.
Fond d'or et forme de jade,
Chaque trait verbal regorge de beauté éclatante.

La rime « AI » est également appelée deux fois dans les éloges 2 et 8 :

2.4 贊曰 :
妙極生知， AI
睿哲惟宰。
精理為文，
秀氣成采。 AI
鑒懸日月，
辭富山海。 AI

百齡影徂，
千載心在。 AI

Traduction :

2.4 Éloge :
De l'extrême émerveillement vient la sagesse,
Seul un esprit profond et clairvoyant domine.
Les fines veines du jade forment le « wen »,
La fine fleur du souffle éclate de beauté.
Miroir suspendu en haut comme soleil et lune,
Mots aussi riches que montagnes et mers.
Même maintenus dans l'ombre pendant cent ans,
Mille ans existe l'esprit.

8.7 贊曰 :
賦自詩出，
分岐異派。 AI
寫物圖貌，
蔚似雕畫[18]。 AI
抑滯必揚，
言曠無隘。 AI
風歸麗則，
辭剪荑稗。 AI

Traduction :

8.7 Éloge :
Né de la poésie,
Le fu se divise en divers courants.
Décrivant les choses et peignant les formes,
Sa richesse en composants variés ressemble à celle de la sculpture et de la peinture.
Pour animer ce qui ne se meut pas,

---

[18] Il est noté dans le *Shuowen jiezi* que la graphie 畫 se prononce en « huai ».

Il faut de l'exaltation, une langue non étriquée.
Un style doit s'ancrer dans les règles de la beauté,
Les mots doivent être émondés de leurs pléthores.

Les trois autres éloges (3ᵉ, 4ᵉ et 7ᵉ) adoptent respectivement les rimes fermées « U », « EI » et « I ». Lisons-les :

3.6 贊曰 :
三極彝訓，
道深稽古。 U
致化歸一，
分教斯五。 U
性靈鎔匠，
文章奧府。 U
淵哉鑠乎，
群言之祖。 U

Traduction :

3.6 Éloge :
Les enseignements constants tirés des trois Entités sont profonds,
Dans le sillage des anciens.
Ils unifient toutes choses,
Mais se répartissent en cinq enseignements.
Ils sont les artisans fondateurs de l'âme et de la nature humaine,
Au plus intime de la composition littéraire.
Infiniment profonds et resplendissants,
Ils sont à l'origine de tous les discours !

4.6 贊曰 :
榮河溫洛，
是孕圖緯。 EI
神寶藏用，
理隱文貴。 UI (EI)
世歷二漢，
朱紫騰沸。 EI

芟夷譎詭，
採其雕蔚。 EI

Traduction :

4.6 Éloge :
Le glorieux fleuve Jaune, la douce rivière Luo,
Ont enfanté cartes et gloses ésotériques.
Trésors surnaturels gardés pour être mis en œuvre,
Leur sens est caché, mais précieux est leur « wen ».
Dans le temps des deux dynasties Han,
Rouge et pourpre ont bouillonné en effervescence.
Par élimination des propos peu purs,
Se cisèle le raffiné de la beauté.

7.7 贊曰 :
八音摛文，
樹辭為體。 I
謳吟坰野，
金石雲陛。 I
韶響難追，
鄭聲易啟。 I
豈惟觀樂，
於焉識禮。 I

Traduction :

7.7 Éloge :
Les huit sonorités musicales se prolongent en « wen »,
Les mots s'y inscrivent dans une forme signifiante.
Les chants populaires se façonnent dans les campagnes,
Les concerts de cloches et de lithophones se donnent sur des gradins de nuage.
Difficile est la voie de la musique « shao »,
Mais facile d'entonner la voix du Zheng.
Comment ne voir que la musique ?
Reconnaissons-y les rites.

En tout six rimes ont été adoptées. (Voir le tableau suivant)

Tableau des six rimes employées dans les premiers dix « zan »

Éloges	Rime	Fréquence
Éloges 1, 5	AO	2
Éloges 2, 8	AI	2
Éloge 3,	U	1
Éloge 4,	EI	1
Éloge 7	I	1
Éloges 6, 9, 10	AN	3

Remarquons que parmi les rimes des dix premiers « zan », les voyelles ouvertes (AO, AI, AN) l'emportent sur les voyelles fermées (U, I, EI). Nous allons voir si cela représente le mouvement principal des rimes dans les autres chapitres.

13.2.2. Les rimes du « zan » (du onzième au vingtième chapitre) : tendance « nasale »

Les rimes adoptées dans les éloges (du onzième au vingtième) des dix chapitres suivants sont également au nombre de six. Elles se présentent en phonèmes : I, ONG, AO, AI, OU, UN. La rime « I » est adoptée deux fois respectivement dans les éloges 11 et 12 :

11.5 贊曰 :
銘實器表,

箴惟德軌。　UI (I)
有佩於言，
無鑒於水。　UI (I)
秉茲貞厲，
警乎立履。　Ü (I)
義典則弘，
文約為美。　EI (I)

Traduction :

11.5 Éloge :
L'épigraphie prend corps à la surface d'ustensiles,
Tandis que la remontrance représente la norme de la vertu.
Garder ces inscriptions en pendentifs personnels,
Dispense de se mirer dans l'eau[19].
Gardons les pures et aiguiseuses (de moralité),
En restant vigilant en paroles et en conduite.
C'est la bonne norme des principes de tradition qui est majestueuse,
Et la sobriété de l'écriture qui est belle.

12.8 贊曰 :
寫實追虛，
碑誄以立。　I
銘德纂行，
文采允集。　I
觀風似面，
聽辭如泣。　I
石墨鐫華，
頹影豈戢。　I

---

[19] Ainsi est-il noté dans le *Canon des documents* : « Nos anciens avaient cet adage disant : "Ne pas prendre pour miroir l'eau, mais son peuple" » *Guren youyan : « Ren wuyu shuijian, dangyu minjian »* 人無於水監，當於民監. L'histoire doit servir de leçon, le peuple, de grand miroir aux souverains. (Voir *Shangshu*, chap. *Jiugao*).

Traduction :

12.8 Éloge :
Écrire la plénitude et débusquer l'inanité,
L'éloge funèbre et l'épitaphe sont faits pour cela.
En gravant la vertu et en résumant la conduite,
Ils consacrent toutes les beautés de l'écriture.
Le tempérament du défunt s'observe comme s'il était effacé ;
Les mots s'entendent comme des pleurs.
L'encre de la pierre sculpte la fleur de l'écriture,
Comment l'ombre du défunt pourrait-elle s'effacer ?

Dans l'éloge 11, trois caractères en phonèmes moderne « UI », « Ü » et « EI » sont archaïquement prononcés en « I ». La nasale « ONG » est adoptée deux fois dans les éloges 13 et 16 :

13.7 贊曰：
辭之所哀，
在彼弱弄。　ONG
苗而不秀，
自古斯慟。　ONG
雖有通才，
迷方失控。　ONG
千載可傷，
寓言以送。　ONG

Traduction :

13.7 Éloge :
L'écriture de la consolation pleure
Ceux qui meurent trop jeunes.
Les jeunes pousses qui ne peuvent éclore et porter leurs fruits,
C'est ce dont, depuis les temps anciens, on s'afflige.
Qui perd ce sens malgré un talent accompli, manque de saisir ce qu'il faut,

Rendez capable d'émouvoir de douleur pendant mille ans des mots choisis pour compatir.
C'est ce qui pourrait faire pleurer pendant mille ans,
On charge les condoléances sur les mots pour les émettre.

16.11 贊曰：
史肇軒黃，
體備周孔。　ONG
世歷斯編，
善惡偕總。　ONG
騰褒裁貶，
萬古魂動。　ONG
辭宗丘明，
直歸南董。　ONG

Traduction :

16.11 Éloge :
L'historiographie remonte au temps de l'empereur Jaune Xuanyuan,
Elle devient mature avec le duc Zhou et Confucius.
Tous les événements vécus y sont inclus,
Tous notés en bien ou en mal.
Ce qui est louable y est sublimé, et ce qui est blâmable y est condamné,
C'est ce qui émeut les âmes, encore dix mille ans après.
La formulation est héritée de Zuoming honoré son fondateur,
Le parler droit revient à l'historiographe du Sud[20] et à Dong Hu[21].

---

[20] Qui utilise, au péril de sa vie, la juste qualification de son seigneur pour le puissant Zuozhua. L'histoire est notée dans les *Printemps et Automnes* (vingt-cinquième année de règne du duc Xiang).

[21] Dong Hu 董狐, historiographe de la principauté du Jin qui dans ses notes historiques lui aussi qualifia à juste titre le ministre Zhao Dun d'assassin de son seigneur (le duc Ling de Jin) malgré la menace de mort. (Voir *Zuozhuan/Xuangong ernian*, deuxième année de règne du duc Xuan).

La rime « AO » est adoptée deux fois respectivement dans les éloges 14 et 19 :

14.6 贊曰：
偉矣前修，
學堅才飽。　AO
負文餘力，
飛靡弄巧。　AO
枝辭攢映，
嘒若參昂。　AO
慕羶之心，
於焉只攪。　AO

Traduction :

14.6 Éloge :
Grands sont les sages lettrés des générations précédentes,
Solides en études et riches en talents.
Porteurs de l'écriture, ils mettent toute leur énergie,
À faire prendre son essor au langage à force de subtilités.
Ces genres d'écriture se renvoient leur miroitement,
Brillant comme les constellations du *Shen*[22].
Mais le désir d'imiter la beauté féminine par les « sourcils foncés »,
Ne peut que troubler le cœur[23].

19.9 贊曰：
皇王施令，
寅嚴宗誥。　AO
我有絲言，

---

[22] Ce vers s'inspire du *Canon des odes* où le poète chantait les petites étoiles. (Voir *Shijing/Zhaonan/Xiaoxing* 召南·小星) Les étoiles *Shen* sont celles d'Orion, de l'Éridan, du Lièvre, de la Colombe, et celles du *Mao* – du Bélier, de la Baleine et de Persée.

[23] Le dernier vers s'inspire également d'un poème du *Canon des odes*. (Voir *Shijing/Xiaoya/Herensi* 小雅·何人斯).

兆民伊好。 AO
輝音峻舉，
鴻風遠蹈。 AO
騰義飛辭，
渙其大號。 AO

Traduction :

19.9 Éloge :
L'empereur décrète ses ordres,
Suivant les édits d'avertissement anciens, avec révérence et rigueur.
Sa parole de soie,
Est aimée de tout le peuple.
Les sons rayonnants s'élèvent en hauteur,
Et leur vent grandiose porte dans les lointains.
S'élève le sens, volent les mots,
Se transformant en commandements majestueux.

Deux éloges (15, 20) partagent la même rime « AI » :

15.5 贊曰：
古之嘲隱，
振危釋憊。 EI (AI)[24]
雖有絲麻，
無棄菅蒯。 AI
會義適時，
頗益諷誡。 IE (AI)[25]
空戲滑稽，
德音大壞。 AI

---

[24] Selon le *Pingshuiyun* 平水韻 (Dictionnaire de rimes Pingshui), la graphie est classée dans la même famille de rime (dixième catégorie) de l'« ai ».
[25] *Ibid.*

Traduction :

15.5 Éloge :
La facétie et les propos énigmatiques des temps anciens,
Visent à secourir des dangers[26] et à suppléer l'épuisement.
Bien qu'existent la soie et le lin,
On ne rejette pas pour autant les herbes *jian* et *kuai*[27].
Conformes à la morale et adaptés aux circonstances occasionnelles,
Ils soutiennent satires et recommandations.
Si l'on s'amuse de leur drôlerie et de leur forme ludique,
La voix de la vertu s'en trouve grandement dénaturée.

20.5 贊曰：
三驅弛網，
九伐先話。　UA (AI)[28]
肇鑒吉凶，
蓍龜成敗。　AI
摧壓鯨鯢，
抵落蜂蠆。　AI
移風易俗，
草偃風邁。　AI

---

[26] Secourir les dangers (*zhenwei* 振危), le caractère *zhen* 振 signifie « secouer », « secourir ».

[27] *Jian* 菅, *themeda triandra*, herbe dont on faisait des balais. *Kuai* 蒯, scirpe, herbe dont on fait des cordes. L'expression est tirée du *Zuozhuan/ Chenggong jiunian* 成公九年 (La neuvième année du duc Cheng) : 詩曰： 雖有絲麻， 無棄菅蒯。 « Eussiez-vous de la soie et du chanvre, ne rejetez pas les plantes textiles *jian* et *kuai* » (Traduction de Séraphin Couvreur, in *La Chronique de la principauté de Lou*, t. II, p. 80). Liu Xie voulait exprimer son idée que les beaux écrits précieux comme soie et lin restant appréciés, on ne rejette pas les écrits de moindre classe (propos drôles et énigmatiques) mais constructifs pour la vertu.

[28] Selon le *Pingshuiyun* 平水韻 (Dictionnaire de rimes Pingshui), la graphie est classée dans la même famille de rime (dixième catégorie) de l' « ai ».

Traduction :

20.5 Éloge :
Attaquant sur trois côtés[29], laissant le filet ouvert par devant,
Si l'on condamne les neuf crimes[30], il faut préalablement avertir.
Le miroir à la ceinture augure en présages fastes et néfastes,
Les tiges achillées et les carapaces de tortues prévoient victoires et défaites.
Il faut écraser les requins et faire tomber les guêpes.
L'écrit *yi*, avertissement, transforme effectivement les mœurs,
Les herbes s'inclinent sous la lancée du vent.

Les éloges 17 et 18 ont adopté respectivement les rimes « OU » et « UN » :

17.9 贊曰：
丈夫處世，
懷寶挺秀。 IU (OU)[31]
辨雕萬物，
智周宇宙。 OU
立德何隱，
含道必授。 OU
條流殊述，
若有區囿。 OU

Traduction :

17.9 Éloge :
Les hommes de cœur vivent dans ce monde,

---

[29] Dans le *Canon des mutations*, il est noté que le roi faisait la chasse, attaquant des animaux par trois côtés, tout en laissant un côté pour que les proies puissent s'enfuir devant. (Voir *Yijing* 易經, chapitre « Bigua » 比卦).

[30] Voir le *Canon des rites des Zhou* (*Zhouli* 周禮, chapitre « Xiaguan » 夏官).

[31] Selon le *Pingshuiyun* 平水韻 (Dictionnaire de rimes Pingshui), la graphie est classée dans la même famille de rime (vingt-sixième catégorie) de l' « ou ».

En chérissant des trésors de talent éminent.
Ils distinguent et dissèquent les dix mille êtres,
Avec une intelligence qui embrasse tout l'univers.
Solide mais discrète est leur vertu,
La voie qu'elle comporte ne peut pas ne pas se transmettre.
Les courants diffluent,
À chacun ses particularités.

18.11 贊曰：
理形於言，
敘理成論。　　UN
詞深人天，
致遠方寸。　　UN
陰陽莫忒，
鬼神靡遁。　　UN
說爾飛鉗，
呼吸沮勸。　　UAN (UN)[32]

Traduction :

18.11 Éloge :
La rationalité prend forme suivant le langage,
Le déploiement des raisons constitue la théorie.
Les mots portent dans les profondeurs de l'homme et du ciel,
Ils entraînent loin la pensée d'un organe de quelques pouces[33].
Le *Yin* et le *Yang* n'ont pas de pareils,
Abolissant d'un coup le démoniaque et le spirituel.
Les exposés volent en cisaille,
Expirant, aspirant, coupant et taillant.

---

[32] Selon le *Pingshuiyun* 平水韻 (Dictionnaire de rimes Pingshui), la graphie est classée dans la même famille de rime (quatorzième catégorie) de l'« un ».

[33] C'est-à-dire le cœur, organe de quelques pouces, en anthropologie chinoise siège de la pensée (alors qu'en anthropologie occidentale, le siège de la pensée est le cerveau).

Les rimes aux voyelles composées comme « I »,
« AO », « AI » et la rime nasale ONG ont été appelées
respectivement deux fois par Liu Xie dans ce groupe de dix
éloges (11-20), tandis que les rimes « OU » et « UN »,
une fois. (Voir le tableau suivant)

Tableau des six rimes employées dans les « zan » des chapitres 11-20

Éloges	Rime	Fréquence
Éloges 11, 12	I	2
Éloges 13, 16	ONG	2
Éloges 14, 19	AO	2
Éloges 15, 20	AI	2
Éloge 17	OU	1
Éloge 18	UN	1

Il est clair que la rime nasale est plus adaptée dans ce
groupe d'éloges, mais est-ce une tendance dans le *Wenxin
diaolong* ? Nous allons voir le mouvement tracé par les
éloges qui se suivent.

13.2.3 Les rimes du « zan »
(du vingt et unième au trentième chapitre) :
percée des rimes nasales variées

Parmi les dix éloges du troisième groupe (du vingt et
unième au trentième chapitre), sept rimes sont adoptées
dont les rimes nasales « ING », « IN » et « ENG ».
L' « ING » rime les éloges 26 et 28 :

26.7 贊曰：
神用象通，

情變所孕。 UN[34]
物以貌求，
心以理應。 ING
刻鏤聲律，
萌芽比興。 ING
結慮司契，
垂帷制勝。 ENG[35]

Traduction :

26.7 Éloge :
La spéculation fonctionne, et les figures s'animent,
C'est ce que génèrent les mutations environnementales.
Les choses sont perçues par leurs apparences,
L'esprit y répond en rationalisant.
La prosodie une fois sculptée,
La métaphore et l'allégorie s'incarnent.
Cristalliser la pensée dans les règles du langage,
Se réussit à la réflexion rideaux baissés.

28.5 贊曰 :
情與氣偕，
辭共體並。 ING
文明以健，
珪璋乃聘。 IN[36]
蔚彼風力，

---

[34] Selon le *Pingshuiyun* 平水韻 (Dictionnaire de rimes Pingshui), la graphie est classée dans la famille de rime (vingt-cinquième catégorie) de l'« ing ».

[35] Selon le *Pingshuiyun* 平水韻 (Dictionnaire de rimes Pingshui), la graphie est classée dans la famille de rime (vingt-cinquième catégorie) de l'« ing ».

[36] Selon le *Pingshuiyun* 平水韻 (Dictionnaire de rimes Pingshui), la graphie est classée dans la famille de rime (vingt-quatrième catégorie) de l'« ing ».

嚴此骨鯁。 ING
才鋒峻立,
符采克炳。 ING

Traduction :

28.5 Éloge :
Émotion et souffle s'apparient,
Langage et substance se conjuguent.
L'écrit étant limpide et solide,
Le couple des deux talents « gui »[37] et « zhang »[38] galopent comme
cavales à bride abattue.
La puissance du souffle,
Décore l'armature.
Le talent pointe, haut dressé,
Peut briller l'éclat du jade.

Les rimes nasales « ENG » et « IN » sont adoptées
respectivement une fois dans les éloges 23 et 30 :

23.6 贊曰:
皁飾司直,
蕭清風禁。 IN
筆銳干將,
墨含淳酖。 EN[39]
雖有次骨,
無或膚浸。 IN
獻政陳宜,

---

[37] *Gui*, ornement de jade rituel utilisé dans les cérémonies funéraires,
constitué d'une base carrée sur laquelle est disposé un disque rond.

[38] *Zhang*, ornement de jade rituel. L'expression « guizhang » désigne
des talents remarquables.

[39] Selon le *Pingshuiyun* 平水韻 (Dictionnaire de rimes Pingshui), la
graphie est classée dans la famille de rime (vingt-septième catégorie) de
l'« in ».

事必勝任。 EN[40]

Traduction

23.6 Éloge :
Superviseur en habit noir,
Chargé de purger, de réformer, de prohiber,
Par la plume il tranche comme par l'épée Ganjiang[41],
Son encre mithridatise.
Si radicale que soit sa sévérité,
Elle ne comporte aucune calomnie.
Présentant de bons conseils de gouvernance,
Il remplit assurément sa vocation.

30.8 贊曰 :
形生勢成，

---

[40] Selon le *Pingshuiyun* 平水韻 (Dictionnaire de rimes Pingshui), la graphie est classée dans la famille de rime (vingt-septième catégorie) de l' « in ».

[41] Ganjiang 干將, nom d'une épée légendaire. Au pays de Chu, un général nommé Ganjiang épousa une femme nommée Moye, « Pas Méchant ». Il avait dû, à la demande du roi, fabriquer deux épées. Il travailla pendant trois ans, et en fit une épée masculine et lui donna son nom et une épée féminine au nom de sa femme. Pour avoir attendu trop longtemps, le roi se mit en colère et donna l'ordre de le tuer. Le général fit donc ses adieux à sa femme qui était sur le point d'accoucher : « J'ai forgé des épées pour le roi Chu. J'ai réussi au bout de trois ans, mais le roi s'est fâché. Je prends congé de vous car le roi va me tuer. Si vous accouchez d'un garçon, sachez lui dire alors, qu'une fois grand, il sorte de la maison et regarde la montagne du Sud. Là pousse un pin sur un rocher. Ce rocher cache une épée. » Ce furent ses dernières paroles. Le général, alors, prit sur son dos l'épée femelle nommée Moye et s'en alla chez le roi de Chu, lequel, voyant qu'il n'y avait qu'une épée femelle, furieux, le tua.

始末相承。　ENG[42]
湍迴似規，
矢激如繩。　ENG
因利騁節，
情采自凝。　ING (ENG)[43]
枉轡學步，
力止壽陵。　ING[44]

Traduction :

30.8 Éloge :
La forme prend naissance et la propension se réalise,
Le commencement et la fin s'enchaînent.
La tendance et le tourbillonnement semblent se faire au compas,
La flèche rapide suit le cordon.
L'abandon à la propension, rênes lâchées,
Fait se former d'eux-mêmes l'émotion et l'éclat de l'écriture.
Vouloir marcher vainement comme quelqu'un de Xiangling,
Finit par faire qu'on ne sait plus mettre un pied devant l'autre.

La rime « I » (EI, UI) est adoptée dans les éloges 22
et 27 :

22.5 贊曰：
敷表絳闕，
獻替黼扆。　I[45]
言必貞明，

---

[42] Selon le *Pingshuiyun* 平水韻 (Dictionnaire de rimes Pingshui),
la graphie est classée dans la famille de rime (dixième catégorie) de
l'« eng ».
[43] *Ibid.*
[44] *Ibid.*
[45] Selon le *Pingshuiyun* 平水韻 (Dictionnaire de rimes Pingshui),
la graphie est classée dans la famille de rime (quatrième catégorie) de
l'« i », rime voisine de la famille (cinquième catégorie) de rime de l'ei.

義則弘偉。　EI
肅恭節文，
條理首尾。　EI
君子秉文，
辭令有斐。　EI

Traduction :

22.5 Éloge :
Soumettre des mémoriaux au Palais vermillon,
Présenter des conseils derrière le paravent,
La langue doit être vertueuse et limpide,
Le sens, grandiose et compendieux.
Le « wen » est sérieux et déférent,
Rationnel de bout en bout.
Quand l'homme de bien écrit,
Sa langue scintille.

27.5 贊曰：
才性異區，
文體繁詭。　UI[46]
辭為肌膚，
志實骨髓。　UI[47]
雅麗黼黻，
淫巧朱紫。　I
習亦凝真，
功沿漸靡。　I

Traduction :

27.5 Éloge :
Talent et naturel sont distincts,

[46] Selon le *Pingshuiyun* 平水韻 (Dictionnaire de rimes Pingshui), la graphie est classée dans la famille de rime (quatrième catégorie) de l' « i ».
[47] Selon le *Pingshuiyun* 平水韻 (Dictionnaire de rimes Pingshui), la graphie est classée dans la famille de rime (quatrième catégorie) de l' « i ».

Le « wen » et le style varient richement.
Les mots sont peau et muscles,
L'intention est moelle des os.
Élégance et beauté sur les vêtements rituels chamarrés,
Luxuriance et maniérisme gauchissent le rouge violet.
L'habitude se fond dans le naturel,
Peu à peu ils convergent en maitrise.

La rime « E » (IE, O, U) est également adoptée deux fois respectivement dans les éloges 24 et 29 :

24.6 贊曰：
議惟疇政，
名實相課。 E
斷理必剛，
摛辭無懦。 U (E)[48]
對策王庭，
同時酌和。 E
治體高秉，
雅謨遠播。 O (E)[49]

Traduction :

24.6 Éloge :
Les yi mettent la politique en question,
Forme nominale et contenu s'y correspondent.
La raison des jugements doit y être ferme,
Le discours sans laisser-aller.
Dans le débat dans la cour impériale,

---

[48] Selon le *Pingshuiyun* 平水韻 (Dictionnaire de rimes Pingshui), la graphie est classée dans la famille de rime (vingt et unième catégorie) de l'« e ».
[49] Selon le *Pingshuiyun* 平水韻 (Dictionnaire de rimes Pingshui), la graphie est classée dans la famille de rime (vingt et unième catégorie) de l'« e ».

Les répliques se mesurent l'une l'autre.
Alors la gouvernance est tenue élevée,
Et les conseils adroits portent loin.

29.6 贊曰：
文律運周，
日新其業。　IE[50]
變則堪久，
通則不乏。　E[51]
趨時必果，
乘機無怯。　IE
望今制奇，
參古定法。　E[52]

Traduction :

29.6 Éloge :
Le « wen » et la prosodie circulent,
La nouveauté est quotidienne.
Dans le changement peut paraître la pérennité,
Dans la continuité, l'inépuisable.
Du bon moment vient le fructueux,
Saisir les occasions sans timidité.
Au jour le jour maîtriser l'insolite,
Coder par référence au passé.

---

[50] Selon le *Pingshuiyun* 平水韻 (Dictionnaire de rimes Pingshui), la graphie est classée dans la famille de rime (dix-septième catégorie) de l' « e ».
[51] Selon le *Pingshuiyun* 平水韻 (Dictionnaire de rimes Pingshui), la graphie est classée dans la famille de rime (dix-septième catégorie) de l' « e ».
[52] Selon le *Pingshuiyun* 平水韻 (Dictionnaire de rimes Pingshui), la graphie est classée dans la famille de rime (dix-septième catégorie) de l' « e ».

Restent deux éloges (21, 25) qui adoptent chacune une fois rimes « IU » et « A » :

21.6 贊曰：
封勒帝績，
對越天休。 IU
逖聽高岳，
聲英克彪。 IAO (IU)[53]
樹石九旻，
泥金八幽。 IU
鴻律蟠采，
如龍如虬。 IU

Traduction :

21.6 Éloge :
Faire le sacrifice au Ciel en inscrivant les exploits impériaux,
C'est rendre grâce et louange au mandat céleste.
De la haute montagne s'entend au loin,
Le grondement d'une voix merveilleuse.
Les pierres dressées s'élèvent jusqu'aux neuf cieux,
Les tablettes de jade scellées d'or sont enterrées dans les huit directions.
Grand sacrifice et écriture en écailles[54],
Comme dragon accroupi et tarasque.

25.12 贊曰：
文藻條流，
託在筆札。 A
既馳金相，
亦運木訥。 A
萬古聲薦，

_____

[53] Selon le *Pingshuiyun* 平水韻 (Dictionnaire de rimes Pingshui), la graphie est classée dans la même famille de rime (onzième catégorie) de l' « iu ».

[54] Ce dernier vers paraphrase le titre de l'ouvrage *Cœur du « wen » et dragon sculpté*.

千里應拔。　A
庶務紛綸，
因書乃察。　A

Traduction :

25.12 Éloge :
Tous les courants d'écriture,
Convergent dans le genre des notes mémorielles.
Courent les bouches d'or,
Marchent les simples buches de bois.
Leur voix perdure dix mille ans,
Ses échos résonnent sur mille lis.
Si diverses que soient les affaires,
Elles sont scrutées par l'écrit.

En tout sept rimes ont été appelées dans les éloges 21-30. Voir le tableau suivant :

Tableau des rimes employées dans les « zan » des chapitres 21-30

Éloges	Rime	Fréquence
Éloge 21	IU	1
Éloges 22, 27	I (EI, UI)	2
Éloge 25	A	1
Éloges 24, 29	E (IE, O, U)	2
Éloges 26, 28	ING (UN, IN)	2
Éloge 23	IN (EN)	1
Éloge 30	ENG	1

Parmi les sept rimes employées, les rimes nasales « ING » (UN, IN), « IN » (EN), « ENG » ont marqué une présence importante. Les rimes manifestent continuellement leur tendance « fermée » (IU, I, E) et « nasale ». Nous allons voir si cette tendance perdure dans les dix éloges prochains (31-40).

13.2.4. Les rimes du « zan » (du trente et unième au quarantième chapitre)

Les rimes utilisées par Liu Xie pour les éloges dans les chapitres 31 et 40 sont au nombre de six. La rime nasale « AN » s'impose dans quatre éloges (31, 32, 36, 37). Lisons ces éloges respectivement :

31.8 贊曰：
言以文遠，
誠哉斯驗。　AN
心術既形，
英華乃贍。　AN
吳錦好渝，
舜英徒豔。　AN
繁采寡情，
味之必厭。　AN

Traduction :

31.8 Éloge :
Le langage va loin grâce au « wen »,
C'est reconnu.
L'art du cœur a pris naissance,
L'éclat des fleurs se voit de loin.
Les tissus de soie du pays de Wu perdent facilement leurs couleurs,
Les fleurs du cirier s'épanouissent en vain.
Le foisonnement d'éclats dans la faiblesse de sentiments,
N'a de saveur que l'ennui.

32.5 贊曰：
篇章戶牖，
左右相瞰。　AN
辭如川流，
溢則泛濫。　AN
權衡損益，
斟酌濃淡。　AN
芟繁剪穢，
弛於負擔。　AN

Traduction :

32.5 Éloge :
Composition et images comme portes et fenêtres,
S'accordent symétriquement.
Le langage coule comme un fleuve,
Dont le débordement invasif s'étendrait.
Le plus et le moins se mesurent,
Saveur et fadeur se jaugent.
Retrancher les excédents,
Soulager des redondances.

36.4 贊曰：
詩人比興，
觸物圓覽。　AN
物雖胡越，
合則肝膽。　AN
擬容取心，
斷辭必敢。　AN
攢雜詠歌，
如川之澹。　AN

Traduction :

36.4 Éloge :
Les poètes, par métaphore et allégorie,
Sentent les choses et éveillent la conscience.

Aussi étrangères entre elles que gens de Hu et de Yue[55],
Les choses une fois unies sont comme foie et vésicule biliaire.
Capter une image en prise sur l'émotion,
Sur le tranchant des mots.
Chants et poèmes bien composés,
Coulent comme fleuve clair.

37.5 贊曰：
夸飾在用，
文豈循檢。 AN
言必鵬運，
氣靡鴻漸。 AN
倒海探珠，
傾崑取琰。 AN
曠而不溢，
奢而無玷。 AN

Traduction :

37.5 Éloge :
L'hyperbole ornementale dépend de son application,
Comment s'en remettrait-on à son écriture ?
Le langage doit s'élancer vers le haut comme l'oiseau roc[56],
Et non dans le souffle du vol mesuré des oies sauvages.
On vide la mer en quête de la perle,
On renverse la montagne Kunlun pour trouver un jade *Yan*.
Ample sans déborder,
L'hyperbole est sans tache.

La rime nasale « ENG » est adoptée dans deux éloges
(34, 38) de ce groupe :

---

[55] Les Hu et les Yue, nomades du Nord et sédentaires du Sud.
[56] L'oiseau roc est un oiseau fabuleux imaginé par Zhuangzi comme
volant d'une extrémité du monde à l'autre.

34.7 贊曰：
斷章有檢，
積句不恆。　ENG
理資配主，
辭忌失朋。　ENG
環情草調，
宛轉相騰。　ENG
離合異同，
以盡厥能。　ENG

Traduction :

34.7 Éloge :
S'il y a des règles pour séquencer les paragraphes,
Il n'y en a pas pour la phrase.
L'idée nourrit le sujet principal,
Le discours désaccordé est à éviter.
Rimer la tonalité autour des émotions,
Les faisant se répondre, implicitement et discrètement.
Coupure ou couture, divergence ou convergence,
Toutes pleinement mises en valeur.

38.6 贊曰：
經籍深富，
辭理遐互。　EN[57]
皛如江海，
鬱若崑鄧。　ENG
文梓共採，
瓊珠交贈。　ENG
用人若己，
古來無懵。　ENG

---

[57] Selon le *Pingshuiyun* 平水韻 (Dictionnaire de rimes Pingshui), la graphie est classée dans la famille de rime (vingt-cinquième catégorie) de l' « eng ».

Traduction :

38.6 Éloge :
Les écrits canoniques sont riches et profonds,
Leur langage et leurs raisons se transmettent sans fin.
Resplendissants comme les fleuves et les mers,
Et luxuriants comme la forêt de pêchers du mont Kunlun[58].
Le beau catalpa s'offre à qui veut le prendre,
Jade et perles s'offrent à l'échange.
À citer les anciens comme paroles de soi-même,
Rien ne manquera dans l'expression ni passée ni présente.

Les rimes nasales « IN » et « EN » sont rappelées respectivement une fois dans les deux éloges (33, 39) :

33.5 贊曰：
標情務遠，
比音則近。　IN
吹律胸臆，
調鐘脣吻。　EN[59]
聲得鹽梅，
響滑榆槿。　IN
割棄支離，
宮商難隱。　IN

Traduction :

33.5 Éloge :
Pour exprimer l'émotion, il faut viser grand,
Les tons doivent la suivre de près.

---

[58] Selon une légende sur la montagne Kun, Kuafu courut après le soleil pour le rattraper, et en mourut, mais le bâton qu'il tenait fut transformé en bosquet de pêchers appelé du toponyme Deng.

[59] Selon le *Pingshuiyun* 平水韻 (Dictionnaire de rimes Pingshui), la graphie est classée dans la famille de rime (douzième catégorie) de l' « in ».

La poitrine souffle la métrique,
Les lèvres marquent l'harmonie.
Les sons ont un goût de prune confite,
La prosodie, la saveur des feuilles d'orme et d'hibiscus[60].
Si l'on retranche les tons et rimes fragmentaires,
Les notes *Gong* et *Shang* auront du mal à ne pas briller.

39.7 贊曰：
篆隸相熔，
蒼雅品訓。　UN
古今殊跡，
妍媸異分。　EN[61]
字靡異流，
文阻難運。　UN
聲畫昭精，
墨采騰奮。　EN

Traduction :

39.7 Éloge :
L'écriture sigillaire fonde l'écriture de chancellerie,
Le *Cangjie* savoure les graphies et le *Er ya* les glose.
Les vestiges graphiques diffèrent d'hier à aujourd'hui,
Le bienvenu et le rare diffèrent aussi.
Les caractères courants coulent facilement,
L'écriture heurtée fonctionne mal.
Le phonétisme et le graphisme font briller l'esprit,
L'éclat de l'encre scintille brillamment.

---

[60] Autrefois, ces feuilles étaient utilisées en cuisine pour leur consistance gluante.
[61] Selon le *Pingshuiyun* 平水韻 (Dictionnaire de rimes Pingshui), la graphie est classée dans la famille de rime (douzième catégorie) de l'« un ».

La rime ouverte « AI » est adoptée dans le trente-cin-quième éloge :

35.5 贊曰：
體植必兩，
辭動有配。 EI[62]
左提右挈，
精味兼載。 AI
炳爍聯華，
鏡靜含態。 AI
玉潤雙流，
如彼珩珮。 EI[63]

Traduction :

35.5 Éloge :
Forme et création doivent aller de pair,
Le langage s'anime du parallélisme.
Tenir la gauche et maintenir la droite,
Le spirituel et le sensible vont de concert.
La floraison s'épanouit,
Le miroir immobile embrasse tout tel quel.
Jade et rime se font écho,
Comme jadéites et pendentifs.

La rime ouverte « AO » est appelée dans le quarantième éloge :

40.8 贊曰：
深文隱蔚，
餘味曲包。 AO

---

[62] Selon le *Pingshuiyun* 平水韻 (Dictionnaire de rimes Pingshui), la graphie est classée dans la famille de rime (onzième catégorie) de l'« ai ».
[63] Selon le *Pingshuiyun* 平水韻 (Dictionnaire de rimes Pingshui), la graphie est classée dans la famille de rime (onzième catégorie) de l'« ai ».

辭生互體，
有似變爻。 AO
言之秀矣，
萬慮一交。 AO
動心驚耳，
逸響笙匏。 AO

Traduction :

40.8 Éloge :
L'écriture profonde n'a trahi qu'implicitement la beauté,
Retenant discrètement l'arrière-goût.
Les mots se créent d'eux-mêmes les uns les autres,
Comme s'engendrent réciproquement les monogrammes des hexa-
grammes.
L'explicite du langage,
Vient de dix mille pensées pour une seule réflexion.
Elle émeut le cœur et surprend l'ouïe,
Résonant encore plus que la flûte et l'orgue à bouche.

Les rimes appelées par Liu Xie pour les éloges dans les chapitres 31 et 40 sont majoritairement nasales (EN, ENG, AN, IN), soit 80 % de l'ensemble. Voir le tableau suivant :

Tableau des rimes employées dans les « zan » des chapitres 31-40

Éloges	Rime	Fréquence
Éloge 40	AO	1
Éloge 39	EN (UN)	1
Éloges 34, 38	ENG (EN)	2
Éloges 31, 32, 36, 37	AN	4
Éloge 35	AI (EI)	1
Éloge 33	IN (EN)	1

Les rimes nasales sont en proportion écrasante. Elles provoquent un effet particulier dans la musicalité des éloges avec leur ton long et accentué.

13.2.5. Les rimes du « zan » (du 41ᵉ au 50ᵉ chapitre)

Dans les dix derniers chapitres, sept rimes ont été utilisées pour composer les éloges. La rime pauvre et fermée « E » des éloges 45, 46 et 49 l'emporte sur les six autres rimes différentes :

45.13 贊曰：
蔚映十代，
辭采九變。 AN
樞中所動，
環流無倦。 AN
質文沿時，
崇替在選。 AN
終古雖遠，
曠焉如面。 AN

Traduction :

45.13 Éloge :
La littérature rayonne tout au long des dix dynasties,
En éclats de langage changeant tant et plus.
Le temps en est l'axe pivot,
Sur lequel tournent sans fin les courants littéraires.
Du naturel au littéraire au fil du temps,
Paraissent moments forts et déclins.
Retour au lointain le plus ancien,
Comme face à face.

46.5 贊曰：
山沓水匝，
樹雜雲合。　E
目既往還，
心亦吐納。　A (E)[64]
春日遲遲，
秋風颯颯。　E
情往似贈，
興來如答。　A (E)

Traduction :

46.5 Éloge :
Ondulent les montagnes, circulent les eaux,
Se mêlent les arbres, se réunissent les nuages.
Le regard va et vient,
Le cœur respire.
Les jours printaniers sont doux[65],
Le vent d'automne siffle[66].
L'émotion va comme proposition,
L'inspiration vient comme réponse.

49.6 贊曰：
瞻彼前修，
有懿文德。　E
聲昭楚南，

---

[64] Selon le *Pingshuiyun* 平水韻 (Dictionnaire de rimes Pingshui), la graphie est classée dans la famille de rime (quinzième catégorie) de l'« e ».

[65] Ce vers est tiré du *Canon des odes* (*Shijing*/Binfeng/Qiyue 詩經·豳風·七月).

[66] Ce vers est tiré des Élégies de Chu/Neuf chants/Fantômes de montagne (*Chuci/Jiuge/Shangui* 楚辭·九歌·山鬼).

采動梁北。　EI (E)[67]
雕而不器，
貞幹誰則。　E
豈無華身，
亦有光國。　UO (E)[68]

Traduction :

49.6 Éloge :
À voir les lettrés d'autrefois, en les admirant,
Quelle vertu de la belle écriture.
Leur voix porte écho dans tout le sud de la principauté de Chu[69],
Leur éclat fait vibrer la principauté de Liang du Nord[70].
À ciseler l'inutilisable,
Où trouver le pilier ?
Il ne s'agit pas de s'enorgueillir soi-même,
Mais de faire aussi la gloire de l'État.

La rime « AN » est adoptée deux fois dans les éloges 44 et 47 :

44.5 贊曰：
文場筆苑，
有術有門。　EN (AN)
務先大體，
鑒必窮源。　AN
乘一總萬，

---

[67] Selon le *Pingshuiyun* 平水韻 (Dictionnaire de rimes Pingshui), la graphie est classée dans la famille de rime (treizième catégorie) de l' « e ».

[68] Selon le *Pingshuiyun* 平水韻 (Dictionnaire de rimes Pingshui), la graphie est classée dans la famille de rime (treizième catégorie) de l' « e ».

[69] Liu Xie fait allusion aux poètes Qu Yuan et Jia Yi.

[70] Liu Xie fait allusion à deux lettrés Zou Yang et Mei Cheng.

舉要治繁。　AN
思無定契，
理有恆存。　UN

Traduction :

44.5 Éloge :
Le champ littéraire des écrits rimés et le jardin des écrits en prose,
Recèlent l'art et ses chemins.
Il est primordial de faire attention à l'ensemble,
De pénétrer à fond ce qui est fondamental,
De maîtriser l'ensemble pour unifier dix mille détails,
Et de saisir l'essentiel pour dominer le foisonnement.
La spéculation ne souffre de contraintes,
La raison est toujours soumise à ses principes.

47.11 贊曰：
才難然乎？
性各異稟。　ING
一朝綜文，
千年凝錦。　IN
餘采徘徊，
遺風籍甚。　EN
無曰紛雜，
皎然可品。　IN

Traduction :

47.11 Éloge :
Les talents sont rares, n'est-ce pas ?
Leur nature diffère entre les uns et les autres.
Une fois la composition réalisée,
L'œuvre est broderie de soie pour un millier d'années.
Son éclat littéraire rayonne,
Grande demeure son influence.
Sans parler de leur riche diversité,
Combien clairement on peut les estimer !

Les cinq rimes (« A », « ANG », « IE », « IN », « I ») sont convoquées respectivement dans les éloges 41, 42, 43, 48 et 50 :

41.6 贊曰：
羿氏舛射，
東野敗駕。　A
雖有儁才，
謬則多謝。　IE (A)[71]
斯言一玷，
千載弗化。　A
令章靡疚，
亦善之亞。　A

Traduction :

41.6 Éloge :
Yi[72] a raté son tir,
Dongye[73] a perdu sa course en char.
Malgré leur talent remarquable,
Trop de fautes leur font grande honte.
Une tache dans le langage,
Mille ans sans qu'elle disparaisse.
Les beaux écrits sans défauts,
Sont proches de l'excellence.

42.6 贊曰：
紛哉萬象，

---

[71] Selon le *Pingshuiyun* 平水韻 (Dictionnaire de rimes Pingshui), la graphie est classée dans la famille de rime (vingt-deuxième catégorie) de l'« a ».

[72] Yi, l'archer mythique qui a abattu neuf des dix soleils qui brûlaient la terre.

[73] Dong Ye 东野 se présenta au duc Zhuang pour lui faire la démonstration de ses talents de cocher, mais il échoua. Voir *Zhuangzi*/Dasheng 莊子·達生 (*Zhuangzi*/Connaître la vie).

勞矣千想。ANG
玄神宜寶，
素氣資養。ANG
水停以鑒，
火靜而朗。ANG
無擾文慮，
鬱此精爽。ANG

Traduction :

42.6 Éloge :
Dix mille phénomènes, quelle variété,
Mille idées, quel effort.
Le mystère de l'esprit est à chérir,
Le souffle originel est à nourrir et cultiver.
L'eau s'arrête pour miroiter,
Le feu se fige pour illuminer.
Ne pas agiter la pensée littéraire,
Garder la fraîcheur d'esprit.

43.6 贊曰 :
篇統間關，
情數稠疊。 IE
原始要終，
疏條布葉。 IE
道味相附，
懸緒自接。 IE
如樂之和，
心聲克協。 IE

Traduction :

43.6 Éloge :
La maitrise de la composition est raide et difficile,
Émotion et art de l'écriture sont denses et complexes.
Commencement et fin se co-inscrivent,

Comme branches et feuilles s'exposent et s'alignent.
Dao et saveur s'interpénétrant,
Commencement et fin s'homogénéisent d'eux-mêmes.
Comme dans l'harmonie de la musique,
Concordent forcément le cœur et la voix.

48.6 贊曰：
洪鐘萬鈞，
夔曠所定。 ING

良書盈篋，
妙鑒乃訂。 ING

流鄭淫人，
無或失聽。 ING

獨有此律，
不謬蹊徑。 ING

Traduction :

48.6 Éloge :
Une cloche de dix mille *jun*[74],
Fut accordée par Kui et Kuang[75].
Les bons écrits remplissant les caisses,
Sont à commenter par la connaissance subtile.
La musique à la mode de la principauté de Zheng pervertit les gens,
Qu'on se garde de se perdre par l'ouïe.
C'est la seule règle pour ne pas se tromper de chemin.

50.6 贊曰：
生也有涯，
無涯惟智。 I
逐物實難，

---

[74] Un *jun* équivaut à 15 kg.
[75] Kui 夔, ministre de la musique de l'époque de l'empereur légendaire Shun ; Kuang曠, maître de musique de la principauté de Jin de l'époque des Royaumes-Combattants.

憑性良易。 I
傲岸泉石，
咀嚼文義。 I
文果載心，
余心有寄。 I

Traduction :

50.6 Éloge :
La vie est limitée,
Le savoir est illimité[76].
Poursuivre la quête des choses est en fait difficile,
Facile est la quête de sa propre nature.
Tête haute entre sources et pierres,
Savoure le sens du « wen ».
S'il est vrai que le « wen » porte le cœur,
Le mien saura où s'appuyer.

En tout, les sept rimes ont été adoptées dans les dix derniers éloges (quarante-et-unième-cinquantième). Voir le tableau suivant :

Tableau des rimes employées dans les « zan » des chapitres 41-50

Éloges	Rime	Fréquence
Éloge 41	A (IE)	1
Éloge 42	ANG	1
Éloge 43	IE	1
Éloge 47	AN (EN, UN)	1
Éloges 45, 46, 49	E (EI, UO)	3
Éloge 48	IN (ING)	1
Éloge 50	I	1

---

[76] Citation d'un passage du *Zhuangzi*/Yangshengzhu 莊子·養生主 (*Zhuangzi*/Principe de bien-être).

Sur le plan général, dix-huit rimes ont été appelées dans les cinquante éloges du *Wenxin diaolong*. Voir la liste suivante :

Liste des dix-huit rimes employées dans les « zan » des chapitres 1-50

Rime	Éloges	Fréquence
A	25, 41	2
AI	2, 8, 15, 20, 35	5
AN	6, 9, 10, 31, 32, 36, 37, 44, 47	9
ANG	42	1
AO	1, 5, 14, 19, 40	5
ONG	13, 16	2
OU	1, 7	2
E	24, 29, 45, 46, 49	5
EI	4	1
EN	39	1
ENG	30, 34, 38	3
I	Éloges 7, 11, 12, 22, 27, 50	6
IE	Éloge 43	1
IN	Éloges 23, 33, 48	3
ING	Éloges 26, 28	2
IU	Éloge 21	1
U	Éloge 3	1
UN	Éloge 18	1

Sur le plan de la nature du phonème, les huit rimes nasales marquent leur présence avec vingt-deux occurrences sur un ensemble de cinquante.

Tableau. Rimes nasales des éloges du *Wenxin diaolong*

Rimes nasales	Éloges	Occurrences	%
AN	Éloges 6, 9, 10, 31, 32, 36, 37, 44, 47	9	40,9 %
ENG	Éloges 30, 34, 38	3	13,64 %
IN	Éloges 23, 33, 48	3	13,64 %
ING	Éloges 26, 28	2	9,1 %
ONG	Éloges 13, 16	2	9,1 %
ANG	Éloge 42	1	4,54 %
EN	Éloge 39	1	4,54 %
UN	Éloge 18	1	4,54 %
8 Rimes nasales	22 éloges	22 occurrences	100 %

La rime nasale « AN » se trouve au sommet avec neuf occurrences dans les éloges 6, 9, 10, 31, 32, 36, 37, 44, 47, suivie de la rime « fermée » « I » avec six fois (éloges 7, 11, 12, 22, 27, 50). (Voir le graphique suivant).

Graphique.
Fréquence d'occurrences des rimes des cinquante éloges[77] :

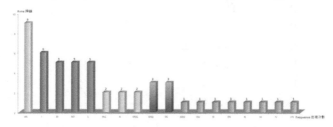

---

[77] Le graphique est établi par Yang Jing.

Après les rimes « AN » et « I », occupent la troisième place les rimes « AI » (éloges 2, 8, 15, 20, 35), « AO » (éloges 1, 5, 14, 19, 40) et « E » (éloges 24, 29, 45, 46, 49). Derrière elles, se succèdent les rimes « ENG » (éloges 30, 34, 38), « IN » (éloges 23, 33, 48), « ING » (éloges 26, 28), « A » (éloges 25, 41), « ONG » (éloges 13, 16). Les huit rimes les moins utilisées (une occurrence de chaque) sont « ANG », « OU », « EI », « EN », « IE », « IU », « U », « UN ».

Le quaternaire des odes s'est enrichi d'une ressource nouvelle du poème bouddhiste, l'originalité de l'éloge de Liu Xie est représentée par les vers réguliers de huit mètres. La formation poétique du « zan » réalisée dans le *Wenxin diaolong* de Liu Xie révèle qu'il y a une transformation du sens et du genre grâce au vecteur historique de la traduction du texte sacré bouddhiste.

Nous avons essayé d'inclure dans le courant de l'étude de la poétique de Liu Xie une réflexion sur l'inspiration du « zan » du *Wenxin diaolong*. Elle fait référence au genre Śloka du texte sacré bouddhiste et à la forme traditionnelle des odes anciennes chinoises. L'assimilation de ces deux genres semble évidente. Le « zan » du *Wenxin diaolong* annonce ainsi un nouveau genre de la poésie quadrisyllabique rimée en huit vers avant la naissance des vers pentasyllabiques modernes chinois.

CONCLUSION

L e « wen » en *wenyan* est chargé de vertus différentes :
la première se rapporte au visuel (figurations),
la deuxième, au son, la troisième, au sensible, à
l'affectivité humaine passant par l'écriture. Ces vertus du
« wen » à trois dimensions correspondent dans la pensée
chinoise à la corrélativité des trois sphères naturelles du
Ciel, de la Terre et de l'Homme ; tout cela s'enracine dans
la dimension cosmique. Le « wen » est ainsi le réceptacle
verbal du Dao.

Les exemples cités et comparés dans la présente étude
montrent un travail de « tâtonnement » de la critique
textuelle gardant maximal le sens supra-phénoménal du
« wen » sur lequel la réflexion est complexe ; il n'y a pas
une réponse, mais au moins plusieurs, si on y parvient.

Dans le cas de la traduction par exemple, le problème de
l'intraduisible du « wen » suscite largement le glissement
de la traduction du concept, de la langue et de la culture. Il
fait naître toutes les couches de l'intraduisible à l'épreuve
de l'esprit intellectuel. D'où les difficultés éclatées pour la

traduction qui n'est plus une simple activité de « transla-
tion » du « wen », mais la rencontre des cultures et des
concepts, et une traduction inter-conceptuelle jusqu'à
transculturelle. On essaie de trouver la polysémie française
du « wen » tout en gardant celle du « wen » en chinois.
Il s'agit d'une re-contextualisation du sens du « wen »
sacré. Il s'agit de situer la traduction du « wen » dans
ses contextes linguistiques, historiques et littéraires, tout
en reconnaissant les difficultés de transfert textuel et des
facteurs possibles sur le choix du mot. Il y a un compromis
qui peut s'établir entre le traduisible et l'intraduisible. S'exposer à un refus pour la raison de la spécificité du concept
du « wen » ou l'interpréter par paraphrase ne justifient pas
l'acte de traduction.

Traduire Liu Xie en une autre langue est dans un certain sens une trahison de l'intraduisible, mais là se trouve la
possibilité d'exploiter les deux champs sémantiques et les
polysémies qui ouvrent sur une pluralité d'interprétations
d'une langue à une autre, même si cela échappe à l'intention de l'auteur. Cette pluralité d'interprétations ne creuse
pas l'écart entre la langue du départ et celle d'arrivée, bien
au contraire, elle crée un espace de rencontre particulier où
se réunissent la compréhension et l'indécidable, l'audace
intellectuelle et l'exactitude du sens, la confrontation et le
compromis, la limite et l'infini langagier, l'abondance du
vocabulaire et l'absence du mot. Traduire le « wen » dans
une autre langue provoque des conséquences diverses.

Le transfert du « wen » est un mot clé qui donne
beaucoup de fil à retordre dans la traduction. Toute tra-

duction implique un décalage. Notre étude retrace les trois mouvements rythmiques du « wen », dont le premier représente la fréquence générale du texte d'origine, le deuxième, la transposition du « wen » en traduction française, le troisième, l'acception du « wen » en anglais. Ces « tâtonnements » montrent à quel point les mots proposés comme traduction sont des approches très relatives du sens du « wen » du texte d'origine. Peut-on s'approcher du sens par tous les bouts de la traduction ?

Il s'agit ici d'effectuer un transfert du sens figuré au sens propre dont l'un est dérivé de l'autre. Il faut s'interroger sur les effets de ses traductions dans les langues cibles : à quel rythme, à quelle signification et à quel mouvement ces acceptions se manifestent-elles ? Mais le traducteur ne doit pas se contenter d'interpréter la pluralité des significations du « wen » par différents mots proposés, il doit reprendre l'allant par lequel Liu Xie avait porté le sens sans fond de sa spéculation. Cet allant étant intraduisible, le traduire est toujours à recommencer. Par cette reprise infinie, le « wen » d'origine, à ses triples dimensions céleste, terrestre et humaine, serait préservé. Reprendre la traduction sera possible par la re-contextualisation.

Nous avons affaire à une re-contextualisation du texte source au texte cible. D'où la difficulté de trouver un accord entre ces langues tout en gardant conscience de leurs relations inter-linguistiques et interculturelles. Il ne s'agit pas d'égalité ou d'équivalence du sens dans ce transfert du sens du « wen », ni de la méconnaissance de la poétique du terme clé du « wen ». Le « wen » dans le texte chinois du premier chapitre portant sur la Voie-*Dao* est placé au niveau cosmique, c'est la raison pour laquelle la transposition phonétique en version française est mise en premier lieu, afin de rester fidèle à cette dimension cosmique, à l'inexplicabilité malgré des termes verbaux en autres langues. Or quand il s'agit des formes littéraires, le « wen » a une palette étendue des quinze premiers chapitres avec cent quarante-huit mots proposés pour la traduction du « wen ». Nous savons que sous ces mots richement différents se cache une réalité qu'ils n'ont pas pu entamer. L'étape suivante de notre étude serait de répondre aux questions suivantes. Quelle serait la large palette de sens offert par le « wen » dans l'ensemble du *Wenxin diaolong* de Liu Xie surtout lorsqu'il traite des trente-quatre genres littéraires chinois ? Et quelle pourrait être une autre large palette de sens tous dérivés de la traduction du « wen » dans les autres langues ? Nous gardons la question ouverte. Un champ d'étude à creuser. Le présent travail ne se réduit pas à une seule dimension de réflexion, il constitue un premier niveau de la recherche du « wen » par l'approche philologique qui pourrait se déployer par d'autres approches pour mettre en lumière la polysémie de ce terme clé du *Wenxin diaolong*.

Ainsi se forme l'aspect de l'intraduisibilité du « wen ». L'intraduisibilité naît du fait que ce « wen » avec sa polysémie riche soit flottant au niveau du sens interne dans la langue « wenyan » et externe en langue de traduction. Un cas de transfert culturel qui implique l'intraduisibilité et la possibilité d'une traduction fidèle reste ouverte. Cette traduction « littérale » et « littéraire » au sens large du terme du « wen » qui n'est possible qu'entre deux langues bénéficie à l'un et à l'autre comme support réciproque.

Nous avons établi, par la traduction du « wen » en français et en anglais deux déplacements du sens au niveau formel de la langue (équivalences lexicales ou transplantation) selon les contextes. Il ne s'agit pas d'une traduction d'une langue à une autre, encore moins du rejet au dehors de l'œuvre, respectant les méandres du texte de Liu Xie et les différents niveaux de ce qu'est sa polysémie. L'histoire des transferts culturels est avant tout celle de la traduction du « wen » vers le français moderne. Mais avons-nous analysé complètement tous les aspects du « wen » en perçant toutes ses significations ? La réponse est négative. Ces aspects constituent dans la langue d'origine et la langue cible un champ où la traduction n'est pas une simple élaboration du transfert du sens. Le travail débute seulement en détachant certains aspects par le recensement et l'analyse.

Ainsi, d'une langue à l'autre, d'une culture à l'autre, la traduction essaie de répondre aux mêmes sens du « wen » tout en sachant que ce n'est pas simple, mais l'une et l'autre auront la même tâche. Le « wen » conduit à poser de nouveau le problème de la traduction et ouvre un champ d'étude qui apporte de nouvelles données aux transferts culturels.

Le présent travail est constitué de multiples facettes réalisées (polyvalence du sens du « wen », poétique de Liu Xie, sacralité des sources de la poésie chinoise, musique de poésie : source légitime pour une fonction morale) par différentes approches (étymologique, philologique, historiographique, textuelle, littéraire, esthétique, transferts culturels par la traduction). Ces thèses sont étudiées dans cet ouvrage.

Les chapitres 1 et 12 sont consacrés à la thèse des transferts culturels par la traduction. Les chapitres 2 et 3 sont réalisés par l'approche étymologique et philologique. Les chapitres 4 et 5 sur les canons et écrits « non canoniques » retracent les différentes sources de la littérature chinoise. Les chapitres 6, 7, 8, 9 et 10 consacrés aux aspects différents de la poétique relèvent de l'histoire littéraire, appelant les approches de la critique textuelle. Le chapitre 11 portant sur la critique du talent littéraire (intuition, inspiration et évocation) touche l'un des grands problèmes de la théorie littéraire, la raison d'être de l'écrivain, le sens de l'existence et les circonstances sociales comme berceau ou tombeau pour création. Le chapitre 12 étudie les différents aspects du « wen » (intraduisibilité, mouvement, phonétique, étendue sémantique). L'ouvrage s'achève sur « Le "zan" du *Wenxin diaolong* à la lumière du *Śloka* bouddhiste » (forme quadrisyllabique du genre « zan », rimes des cinquante éloges).

Le lecteur trouvera la spéculation de Liu Xie relative à la présente recherche de la poétique dans la traduction française bicéphale (Jin Siyan et Léon Vandermeersch) du *Wenxin diaolong* qui est sortie à Paris, chez l'éditeur Youfeng en 2023.

BIBLIOGRAPHIE

Œuvres scientifiques en langues occidentales

CAI, Zong-qi, *A Chinese Literary Mind: culture, creativity and rhetoric in Wenxin Diaolong*, Stanford, Calif., Stanford University Press, 2001.

CHANG, Taiping, *Dictionary of Chinese Literature*, Oxford, Oxford University Press, on line 2017.

CHAUSSENDE, Damien et MARTIN, François (dirs.), *Dictionnaire biographique du haut Moyen Âge chinois – Culture, politique et religion de la fin des Han à la veille des Tang (IIIe-VIe siècle)*, Paris, Les Belles Lettres, 2020.

JULLIEN, François, *La valeur allusive : Des catégories de l'interprétation poétique dans la tradition chinoise (Contribution à une réflexion sur l'altérité culturelle)*, Paris, EFEO, 1985.

OWEN, Stephen, *Readings in Chinese literary thought*, Boston, Harvard University Asia Center, 1992.

VANDERMEERSCH, Léon, *La littérature chinoise, littérature hors norme*, Paris, Gallimard, 2022.

ZHAO, Heping, *Wenxin Diaolong: An early Chinese rhetoric of written discourse,* PhD Dissertation, Purdue University, West Lafayette (IN), 1990.

Œuvres scientifiques en langue chinoise

Cao, Shenggao, 曹勝高, *Hanfu yu handai zhidu – Yi ducheng, xiaolie, liyi weili* 漢賦與漢代制度 – 以都城、校猎、禮儀為例, Beijing 北京, Beijing daxue chubanshe 北京大學出版社, 2006.

Fan, Wenlan, 范文瀾, *Wenxin diaolong zhu* 文心雕龍注, 2 volumes, Beijing 北京 Renmin wenxue chubanshe 人民文學出版社, 1978.

Gong, Pengcheng, 龔鵬程, *Wenxin diaolong jiangji* 《文心雕龍》講記, Guilin 桂林, Guangxi shifan daxue chubanshe 广西師範大學出版社, 2021.

Guo, Jinxi, 郭晋稀, *Wenxin diaolong yi zhu shiba pian* 文心雕龍譯注十八篇, Lanzhou 蘭州, Gansu renmin chubanshe 甘肃人民出版社, 1963.

Jiang, Shaoyu, 蔣紹愚, *Tangshi yuyan yanjiu* 唐詩語言研究, Beijing 北京, Yüwen chubanshe 語文出版社, 2008.

Li, Yuegang, 李曰剛, *Wenxin diaolong jiaoquan* 文心雕龍斠詮, 2 vols., Taipei 臺北, Guoli bianyiguan zhonghua congshu bianshen weiyuanhui 國立編譯館中華叢書編審委員會, 1982.

Lin, Qitan, 林其錟 et Chen Fengjin 陳鳳金, *Dunhuang yishu Wenxin diaolong canjuan jijiao* 敦煌遺書《文心雕龍》殘卷集校, Shanghai 上海, Shanghai shudian chubanshe 上海书店出版社, 1991.

Liu, Shipei, 劉師培, *Hanwei liuchang zhuanjiawen yanjiu* 漢魏六朝專家文研究, cours notés par Luo Changpei 羅常培, 香港 Hong Kong, Xianggang zhongwen daxue xinya shuyuan zhongwenxi 香港中文大學新亞書院中文系, 1966.

LUO, Zongqiang, 羅宗強, *Du Wenxindiqolong shouji* 讀《文心雕龍》手記, Beijing 北京, Sanlian shudian 三聯書店, 2007.

MU, Kehong, 穆克宏, *Wenxin diaolong yanjiu* 文心雕龍研究, Quanzhou 泉州, Lujiang chubanshe 鷺江出版社, 2002.

PAN, Chonggui, 潘重規, *Tangxie Wenxin diaolong canben hejiao* 唐寫文心雕龍殘本合校》, Hong Kong 香港, Xianggang Xinyan yanjiusuo 香港新亞研究所, 1970.

WANG, Yuanhua, 王元化, *Wenxin diaolong jiangshu* 文心雕龍講疏, Shanghai 上海, Shanghai guji chubanshe 上海古籍出版社, 1992.

ZHAN, Ying, 詹鍈, *Wenxin diaolong yizheng* 文心雕龍義證, 3 vol, Shanghai 上海, Shanghai guji chubanshe 上海古籍出版社, 1989.

ZHANG, Shaokang, 張少康, *Liu Xie jiqi Wenxin diaolong yanjiu* 劉勰及其《文心雕龍》研究, Beijing 北京, Beijing daxue chubanshe 北京大學出版社, 2010.

ZHANG, Shaokang, 張少康, Wang Chunhong 汪春泓, Chen Yunfeng 陳允鋒, Tao Litian 陶禮天, *Wenxin diaolong yanjiushi* 文心雕龍研究史, Beijing 北京, Beijing daxue chubanshe 北京大學出版社, 2001.

Zhongguo *Wenxin diaolong* xuehui 中國文心雕龍學會, *Wenxin diaolong ziliao congshu* 《文心雕龍》資料叢書, Beijing 北京, Xueyuan chubanshe 學苑出版社, 2004.

ZHOU, Xunchu, 周勛初, *Wenxin diaolong jiexi* 文心雕龍解析, Nanjing 南京, Fenghuang chubanshe 鳳凰出版社, 2018.

ZHOU, Zhenfu, 周振甫, *Wenxin diaolong zhushi* 文心雕龍注釋, Beijing 北京, Renmin wenxue chubanshe 人民文學出版社, 2002.

ZHU, Dongrun, 朱東潤, *Zhongguo wenxue piping dagang* 中國文學批評大綱, Shanghai 上海, Shanghai guji chubanshe 上海古籍出版社, 1983.

Articles en langues occidentales

CAI Zong-qi, « Wen and the Construction of a Critical System in 'Wenxin Diaolong' », in *CLEAR* (*Chinese Literature, Essays, Articles, Review*), vol. 22, 2000, p. 1-29.

FALKENHAUSEN (von), Lothar, « The Concept of *Wen* in Ancient Chinese Ancestral Cult », in *Chinese Literature: Essays, Articles, Reviews* (CLEAR), vol. 18, déc. 1996, p. 1-22.

HOLZMAN, Donald, « Literary Criticism in China in the Early Third Century AD », in *Asiatische Studien/Etudes Asiatiques*, vol. 28 n°2, 1974, Berne, p. 113-149.

JIN Siyan, « La musicalité dans la versification classique chinoise », in *La Métamorphose des images poétiques 1915-1932 — Des symbolistes français aux symbolistes chinois*, Bochum, Éditions Cathay, Projekt Verlag, 1997, p. 347-392.

JULLIEN, François, « En prenant les textes canoniques comme source », in *Extrême-Orient Extrême Occident*, 1984, n° 5, p. 129-134.

JULLIEN, François, « Théorie du parallélisme littéraire d'après Liu Xie », in *Extrême-Orient Extrême Occident*, 1989, n° 11, p. 99-108.

KERN, Martin, « Ritual, Text, and the Formation of the Canon: Historical Transitions of *Wen* in Early China », in *T'oung Pao*, LXXXVII, Brill, Leiden, 2001, p. 43-91.

LAVOIX, Valérie, « Liu Xie », in Chaussende, Damien et François Martin (dirs.), *Dictionnaire biographique du Haut Moyen Âge chinois – Culture, politique et religion de la fin des Han à la veille des Tang (IIIᵉ-VIᵉ siècles)*, Paris, Les Belles lettres, 2020, p. 312-315.

LAVOIX, Valérie « Un dragon pour emblème – Variations sur le titre du *Wenxin diaolong* », in *Études chinoises,* 19 (2000), p. 197-247.

LAVOIX, Valérie, « Du poète au paysage : le regard de la poétique médiévale », in *Montagnes célestes – Trésors des musées de Chine*, Paris, RMN, 2004, p. 49-60. [Traduction complète et commentée du chapitre 46].

LAVOIX, Valérie, « Le désenchantement de Liu Xie – Postures et devoirs du critique littéraire selon le chapitre 'Du connaisseur' du *Wenxin diaolong* » : *De la difficulté de juger*, in *Extrême-Orient Extrême-Occident*, 26 (2004), p. 33-53. [Étude du chapitre 48].

LI, Wai-Yee, « Between 'Literary Dragons Mind' and 'Carving Dragons': Order and Excess in *Wenxin dialong* », in *A Chinese Literary Mind: Culture, Creativity, and Rhetoric in Wenxin Diaolong*, Cai Zong-Qi (éd.), Stanford, Stanford University Press, p. 193-226.

PETERSON, Plaks, Andrew et YÜ, Ying-shih (éds.), *The Power of Culture – Studies in chinese Cultural History*, Hong Kong, The Chinese University Press, 1994, p. 80-102.

OWEN, Stephen, « Liu Xie and the Discourse Machine », in Cai Zong-qi, *A Chinese Literary Mind: Culture, Creativity, and Rhetoric in Wenxin diaolong*, Stanford, Stanford University Press, 2001, p. 175-191.

RICHTER, Antje, « Notes of Epistolarity in Liu Xie's Wenxin diaolong », in *Journal of the American Oriental Society* 127/2 (2007), p. 143-160.

STEPIEN, Rafal K., « The Original Mind Is the Literary Mind the Original Body Carves Dragons », in *Buddhist Literature as Philosophy Buddhist Philosophy as Literature.* Rafal K. Stepien (éd.), Allbany NY, State University of New York Press, 2020, p. 231-260.

Articles en langue chinoise

CAI, Zong-qi, 蔡宗齊, Wenxin diaolong zhong wen de duochong hanyi ji Liu Xie wenxue lilun tixi de jianli 《文心雕龍》中"文"的多重含義及劉勰文學理論體系的建立, in Renwen Zhongguo xuebqo 人文中國學報, n°14, 2008, p. 139-172.

GAO, Huaping, 高華平, Zanti de yanbian jiqi suoshou fojing yingxian tantao 贊體的演變及其所受佛經影响探, in Wenshizhe 文史哲, 2008, n° 14, p. 113-121.

SUN, Shangyong, 孫尚勇, Zhonggu hanyi fojing jisong tishi yanjiu 中古漢譯佛經偈頌體式研究, in Pumen xuebao 普門學報, 2005, n° 27, p. 1-22.

YAN, Qiamao, 颜洽茂, JING, Yaling 荆亞玲, « Shilun hanyi fodian siyange wenti de xingcheng he yingxiang » 試論漢譯佛典四言格文體的形成及影响, in Zhejiangdaxue xuebao, 2008, n° 5, p. 177-185.

Thèses

LAVOIX, Valérie, *Liu Xie (ca 465-ca 521) — Homme de lettres, bouddhiste laïc et juge des poètes*, thèse de Doctorat sous la codirection de Jacques Pimpaneau et François Martin (Inalco, spécialité Études chinoises, option Littérature, 1998).

BIZAIS, Marie, *Pensée de la forme : forme de la pensée dans le Wenxin diaolong (esprit de littérature) du poéticien chinois Liu Xie (ca. 465-521)*, thèse de Doctorat sous la codirection d'Anne Cheng et de Stephen Owen (Inalco, spécialité Études chinoises, 2008).

TABLE DES MATIÈRES